동영상과 함께 "큐브수학 심화"로 상위 1% 되자!

KB039257

무료 문제 풀이 동영상 강의로 사고력을 키워 상위권 공략

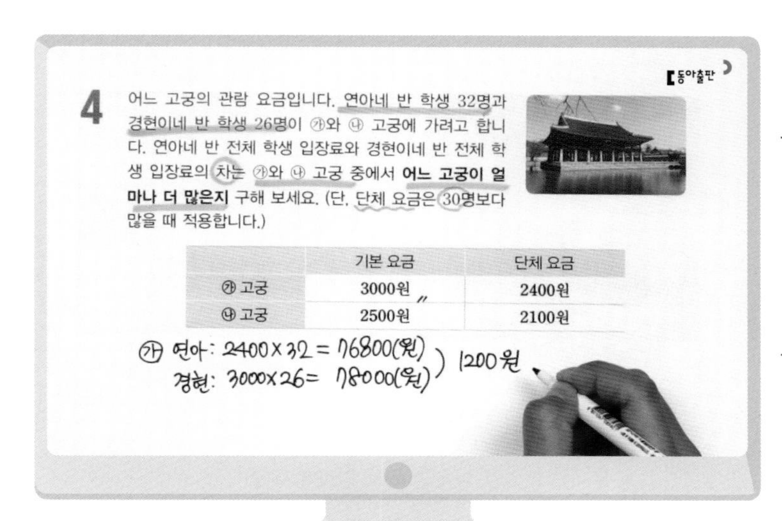
동아출판
4 어느 고궁의 관람 요금입니다. 연아네 반 학생 32명과 경현이네 반 학생 26명이 ㉮와 ㉯ 고궁에 가려고 합니다. 연아네 반 전체 학생 입장료와 경현이네 반 전체 학생 입장료의 차는 ㉮와 ㉯ 고궁 중에서 어느 고궁이 얼마나 더 많은지 구해 보세요. (단, 단체 요금은 30명보다 많을 때 적용합니다.)
기본 요금
단체 요금
㉮ 고궁
3000원
2400원
㉯ 고궁
2500원
2100원
㉮ 연아: 2400×32 = 76800(원)
경현: 3000×26 = 78000(원)
1200원

수학 상위권이 되려면 어떻게 해야 할까요?

상위권 도전 심화서인 큐브수학 심화가 있습니다.

혼자 공부하기 어렵지 않을까요?

무료 스마트러닝에 접속하면, <최상위 도전하기> 문제 풀이 동영상 강의가 있어 혼자서도 공부할 수 있습니다.

무료 스마트러닝 접속 방법

방법 1

동아출판
초등 수학
시작은 누구나
큐브수학

동아출판 홈페이지 **www.bookdonga.com**에 접속하면 큐브수학 심화 무료 스마트러닝을 이용할 수 있습니다.

방법 2

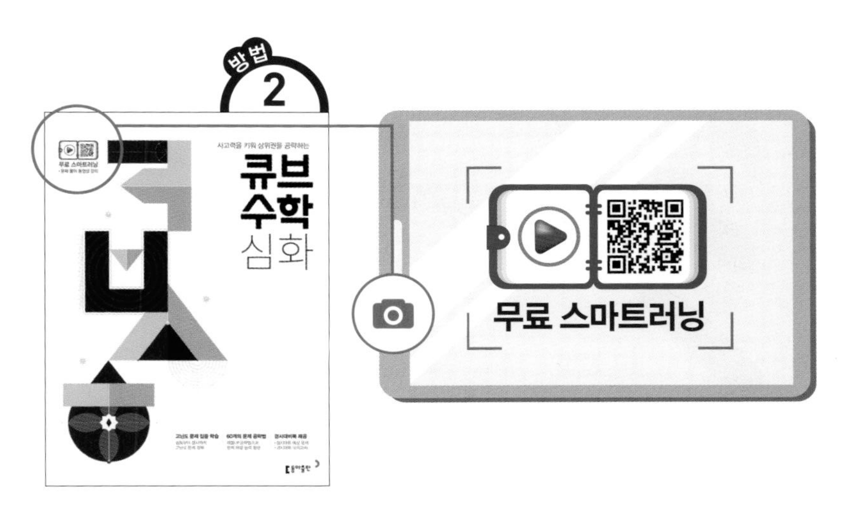
큐브
수학
심화
무료 스마트러닝

핸드폰이나 태블릿으로 **교재 표지에 있는 QR코드**를 찍으면 무료 스마트러닝에서 큐브수학 심화의 문제 풀이 동영상 강의를 이용할 수 있습니다.

동영상과 함께 수학 1등 되는
큐브수학 시리즈

큐브수학 개념 | 개념 강의

- 개념 문제를 한 번 더 풀어 개념 잡기
- 익힘책 문제로 탄탄한 기본 잡기
- 기초력 향상 학습지+ 미리 보는 수학 익힘책 제공

큐브수학 개념응용 | 개념, 응용 문제 강의

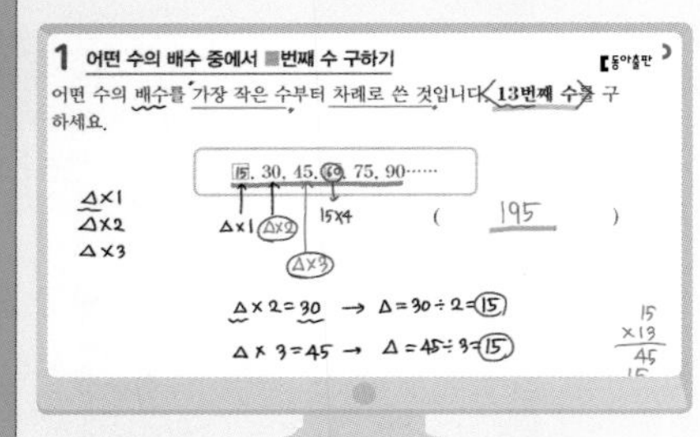

- 개념을 세분화하여 쉽고 빠르게 이해
- 수준별 문제 구성으로 문제 적용력 UP
- 응용 문제를 복습할 수 있는 응용 강화북 제공

큐브수학 실력 | 서술형 해결하기 강의

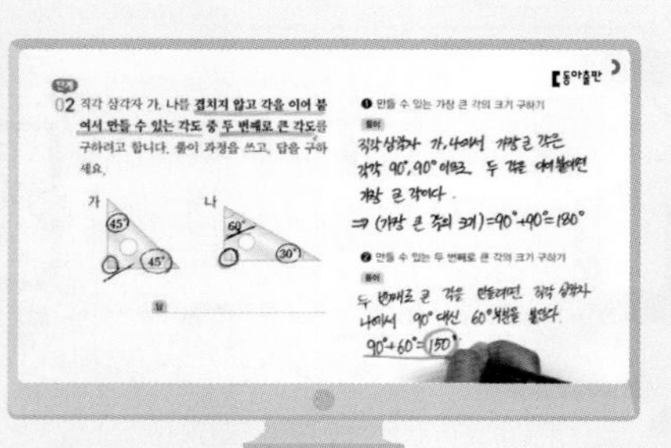

- 유형 ▶ 확인 ▶ 강화의 3단계로 문제 유형 마스터
- 연습 ▶ 단계 ▶ 실전의 3단계로 서술형 완벽 대비
- 매칭북으로 진도북 문제를 한 번 더 복습

큐브수학 심화 | 최상위 도전하기 강의

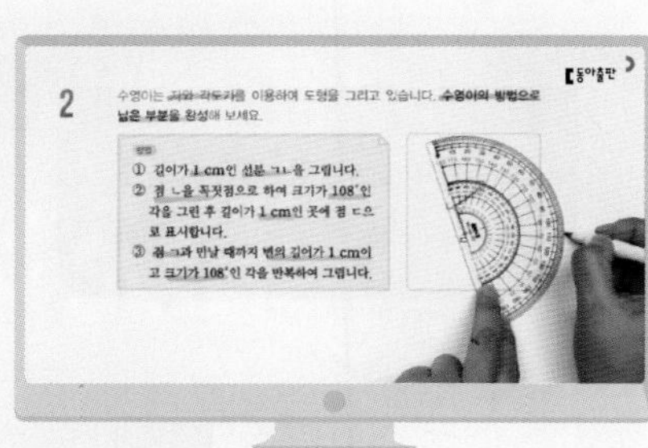

- 심화부터 경시까지 고난도 문제 정복
- 레벨UP공략법으로 문제 해결 능력 향상
- 경시대비북 제공

큐브 수학 심화

3·2

| 진도북 |

구성과 특징

진도북

개념 넓히기

핵심 개념, 응용 개념, 선행 개념으로 개념을 넓혀 문제 적용력을 키웁니다.

응용 개념 문제에 직접 적용되는 개념입니다.

선행 개념 학습 흐름에서 다음에 배울 개념입니다.

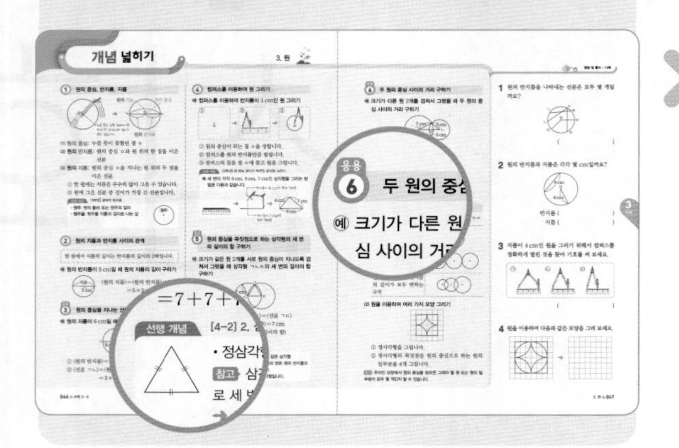

STEP 1 응용 공략하기

교과 응용 문제부터 심화 문제까지 다양한 대표 응용 유형에 **레벨UP공략법**을 적용하여 문제 해결 능력을 키웁니다.

레벨UP 공략 유형별 문제 해결 전략입니다.

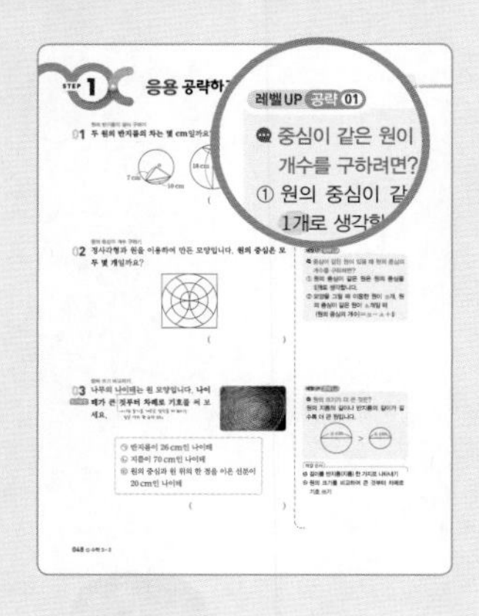

STEP 3 최상위 도전하기

경시 수준의 최상위 문제에 도전하여 수학적 사고력을 키우고, **1%** 도전 문제를 통해 상위권을 정복합니다.

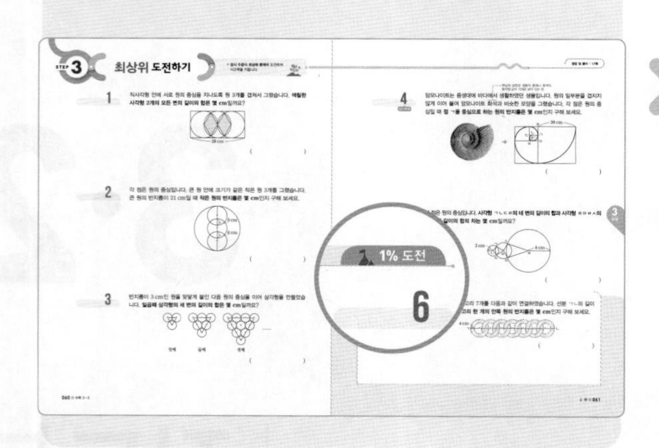

상위권 TEST

자신의 실력을 최종 점검하여 최고수준을 완성합니다.

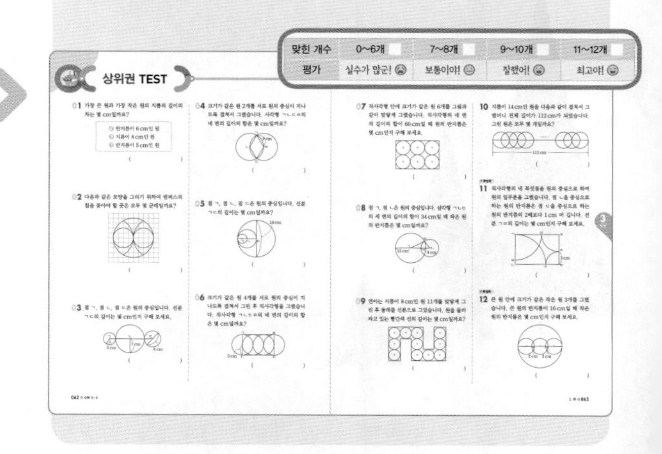

큐브수학S 심화의 특징

1. **레벨UP공략법**을 통해 **상위권에 도전하는 3단계 학습**
2. 교과 응용 문제부터 최상위 문제까지 **다양한 고난도 문제 유형을 통해 사고력 UP!**
3. 수학경시대회에 완벽하게 대비할 수 있는 **경시대비북 제공**

STEP 2 심화 해결하기

레벨UP공략법을 활용한 난이도 높은 문제를 스스로 해결하여 실력을 레벨UP합니다.

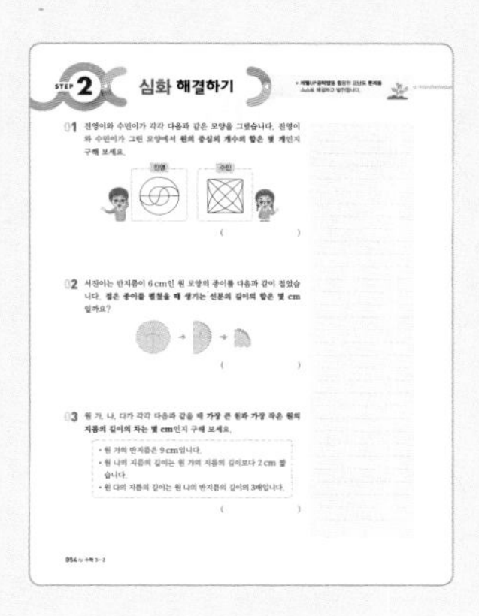

경시대비북

경시대회 예상 문제

수학경시대회에서 자주 출제되는 문제들을 단원별로 2회씩 풀어 보고, 수학경시대회를 대비합니다.

실전! 경시대회 모의고사

수학경시대회에서 출제될 수 있는 신유형 문제, 사고력 문제들을 통해 실전에 더욱 강해집니다.

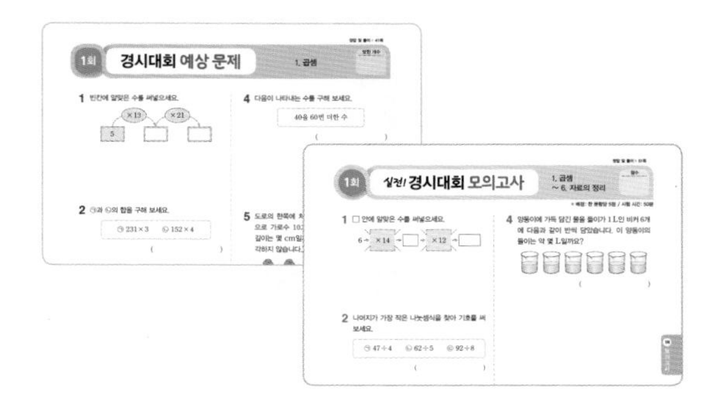

정답 및 풀이

- 친절하고 자세하게 모든 문항의 풀이를 제공
- 해결 순서, 레벨UP공략법, 선행 개념을 이용한 풀이, 문제 분석과 친절한 보충 설명을 통해 고난도 문제를 쉽게 해결
- 모바일 빠른 정답 서비스 제공

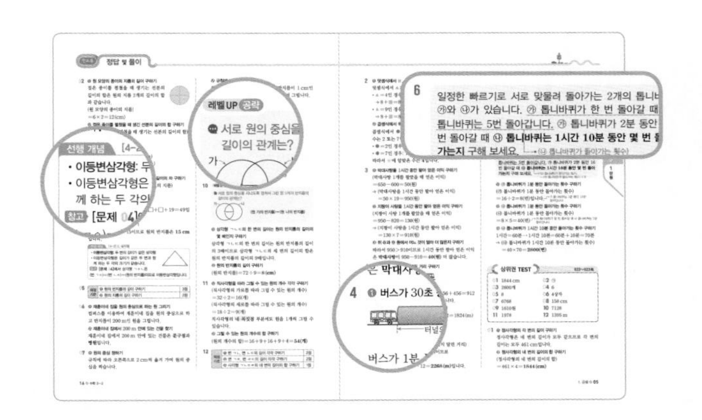

"**큐브수학S** 심화의
레벨UP공략법 47개로
상위 1%에 도전하세요."

차례

1 곱셈

개념 넓히기

1 올림이 없는 (세 자리 수)×(한 자리 수)

예 213×3의 계산

$$\begin{array}{r} 2\ 1\ 3 \\ \times \quad\ \ 3 \\ \hline 9 \end{array} \rightarrow \begin{array}{r} 2\ 1\ 3 \\ \times \quad\ \ 3 \\ \hline 3\ 9 \end{array} \rightarrow \begin{array}{r} 2\ 1\ 3 \\ \times \quad\ \ 3 \\ \hline 6\ 3\ 9 \end{array}$$

$3 \times 3 = 9$ $1 \times 3 = 3$ $2 \times 3 = 6$

2 올림이 있는 (세 자리 수)×(한 자리 수)

(1) 일의 자리에서 올림이 있는 경우

예 148×2의 계산

$$\begin{array}{rl} 1\ 4\ 8 & \\ \times \quad\ \ 2 & \\ \hline 1\ 6 & \cdots\ 8 \times 2 \\ 8\ 0 & \cdots\ 40 \times 2 \\ 2\ 0\ 0 & \cdots\ 100 \times 2 \\ \hline 2\ 9\ 6 & \end{array} \rightarrow \begin{array}{r} {}^{1} \\ 1\ 4\ 8 \\ \times \quad\ \ 2 \\ \hline 2\ 9\ 6 \end{array}$$

(2) 십의 자리와 백의 자리에서 올림이 있는 경우

예 571×3의 계산

$$\begin{array}{rl} 5\ 7\ 1 & \\ \times \quad\ \ 3 & \\ \hline 3 & \cdots\ 1 \times 3 \\ 2\ 1\ 0 & \cdots\ 70 \times 3 \\ 1\ 5\ 0\ 0 & \cdots\ 500 \times 3 \\ \hline 1\ 7\ 1\ 3 & \end{array} \rightarrow \begin{array}{r} {}^{2}\quad\ \ \\ 5\ 7\ 1 \\ \times \quad\ \ 3 \\ \hline 1\ 7\ 1\ 3 \end{array}$$

응용 3 도형의 모든 변의 길이의 합 구하기

예 한 변이 113 cm인 오각형의 다섯 변의 길이가 모두 같을 때 오각형의 다섯 변의 길이의 합 구하기

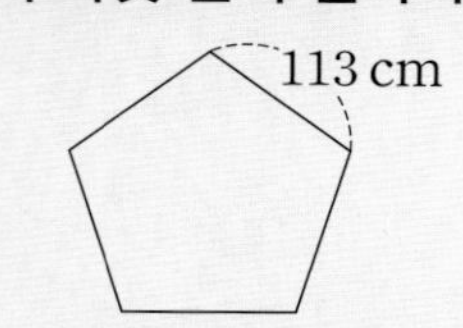

→ (오각형의 다섯 변의 길이의 합)
$= 113 \times 5 = 565$ (cm)

4 (몇십)×(몇십), (몇십몇)×(몇십)

(1) (몇십)×(몇십)

예 30×50의 계산

$$\begin{aligned} 30 \times 50 &= 3 \times 10 \times 5 \times 10 \\ &= 3 \times 5 \times 10 \times 10 \\ &= 15 \times 100 \\ &= 1500 \end{aligned}$$

$$\begin{array}{r} 3\ 0 \\ \times\ 5\ 0 \\ \hline 1\ 5\ 0\ 0 \end{array}$$ 0이 2개

(2) (몇십몇)×(몇십)

예 14×30의 계산

$$\begin{aligned} 14 \times 30 &= 14 \times 3 \times 10 \\ &= 42 \times 10 \\ &= 420 \end{aligned}$$

$$\begin{array}{r} 1\ 4 \\ \times\ 3\ 0 \\ \hline 4\ 2\ 0 \end{array}$$ 0이 1개

선행 개념 [중1] 곱셈의 계산 법칙

세 수 a, b, c에 대하여
- 곱셈의 교환 법칙: $a \times b = b \times a$
  → $3 \times 571 = 571 \times 3$
- 곱셈의 결합 법칙: $(a \times b) \times c = a \times (b \times c)$
  → $(16 \times 2) \times 10 = 16 \times (2 \times 10)$

5 (몇)×(몇십몇)

(몇)×(몇십)과 (몇)×(몇)으로 나누어서 계산한 뒤 더합니다.

예 8×23의 계산

$$\begin{array}{rl} 8 & \\ \times\ 2\ 3 & \\ \hline 2\ 4 & \cdots\ 8 \times 3 \\ 1\ 6\ 0 & \cdots\ 8 \times 20 \\ \hline 1\ 8\ 4 & \end{array} \rightarrow \begin{array}{r} {}^{2}\ \ \\ 8 \\ \times\ 2\ 3 \\ \hline 1\ 8\ 4 \end{array}$$

선행 개념 [4-1] 3. 곱셈과 나눗셈

- (세 자리 수)×(두 자리 수)

(세 자리 수)×(몇십)과 (세 자리 수)×(몇)으로 나누어서 계산한 뒤 더합니다.

$356 \times 14 = 3560 + 1424 = 4984$

$356 \times 10 = 3560$ $356 \times 4 = 1424$

□ 안에 들어갈 수 있는 수 구하기

㉰ 1부터 9까지의 수 중에서 □ 안에 들어갈 수 있는 수 구하기

$$\square \times 32 > 210$$

① □ 안에 1부터 9까지의 수를 넣어 계산하기
→ 32×6=192, 32×⑦=224
→ □는 7보다 크거나 같은 수
② □ 안에 들어갈 수 있는 수: 7, 8, 9

⑦ (몇십몇)×(몇십몇)

(몇십몇)×(몇십)과 (몇십몇)×(몇)으로 나누어서 계산한 뒤 더합니다.

㉰ 57×25의 계산

$$\begin{array}{r} 57 \\ \times\ 25 \\ \hline 285 \end{array} \rightarrow \begin{array}{r} 57 \\ \times\ 25 \\ \hline 285 \\ 1140 \end{array} \rightarrow \begin{array}{r} 57 \\ \times\ 25 \\ \hline 285 \\ 1140 \\ \hline 1425 \end{array}$$

곱이 가장 크거나 가장 작은 곱셈식 만들기

㉰ 4장의 수 카드로 (세 자리 수)×(한 자리 수)의 곱셈식을 만들 때 가장 큰 곱과 가장 작은 곱 각각 구하기

1 2 3 4

(1) **가장 큰 곱**: 가장 큰 수를 한 자리 수로, 남은 세 수로 가장 큰 세 자리 수를 만듭니다.
→ 321×4=1284

(2) **가장 작은 곱**: 가장 작은 수를 한 자리 수로, 남은 세 수로 가장 작은 세 자리 수를 만듭니다.
→ 234×1=234

1 빈칸에 알맞은 수를 써넣으세요.

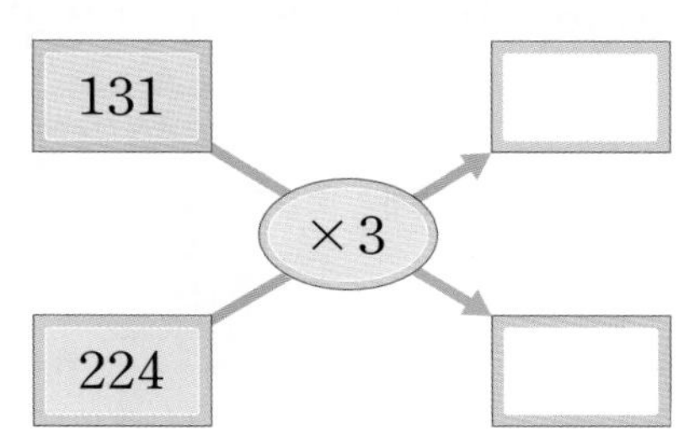

2 크기를 비교하여 ○ 안에 >, =, <를 알맞게 써넣으세요.

14×40  550

3 계산에서 잘못된 곳을 찾아 바르게 계산해 보세요.

$$\begin{array}{r} 24 \\ \times\ 13 \\ \hline 72 \\ 24 \\ \hline 96 \end{array} \rightarrow$$

4 티셔츠 한 장에 단추가 9개씩 달려 있습니다. 똑같은 티셔츠 17장에 달려 있는 단추는 모두 몇 개일까요?

식 ____________

답 ____________

1 단원

응용 공략하기

■ **응용·심화 문제**와 **레벨UP공략법**으로 문제 해결 능력을 키웁니다.

곱셈식으로 나타내어 계산하기

01 수 모형이 나타내는 수를 보고 **빈칸에 알맞은 수**를 써넣으세요.

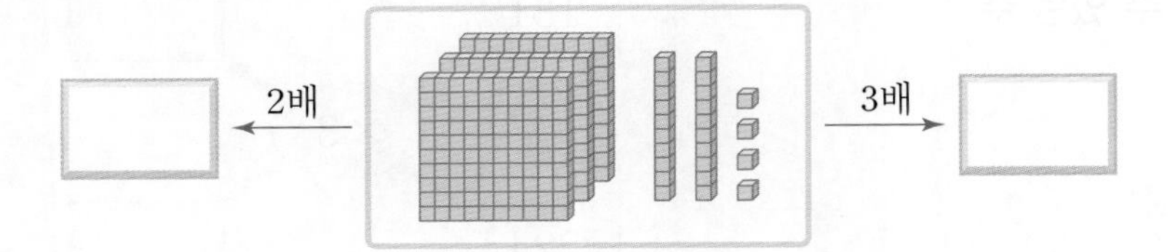

레벨UP 공략 01

문제에 다음과 같은 표현이 있을 때 식으로 나타내려면?

■의 ▲배
■와 ▲의 곱 → ■ × ▲
■씩 ▲개

수로 나타내어 두 수의 곱 구하기

02 **소영이와 민규가 말한 두 수의 곱**을 구해 보세요.

10이 3개,
1이 23개인 두 자리 수
34보다 5 큰 수
소영
민규

(　　　　　　　　)

해결 순서
1. 소영이와 민규가 말한 수 각각 구하기
2. 소영이와 민규가 말한 두 수의 곱 구하기

수의 크기를 비교하여 두 수의 곱 구하기

03 다음은 준서가 여러 가지 현악기의 현의 수를 조사한 것입니다. 현의 수가 **가장 많은 것과 두 번째로 많은 것의 현의 수의 곱**을 구해 보세요.

창의융합

현악기: 현(줄)의 떨림에 의해 소리를 내는 악기

바이올린	하프	가야금	거문고
4	47	12	6

(　　　　　　　　)

해결 순서
1. 수의 크기 비교하기
2. 가장 큰 수와 두 번째로 큰 수 각각 구하기
3. 위 2에서 구한 두 수의 곱 구하기

곱해지는 수 구하기

04 두 곱셈의 계산 결과가 같을 때 □ **안에 알맞은 수**를 구해 보세요.

$\square \times 20$	8×35

(　　　　　　　)

해결 순서
❶ 8×35를 계산하기
❷ □ 안에 알맞은 수 구하기

도형의 모든 변의 길이의 합 구하기

05 연수는 길이가 5 m인 철사를 사용하여 다음과 같이 세 변의 길이가 같은 삼각형을 한 개 만들었습니다. **삼각형을 만들고 남은 철사의 길이는 몇 cm**일까요?

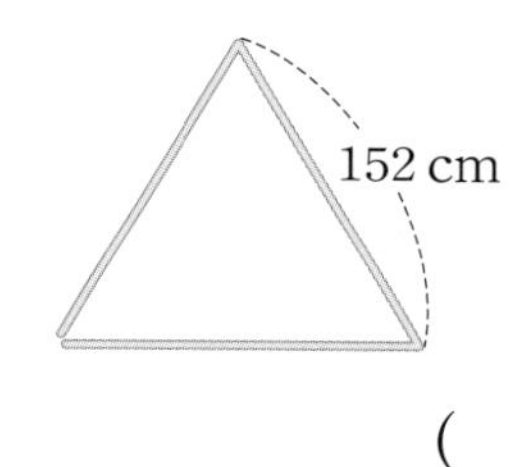

(　　　　　　　)

레벨 UP 공략 02

변의 길이가 모두 같은 도형의 모든 변의 길이의 합을 구하려면?
(도형의 모든 변의 길이의 합)
=(도형의 한 변의 길이)×(변의 수)

해결 순서
❶ 삼각형의 세 변의 길이의 합 구하기
❷ 남은 철사의 길이 구하기

거스름돈 구하기 서술형

06 세경이는 350원짜리 딱지를 3장 사려고 합니다. 세경이가 1500원을 냈다면 **받아야 할 거스름돈은 얼마**인지 풀이 과정을 쓰고, 답을 구해 보세요.

풀이

답

곱셈식에서 조건에 알맞은 수 구하기

07 1부터 9까지의 수 중에서 □ **안에 들어갈 수 있는 수를 모두 더하면 얼마**인지 구해 보세요.

$\square \times 47 > 280$

(　　　　　　　　)

곱이 어떤 수에 가장 가까운 것 구하기

08 **곱이 500에 가장 가까운 것**을 찾아 기호를 써 보세요.

㉠ 143×4	㉡ 8×61
㉢ 256×2	㉣ 26×19

(　　　　　　　　)

레벨UP 공략 03

어떤 수에 가장 가까운 수를 구하려면?

■에 가장 가까운 수 = ■와의 차가 가장 작은 수

도로의 길이 구하기

09 어느 도로의 한쪽에 처음부터 끝까지 32 m 간격으로 가로등 12개를 세웠습니다. 이 **도로의 길이는 몇 m**인지 구해 보세요. (단, 가로등의 두께는 생각하지 않습니다.)

(　　　　　　　　)

레벨UP 공략 04

처음부터 끝까지 일정한 간격으로 가로등을 세운 도로의 길이를 구하려면?

- (간격의 수)=(가로등의 수)−1
- (도로의 길이)
  =(간격 한 군데의 길이)×(간격의 수)

약속에 따라 계산하기

10 기호 ★에 대하여 ㉮★㉯를 다음과 같이 약속할 때 **38★24의 값**을 구해 보세요.

> ㉮＋㉯＝㉰, ㉮－㉯＝㉱일 때
> ㉮★㉯＝㉰×㉱

(　　　　　　　　　　)

레벨UP 공략 05

약속에 따라 계산하려면?
기호 ★의 앞의 수와 뒤의 수를 이용하여 약속에 따라 식을 만들고 계산합니다.

해결 순서
❶ ㉰와 ㉱의 값 각각 구하기
❷ 약속에 따라 계산하기

어떤 수 구하기 　　서술형

11 도윤이와 수아의 대화를 읽고 **수아가 말하는 수**를 구하려고 합니다. 풀이 과정을 쓰고, 답을 구해 보세요.

70과 어떤 수의 곱은 4200이야.
도윤
어떤 수의 50배는 얼마일까?
수아

풀이

답

우리나라 돈으로 얼마인지 구하기

12 신유형

민하는 삼촌에게 호주 돈 7달러와 중국 돈 9위안을 선물로 받았습니다. 민하가 은행에 간 날 호주 돈 1달러는 우리나라 돈으로 831원, 중국 돈 1위안은 우리나라 돈으로 165원과 같았습니다. **민하가 받은 외국 돈은 우리나라 돈으로 모두 얼마**일까요?

호주 돈 1달러
=
우리나라 돈 831원
중국 돈 1위안
=
우리나라 돈 165원

(　　　　　　　　　　)

해결 순서
❶ 호주 돈 7달러는 우리나라 돈으로 얼마인지 구하기
❷ 중국 돈 9위안은 우리나라 돈으로 얼마인지 구하기
❸ 위 ❶과 ❷의 금액의 합 구하기

1 단원

응용 공략하기

일정한 빠르기로 이동한 거리 구하기

13 창의융합 갈매기와 독수리가 일정한 빠르기로 1시간 동안 갈 수 있는 거리를 조사한 것입니다. **갈매기가 3시간 동안 간 거리와 독수리가 2시간 동안 간 거리의 차는 몇 km**일까요?

갈매기	독수리
150 km	160 km

( )

해결 순서
❶ 갈매기가 3시간 동안 간 거리 구하기
❷ 독수리가 2시간 동안 간 거리 구하기
❸ 위 ❶과 ❷의 거리의 차 구하기

곱셈식에서 모르는 수 구하기

14 □ 안에는 1부터 9까지의 수가 들어갈 수 있습니다. **㉠과 ㉡에 알맞은 수**를 각각 구해 보세요.

㉠78×3=139×㉡

㉠ ( )
㉡ ( )

해결 순서
❶ ㉡에 알맞은 수 구하기
❷ ㉠에 알맞은 수 구하기

다리의 수를 이용하여 동물의 수 구하기 서술형

15 어느 농장에 있는 염소와 닭의 다리 수를 세어 보았더니 모두 720개였습니다. 염소가 115마리라면 **닭은 몇 마리**인지 풀이 과정을 쓰고, 답을 구해 보세요.

풀이

답

레벨 UP 공략 06
동물 한 마리의 다리와 전체 다리 수의 관계는?
(동물 한 마리의 다리 수)×(동물의 수)
||
전체 다리 수

정답 및 풀이 > 01쪽

일정한 길이로 겹쳐진 색 테이프의 전체 길이 구하기

16 길이가 23 cm인 색 테이프 15장을 7 cm씩 겹쳐서 한 줄로 길게 이어 붙이려고 합니다. 15장을 **이어 붙인 색 테이프의 전체 길이는 몇 cm**일까요?

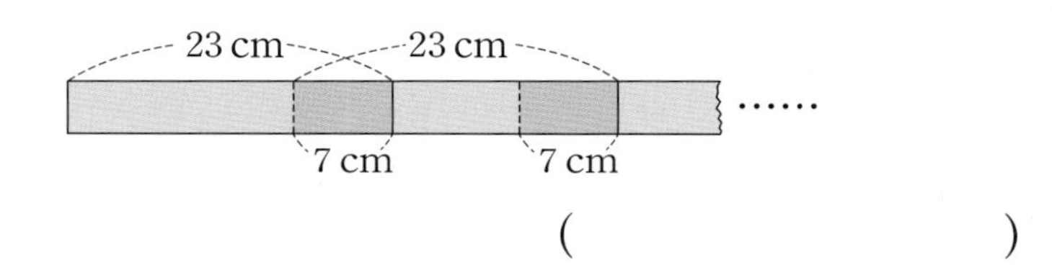

( )

레벨UP 공략 07

겹쳐진 부분이 있을 때 이어 붙인 전체 길이를 구하려면?

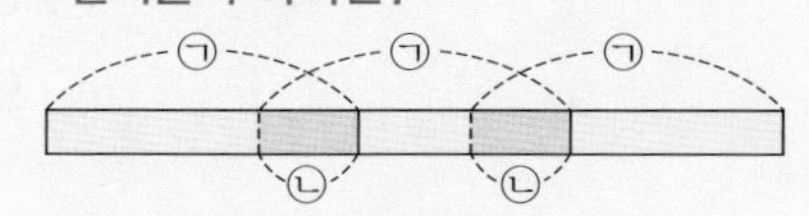

① (㉠의 길이의 합)
=㉠×(색 테이프의 수)

② (㉡의 길이의 합)
=㉡×(겹쳐진 간격의 수) ← (색 테이프의 수)−1

③ (이어 붙인 전체 길이)=①−②

수 카드로 곱셈식 만들기

17 4장의 수 카드를 한 번씩만 사용하여 (몇십몇)×(몇십몇)의 곱셈식을 만들려고 합니다. **가장 큰 곱과 가장 작은 곱**을 각각 구해 보세요.

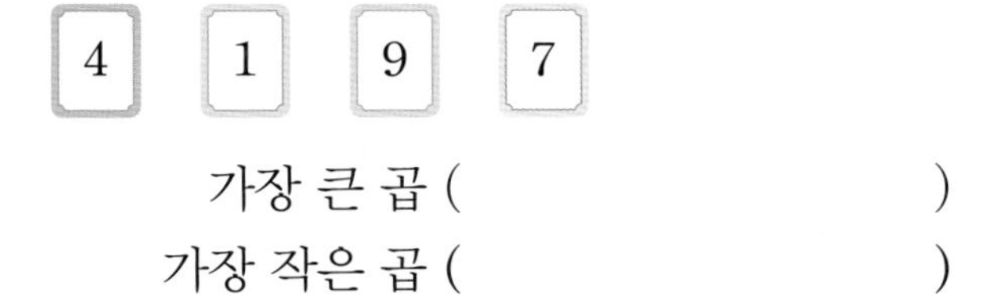

가장 큰 곱 ( )

가장 작은 곱 ( )

레벨UP 공략 08

(몇십몇)×(몇십몇)의 가장 큰 곱과 가장 작은 곱을 구하려면?

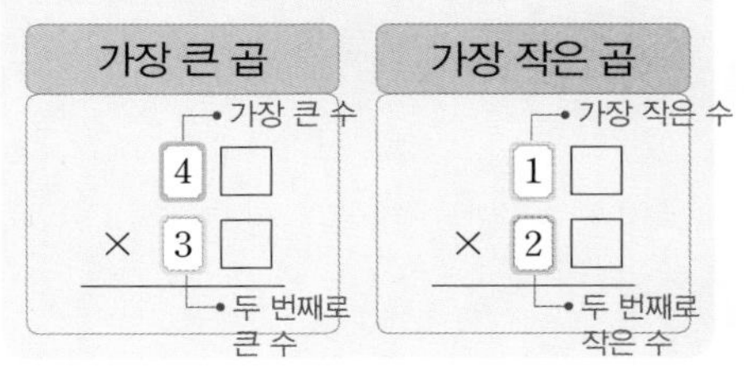

통나무를 자르는 데 걸리는 시간 구하기

18 긴 통나무를 16도막으로 자르려고 합니다. 한 번 자르는 데 40초가 걸리고 한 번 자른 후에는 10초씩 쉰 다음 다시 자르려고 합니다. 이 **통나무를 모두 자르는 데에 걸리는 시간은 몇 분 몇 초**일까요? (단, 마지막에 자른 후에는 쉬지 않습니다.)

( )

레벨UP 공략 09

통나무를 ■도막으로 자를 때 자르는 횟수와 쉬는 횟수는?

- (통나무를 자르는 횟수)
=(도막의 수)−1
- (쉬는 횟수)
=(통나무를 자르는 횟수)−1

1 단원

STEP 2 심화 해결하기

■ **레벨UP공략법**을 활용한 **고난도 문제**를 스스로 해결하고 발전합니다.

01 **㉠과 ㉡이 나타내는 수의 합**을 구해 보세요.

㉠ 30과 20의 곱
㉡ 9의 42배인 수

(　　　　　　　　　　)

02 **□ 안에 알맞은 수가 가장 큰 것**을 찾아 기호를 써 보세요.

㉠ $90 \times \square = 3600$
㉡ $\square \times 80 = 4800$
㉢ $30 \times \square = 2400$

(　　　　　　　　　　)

03 창의융합 팔만대장경의 경판 한 장에는 글자가 한 줄에 14개씩 23줄로 양쪽 면에 새겨져 있습니다. **경판 한 장의 양쪽 면에 새겨진 글자는 모두 몇 개**일까요?

(　　　　　　　　　　)

04 다음과 같이 112를 넣으면 672가 나오는 상자가 있습니다. 이 **상자에 415를 넣으면 얼마가 나오는지** 구해 보세요.

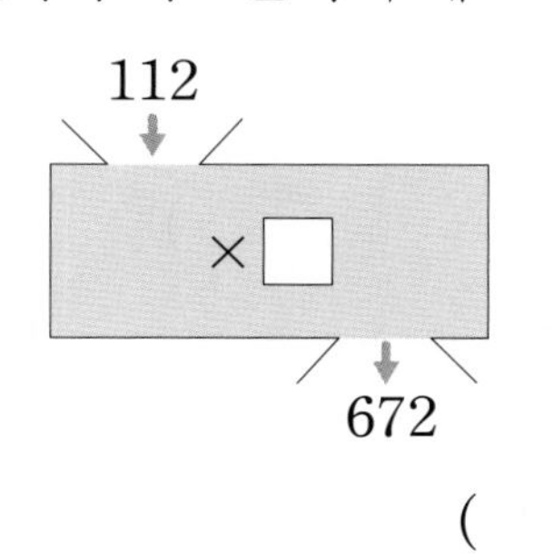

( )

05 정사각형의 네 변 위에 일정한 간격으로 점을 찍으려고 합니다. **한 변에 212개씩 점을 찍으려면 점을 모두 몇 개 찍어야 하는지** 구해 보세요. (단, 네 꼭짓점에는 반드시 점을 찍습니다.)

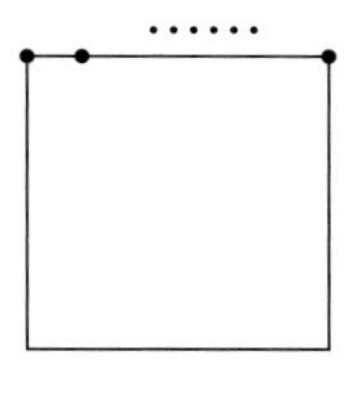

( )

서술형

06 자전거 대여점에 두발자전거 38대와 네발자전거 24대가 있습니다. **자전거의 바퀴는 모두 몇 개**인지 풀이 과정을 쓰고, 답을 구해 보세요.

풀이

답

1
단원

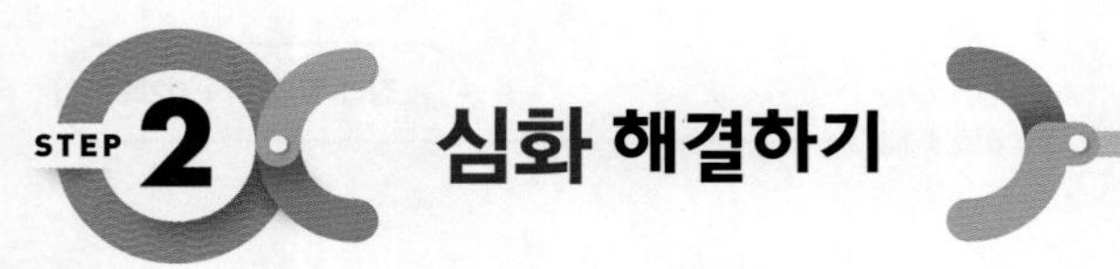

07 **곱이 600에 가장 가깝도록 □ 안에 알맞은 두 자리 수**를 구해 보세요.

$45 \times \square$

(　　　　　　　)

08 **□ 안에 들어갈 수 있는 세 자리 수는 모두 몇 개**일까요?

$370 \times 2 < \square < 129 \times 6$

(　　　　　　　)

09 다음은 어느 연구소에서 조사한 유산균에 대한 연구 결과입니다. 지금 유산균이 24마리 있다면 **지금부터 하루가 지난 후 유산균은 몇 마리가 되는지** 구해 보세요.

창의융합

유산균: 요구르트 등에 많이 있는 세균으로 우리에게 유익한 균

유산균의 수는 6시간마다
2배씩 늘어납니다.

(　　　　　　　)

10 한 개의 길이가 17 cm인 수수깡으로 다음과 같은 모양 4개를 만들었습니다. **사용한 수수깡의 길이의 합은 몇 cm**일까요?

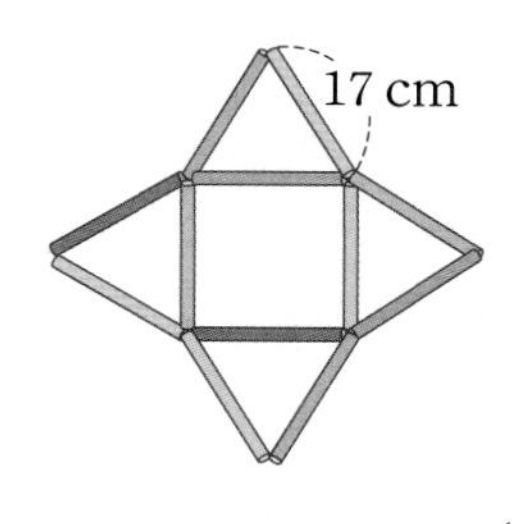

( )

서술형

11 어떤 수에 38을 곱해야 할 것을 잘못하여 빼었더니 27이 되었습니다. **바르게 계산한 값은 얼마**인지 풀이 과정을 쓰고, 답을 구해 보세요.

풀이

답

12 신유형 심장 박동은 심장에서 규칙적으로 혈액을 받아들이고 내보내는 운동을 말합니다. 평상시와 운동 중의 정민이의 1분 동안 심장 박동 수를 재어 나타낸 것입니다. 정민이의 **한 시간 동안 심장 박동 수는 운동 중이 평상시보다 몇 번 더 많은지** 구해 보세요. (단, 평상시와 운동 중 심장 박동은 각각 일정합니다.)

	평상시	운동 중
1분 동안 심장 박동 수	78번	94번

( )

1 단원

13 어떤 책의 펼쳐진 두 쪽수를 곱했더니 342였습니다. **펼쳐진 두 쪽수는 각각 몇 쪽**인지 구해 보세요.

(,)

14 지호와 수지는 각각 4장의 수 카드를 한 번씩만 사용하여 곱이 가장 작은 (몇십몇)×(몇십몇)의 곱셈식을 만들었습니다. 지호와 수지 중 **곱이 더 작은 곱셈식을 만든 사람은 누구**일까요?

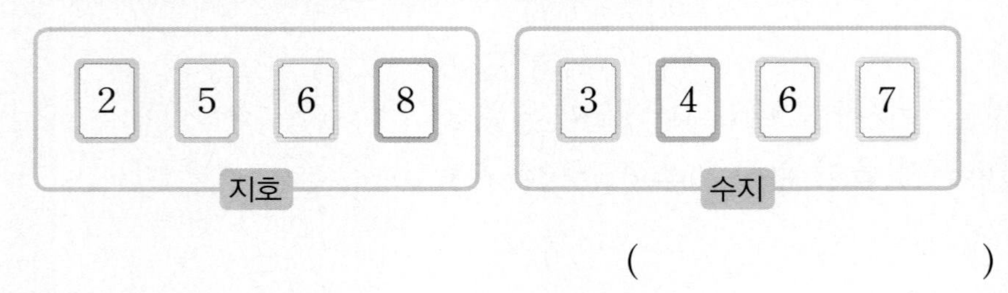

( )

15 창의융합

윤희가 그린 유화입니다. 윤희는 가로가 91 cm이고 네 변의 길이의 합이 326 cm인 직사각형 모양의 그림을 그렸습니다. 현재가 그린 그림은 한 변의 길이가 윤희가 그린 그림의 세로의 2배인 정사각형 모양입니다. **현재가 그린 그림의 네 변의 길이의 합은 몇 cm인지 구해 보세요.**

유화: 기름을 섞은 물감을 사용하는 그림의 한 종류

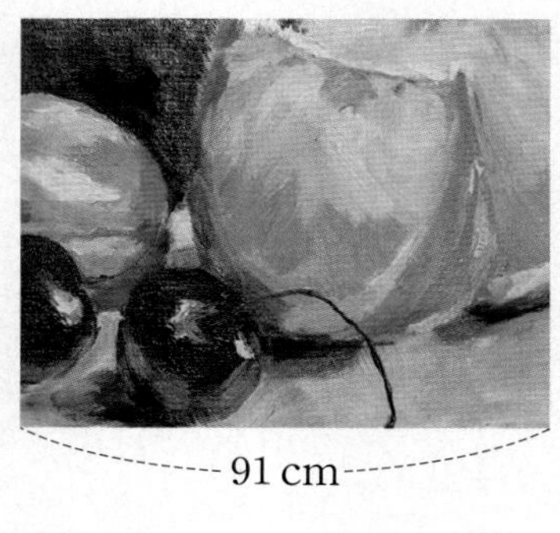

91 cm

( )

16 곱셈식에서 ●와 ♥는 서로 다른 한 자리 수입니다. **●와 ♥가 나타내는 수**를 각각 구해 보세요. (단, ●는 ♥보다 큰 수입니다.)

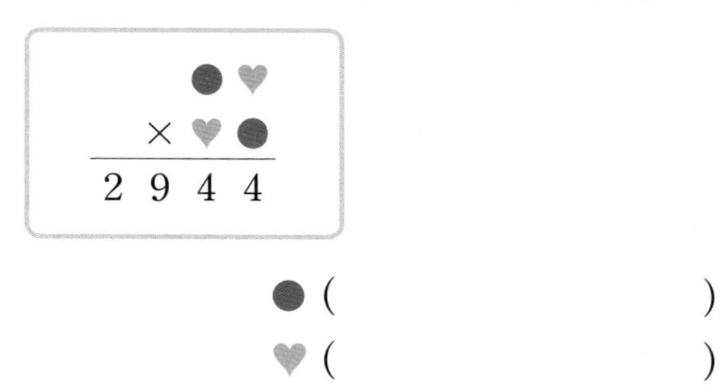

● (　　　　　　　　)

♥ (　　　　　　　　)

서술형

17 어느 공장에서 장난감을 20분에 6개씩 만듭니다. 이 공장에서 쉬지 않고 하루에 8시간씩 장난감을 만든다면 **일주일 동안 만들 수 있는 장난감은 모두 몇 개**인지 풀이 과정을 쓰고, 답을 구해 보세요.

풀이

답

18 7에 어떤 두 자리 수의 십의 자리 숫자와 일의 자리 숫자를 바꾼 수를 곱하였더니 322가 되었습니다. **어떤 두 자리 수에 58을 곱한 값**은 얼마인지 구해 보세요.

(　　　　　　　　)

STEP 3 최상위 도전하기

■ **경시 수준**의 **최상위 문제**에 도전하여 사고력을 키웁니다.

1

1일은 24시간이고, 1시간은 60분입니다. **㉠과 ㉡에 알맞은 수**를 각각 구해 보세요.

• 2일은 ㉠ 분입니다.
• 3월과 4월은 모두 ㉡ 시간입니다.

㉠ (　　　　　　)
㉡ (　　　　　　)

2

두 식에서 ■, ▲, ●, ★은 각각 1부터 9까지의 수 중에서 서로 다른 수입니다. **★에 알맞은 수**를 구해 보세요.

```
    8 ■ ▲          ●
  + ■ 3 ▲      × ▲ 2
  -------      -----
  1 0 6 8      6 ★ 4
```

(　　　　　　)

3

창의융합

어느 가게에서 파는 사탕 1개의 판매 가격과 원가(• 제품을 팔기 전까지 드는 비용), 1시간 동안 판매한 사탕의 개수를 나타낸 것입니다. 이 가게에서 사탕 1개를 팔아 생기는 이익은 다음과 같이 구할 수 있습니다. **막대사탕과 지팡이 사탕 중에서 1시간 동안 팔아 얻은 이익은 어느 것이 얼마 더 많은지** 구해 보세요.

종류	판매 가격(원)	원가(원)	판매 개수(개)
막대사탕	650	600	19
지팡이 사탕	950	820	7

(이익)=(판매 가격)−(원가)

(　　　　　　,　　　　　　)

4

길이가 12 m인 버스가 1분 동안 912 m씩 일정한 빠르기로 달리고 있습니다. 이 버스가 같은 빠르기로 터널을 완전히 지나가는 데 2분 30초가 걸렸다면 **터널의 길이는 몇 m**일까요?

(   )

5

윤재는 가로가 19 cm이고 세로가 13 cm인 직사각형 모양의 사진 12장을 다음과 같이 겹쳐지게 붙이려고 합니다. 겹쳐진 부분은 한 변이 3 cm인 정사각형 모양일 때 ㉠**의 길이는 몇 cm**인지 구해 보세요.

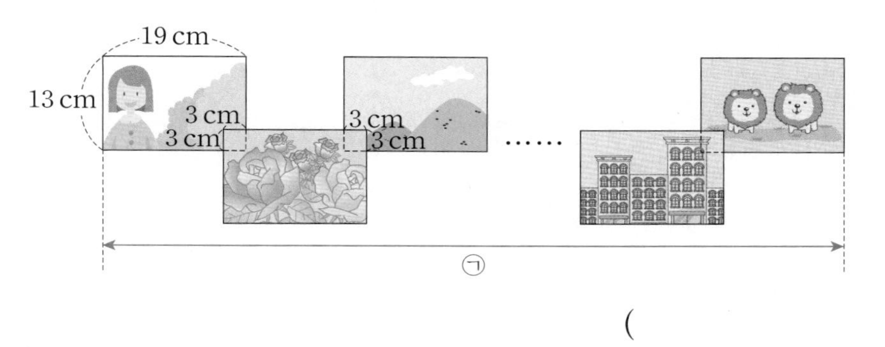

(   )

1% 도전

6

일정한 빠르기로 서로 맞물려 돌아가는 2개의 톱니바퀴 ㉮와 ㉯가 있습니다. ㉮ 톱니바퀴가 한 번 돌아갈 때 ㉯ 톱니바퀴는 5번 돌아갑니다. ㉮ 톱니바퀴가 2분 동안 16번 돌아갈 때 ㉯ **톱니바퀴는 1시간 10분 동안 몇 번 돌아가는지** 구해 보세요.

(   )

상위권 TEST

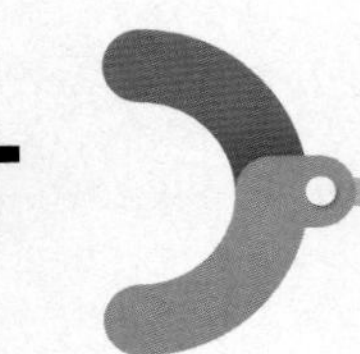

01 정사각형의 네 변의 길이의 합은 몇 cm일까요?

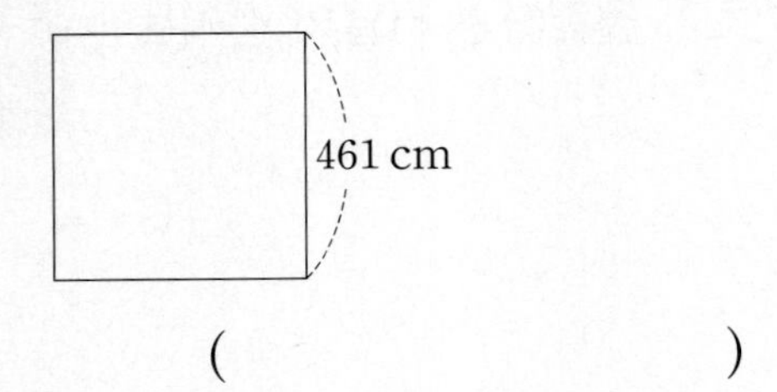

( )

02 □ 안에 알맞은 수가 가장 큰 것을 찾아 기호를 써 보세요.

> ㉠ □×40=2400
> ㉡ 90×□=1800
> ㉢ □×80=3200

( )

03 직사각형 모양의 타일을 한쪽 벽면에 붙이려면 가로로 26개, 세로로 25개가 필요합니다. 똑같은 크기의 벽면이 4군데라면 타일은 모두 몇 개 필요할까요?

( )

04 1부터 9까지의 수 중에서 □ 안에 들어갈 수 있는 가장 작은 수를 구해 보세요.

> □3×14>800

( )

05 ㉠과 ㉡에 알맞은 수의 합을 구해 보세요.

		㉠
×	㉡	8
1	7	4

( )

06 사과가 한 상자에 36개씩 12상자 있고, 귤이 한 상자에 118개씩 몇 상자가 있습니다. 사과와 귤이 모두 904개라면 귤은 모두 몇 상자일까요?

( )

07 4장의 수 카드를 한 번씩만 사용하여 곱이 가장 큰 (세 자리 수)×(한 자리 수)의 곱을 구해 보세요.

2　5　7　9

(　　　　　　　　　)

08 은우는 게시판에 길이가 8 cm인 종이 조각 16개를 다음과 같이 2 cm 간격으로 붙였습니다. ㉠의 길이는 몇 cm일까요?

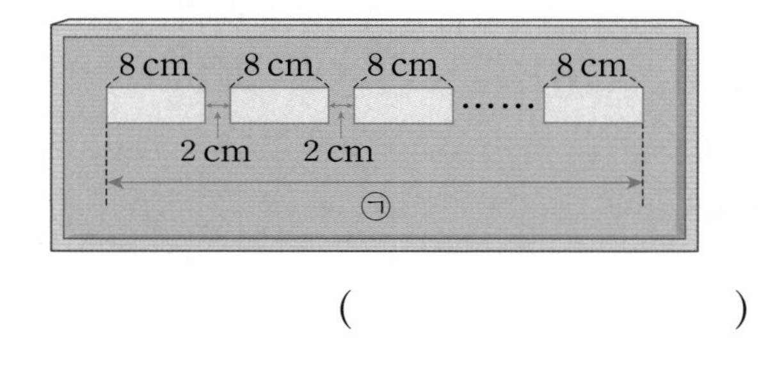

(　　　　　　　　　)

09 정훈이는 850원짜리 연필 3자루와 70원짜리 색 도화지 12장을 사고 5000원짜리 지폐 한 장을 냈습니다. 정훈이가 받아야 할 거스름돈은 얼마일까요?

(　　　　　　　　　)

10 어떤 수에 24를 곱해야 할 것을 잘못하여 빼었더니 9가 되었습니다. 바르게 계산한 값과 잘못 계산한 값의 곱은 얼마인지 구해 보세요.

(　　　　　　　　　)

★ 최상위

11 두 자리 수 ㉮가 있습니다. 3에 ㉮의 십의 자리 숫자와 일의 자리 숫자를 바꾼 수를 곱하였더니 204가 되었습니다. ㉮×23의 값은 얼마일까요?

(　　　　　　　　　)

★ 최상위

12 길이가 75 m인 기차가 1분 동안 980 m씩 일정한 빠르기로 달리고 있습니다. 기차가 같은 빠르기로 다리를 완전히 지나가는 데 1분 30초가 걸렸다면 다리의 길이는 몇 m일까요?

(　　　　　　　　　)

쉬어가기 사자성어

고진감래

苦 盡 甘 來

쓸 고 / 다할 진 / 달 감 / 올 래

바로 뜻 쓴 것이 다하면 단 것이 온다는 뜻.

깊은 뜻 어렵고 힘든 일이 지나면 좋은 일이 온다는 말이에요.

이럴 때 쓰는 말이야!

승희는 수업이 끝난 후 추운 스케이트장에서 매일 늦게까지 훈련을 하였어요.

지난번 시합에서 다른 선수와 부딪혀 넘어져 다친 상태였기 때문에 더욱 힘든 상황이었어요.

하나, 둘, 하나, 둘…….

승희는 대회에서 좋은 기록을 내는 자신의 모습을 생각하며 열심히 훈련했어요.

꿈에 그리던 올림픽 경기가 끝난 후 승희는 인터뷰에서 이렇게 말했어요.

"훈련을 하며 다치고 중간에 포기하고 싶은 순간도 많았지만,

매일 반복되는 훈련을 포기하지 않고 끝까지 □□□□ 정신으로 노력하였더니

올림픽에서 좋은 성과를 얻을 수 있었어요!"

잠깐! Quiz

Q □□□□에 들어갈 말은?

A 왼쪽 한자와 오른쪽 음을 알맞은 것끼리 선으로 이어 봅니다.

苦 •	• 래
盡 •	• 감
甘 •	• 고
來 •	• 진

2 나눗셈

응용 대표 유형

- 01 몫과 나머지 구하기
- 02 나눗셈식에서 □의 값 구하기
- 03 한 도막의 길이 구하기
- 04 몫의 자릿수 구하기
- 05 나누어떨어지는 수 구하기
- 06 적어도 더 필요한 물건의 수 구하기
- 07 일정한 간격으로 놓인 물건의 수 구하기
- 08 필요한 횟수 구하기
- 09 도막의 수와 남는 끈의 길이 구하기
- 10 몫 또는 나머지의 크기를 비교하여 문제 해결하기
- 11 똑같은 모양으로 나누기
- 12 나눗셈식에서 모르는 수 구하기
- 13 나누어지는 수 구하기
- 14 조건을 만족하는 수 구하기
- 15 바르게 계산한 값 구하기
- 16 수 카드를 사용하여 나눗셈식 만들기
- 17 나눗셈의 나머지를 구하여 문제 해결하기
- 18 도형의 변에 일정한 간격으로 찍는 점의 수 구하기

개념 넓히기

1 (몇십)÷(몇)

예 40÷2의 계산

$4 \div 2 = 2 \rightarrow 40 \div 2 = 20$ (10배, 10배)

2 나머지가 없는 (몇십몇)÷(몇)

(1) 내림이 없는 (몇십몇)÷(몇)

예 84÷4의 계산

$84 \div 4 = 21 \rightarrow 4\overline{)84}$, 몫 21

나누는 수 4, 나누어지는 수 84, 몫 21

```
    2 1  ← 몫
 4 ) 8 4  ← 나누어지는 수
     8
       4
       4
       0
```

(2) 내림이 있는 (몇십몇)÷(몇)

예 65÷5의 계산

```
    1              1              1 3
5 ) 6 5   →   5 ) 6 5   →   5 ) 6 5
    5              5              5
    1              1 5            1 5
                                  1 5
                                    0
```

응용 3 나누어지는 전체 정사각형의 개수 구하기

예 직사각형을 한 변이 2 cm인 정사각형으로 나눌 때 나누어지는 전체 정사각형의 개수 구하기

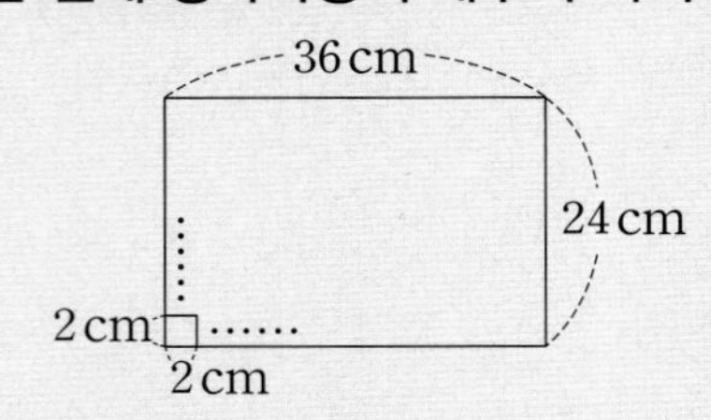

① 가로: 36÷2=18(개)

② 세로: 24÷2=12(개)

③ (나누어지는 전체 정사각형의 수)
=18×12=216(개)

4 나머지가 있는 (몇십몇)÷(몇)

(1) 몫과 나머지

예 27÷6의 계산

$27 \div 6 = 4 \cdots 3$

```
     4  ← 몫
 6 ) 2 7  ← 나누어지는 수
     2 4
       3  ← 나머지
```

(나누는 수: 6)

27을 6으로 나누면 **몫**은 4이고 3이 남습니다.
이때 3을 27÷6의 **나머지**라고 합니다.

(2) **나머지**가 없으면 **나머지**가 0이라고 말할 수 있습니다.
나머지가 0일 때, **나누어떨어진다**고 합니다.

> **선행 개념** [5학년] 약수
>
> **약수**: 어떤 수를 나누어떨어지게 하는 수
>
> 예 6의 약수 구하기
>
> 6÷1=6, 6÷2=3, 6÷3=2,
> 6÷4=1⋯2, 6÷5=1⋯1, 6÷6=1
>
> ➔ 6의 약수: 1, 2, 3, 6

응용 5 나누는 수와 나머지의 관계 알아보기

예 □÷8의 나머지가 될 수 있는 수 중에서 가장 큰 나머지와 가장 작은 나머지 각각 구하기

(1) **가장 큰 나머지:** (나누는 수)−1
➔ (가장 큰 나머지)=8−1=7

(2) **가장 작은 나머지:** 나누어떨어질 때
➔ (가장 작은 나머지)=0

응용 6 적어도 더 필요한 물건의 수 구하기

예 사탕 47개를 3명에게 남김없이 똑같이 나누어 주려고 할 때 적어도 더 필요한 사탕의 수 구하기

① (전체 사탕의 수)÷(학생 수)=47÷3=15⋯2
➔ 한 명에게 15개씩 나누어 주고 2개가 남습니다.

② (더 필요한 사탕의 수)
=(학생 수)−(남은 사탕의 수)
=3−2=1(개)

7 (세 자리 수)÷(한 자리 수)

(1) 나머지가 없는 경우

예 420÷3의 계산

$$3\overline{)420} \rightarrow 3\overline{)420} \rightarrow 3\overline{)420}$$

(몫: 1 → 14 → 140; 3, 1 → 3, 12, 12, 0 → 3, 12, 12, 0)

(2) 나머지가 있는 경우

예 374÷6의 계산

$$6\overline{)374} \rightarrow 6\overline{)374} \rightarrow 6\overline{)374}$$

백의 자리에서는 나누지 못합니다.

(몫: 6 → 62; 36, 1 → 36, 14, 12, 2)

8 나눗셈을 맞게 계산했는지 확인하기

예 27÷6을 계산하고 맞게 계산했는지 확인하기

$6\overline{)27}$: 4 ← 몫, 24, 3 ← 나머지

27÷6=4…3

확인 6×4=24 → 24+3=27

나누는 수와 몫의 곱에 나머지를 더하면 나누어지는 수가 되어야 합니다.

응용

9 몫이 가장 큰 나눗셈식 만들기

예 4장의 수 카드로 만든 (세 자리 수)÷(한 자리 수)의 몫이 가장 크게 될 때의 몫과 나머지 구하기

2 3 6 8

① 몫이 가장 크려면 나누어지는 수를 가장 크게, 나누는 수를 가장 작게 해야 합니다.
- 가장 큰 세 자리 수: 863
- 가장 작은 한 자리 수: 2

② 863÷2=431…1이므로 몫은 431이고 나머지는 1입니다.

정답 및 풀이 > 07쪽

1 빈칸에 알맞은 수를 써넣으세요.

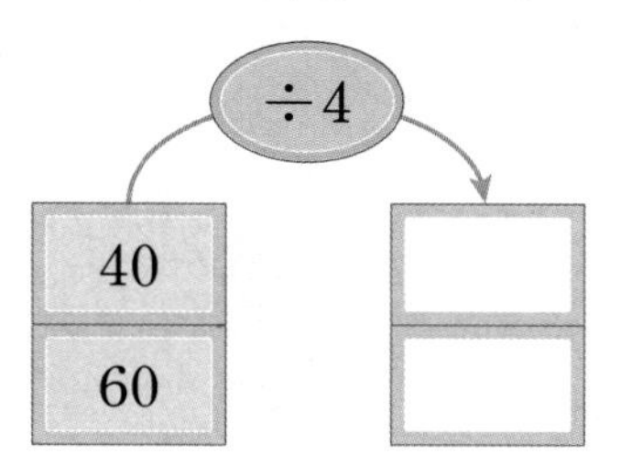

2 나머지의 크기를 비교하여 ○ 안에 >, =, <를 알맞게 써넣으세요.

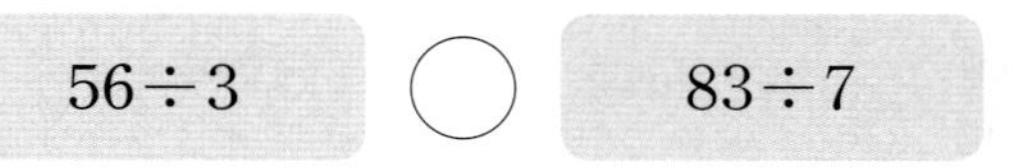

3 나눗셈의 몫을 찾아 선으로 이어 보세요.

(1) 546÷3 • • 173

(2) 810÷5 • • 162

(3) 692÷4 • • 182

4 현영이네 집에서 빚은 송편 78개를 한 접시에 6개씩 놓으려고 합니다. 송편은 모두 몇 접시에 놓을 수 있을까요?

식 ____________

답 ____________

2 단원

응용 공략하기

■ **응용·심화 문제**와 **레벨UP공략법**으로 문제 해결 능력을 키웁니다.

몫과 나머지 구하기

01 지현이가 말한 수를 **5로 나누었을 때의 몫과 나머지**를 구해 보세요.

지현: 100이 3개, 10이 8개, 1이 7개인 세 자리 수

몫 (　　　　　　　　)

나머지 (　　　　　　　　)

해결 순서
❶ 지현이가 말한 수 구하기
❷ 위 ❶의 수를 5로 나눈 몫과 나머지 구하기

나눗셈식에서 □의 값 구하기

02 **□ 안에 알맞은 수가 가장 큰 것**을 찾아 기호를 써 보세요.

㉠ $\square\times2=56$
㉡ $81\div3=\square$
㉢ $3\times\square=72$

(　　　　　　　　)

한 도막의 길이 구하기 서술형

03 길이가 378 cm인 통나무를 남김없이 똑같은 길이로 5번 자르려고 합니다. **자른 통나무 한 도막의 길이**는 몇 cm인지 풀이 과정을 쓰고, 답을 구해 보세요.

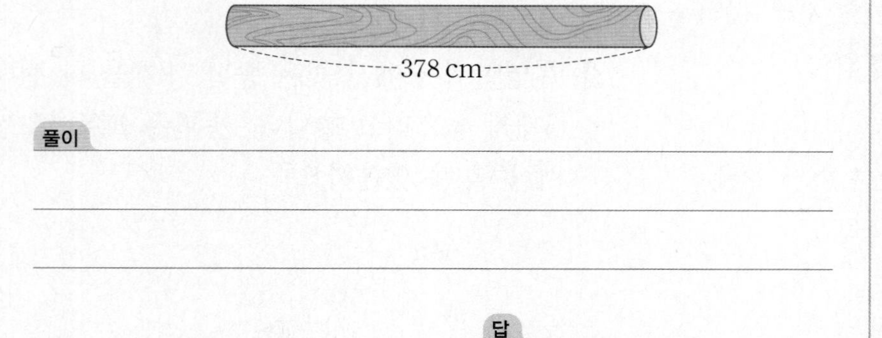

풀이

답

레벨UP 공략 01
자른 도막의 수를 구하려면?
자른 횟수
자른 도막의 수
(자른 도막의 수)=(자른 횟수)+1

정답 및 풀이 > 07쪽

묷의 자릿수 구하기

04 **몫의 자릿수가 다른 하나**를 찾아 기호를 써 보세요.

㉠ $684 \div 4$	㉡ $913 \div 8$
㉢ $752 \div 9$	㉣ $566 \div 5$

(　　　　　　　)

레벨 UP 공략 02

나눗셈을 계산하지 않고 몫의 자릿수를 구하려면?

■▲●÷♥에서

- ■<♥ → 몫이 두 자리 수
- ■=♥, ■>♥ → 몫이 세 자리 수

나누어떨어지는 수 구하기

05 나눗셈이 나누어떨어질 때 0부터 9까지의 수 중에서 □ **안에 들어갈 수 있는 수**를 모두 구해 보세요.

$7\overline{)7\square}$

(　　　　　　　)

해결 순서

❶ 나누어떨어지는 나눗셈식을 곱셈식으로 나타내기

❷ □ 안에 들어갈 수 있는 수 모두 구하기

적어도 더 필요한 물건의 수 구하기

06 선생님께서 공책을 67권 가지고 있습니다. 이 공책을 학생 6명에게 남김없이 똑같이 나누어 주려고 했더니 공책 몇 권이 부족했습니다. **공책은 적어도 몇 권 더 필요한지** 구해 보세요.

(　　　　　　　)

레벨 UP 공략 03

적어도 더 필요한 물건의 수를 구하려면?

■÷▲=●…★

→ (적어도 더 필요한 물건의 수) =(▲−★)개

해결 순서

❶ 문제에 알맞은 식 만들기

❷ 더 필요한 공책의 수 구하기

2 단원

일정한 간격으로 놓인 물건의 수 구하기

07 길이가 66 m인 곧게 뻗은 도로의 한쪽에 처음부터 끝까지 6 m 간격으로 나무를 심으려고 합니다. **필요한 나무는 모두 몇 그루**일까요? (단, 나무의 두께는 생각하지 않습니다.)

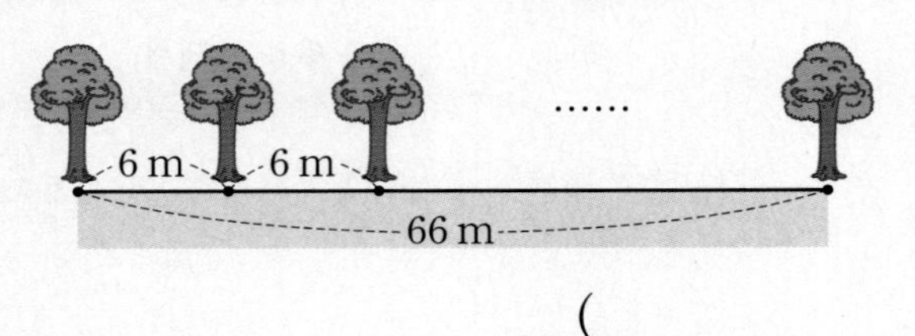

( )

레벨 UP 공략 04

곧게 뻗은 길에서 필요한 나무의 수를 구하려면?

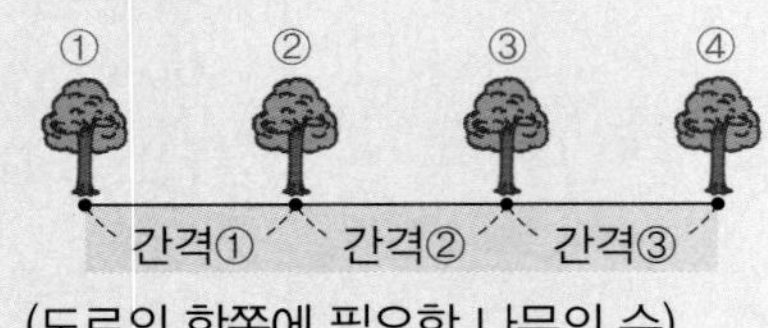

(도로의 한쪽에 필요한 나무의 수)
=(간격의 수)+1

해결 순서

❶ 간격의 수 구하기
❷ 필요한 나무의 수 구하기

필요한 횟수 구하기

08 상자 안에 포도맛 사탕이 125개, 딸기맛 사탕이 173개 들어 있습니다. 이 상자에서 사탕을 8개씩 꺼내 포장을 하려고 합니다. **사탕을 모두 꺼내려면 적어도 몇 번을 꺼내야 하는지** 구해 보세요.

( )

레벨 UP 공략 05

물건을 남김없이 꺼내기 위해 필요한 횟수를 구하려면?

전체 물건의 수를 한 번에 꺼내는 물건의 수로 나눌 때

- 나머지가 없는 경우
  → (필요한 횟수)=(몫)
- 나머지가 있는 경우
  → (필요한 횟수)=(몫)+1

도막의 수와 남는 끈의 길이 구하기

09 준서가 가지고 있는 끈과 같은 길이의 끈을 **4 cm씩 자르면 몇 도막이 되고, 몇 cm가 남는지** 구해 보세요.

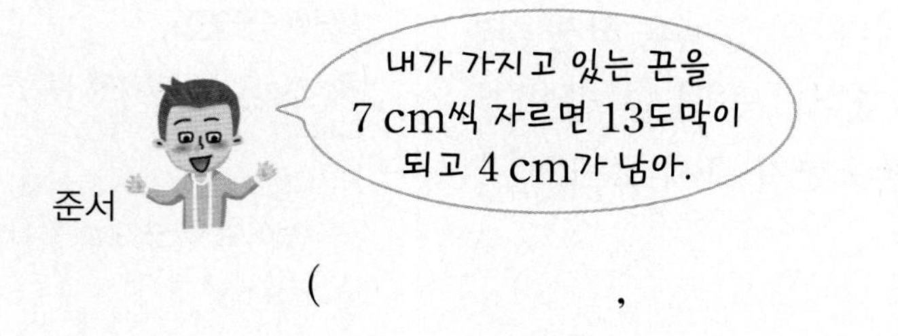

내가 가지고 있는 끈을
7 cm씩 자르면 13도막이
되고 4 cm가 남아.
준서

(,)

몫 또는 나머지의 크기를 비교하여 문제 해결하기

10 창의융합 수지와 정우는 가지고 있는 붙임딱지로 각각 별자리 모양을 만들었습니다. 별자리 모양 한 개를 만드는 데 붙임딱지가 수지는 7장, 정우는 5장 필요합니다. **두 사람이 각각 가장 많이 만들고 남은 붙임딱지가 더 많은 사람**은 누구일까요?

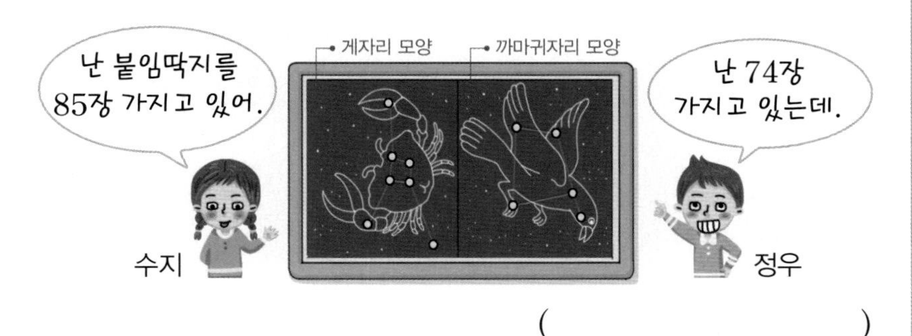

(　　　　　　　　)

해결 순서
❶ 수지와 정우가 각각 가장 많이 만들고 남은 붙임딱지의 수 구하기
❷ 남은 붙임딱지의 수가 더 많은 사람 구하기

똑같은 모양으로 나누기

11 서술형 오른쪽과 같은 직사각형을 한 변이 7 cm인 정사각형으로 나누려고 합니다. **나누어지는 정사각형은 모두 몇 개**인지 풀이 과정을 쓰고, 답을 구해 보세요.

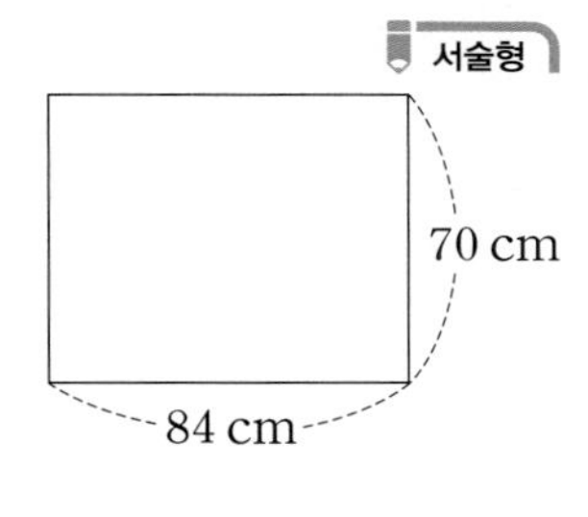

풀이

답

레벨 UP 공략 06

나누어지는 정사각형의 개수를 구하려면?

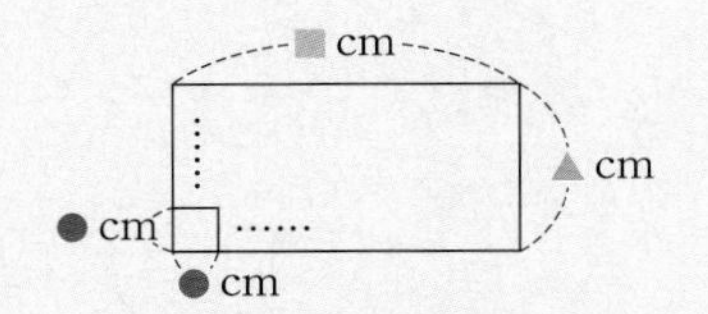

- (가로로 나누어지는 정사각형의 수) =(■÷●)개
- (세로로 나누어지는 정사각형의 수) =(▲÷●)개

나눗셈식에서 모르는 수 구하기

12 오른쪽 나눗셈식에서 **㉠에 들어갈 수 있는 수**를 모두 구해 보세요.

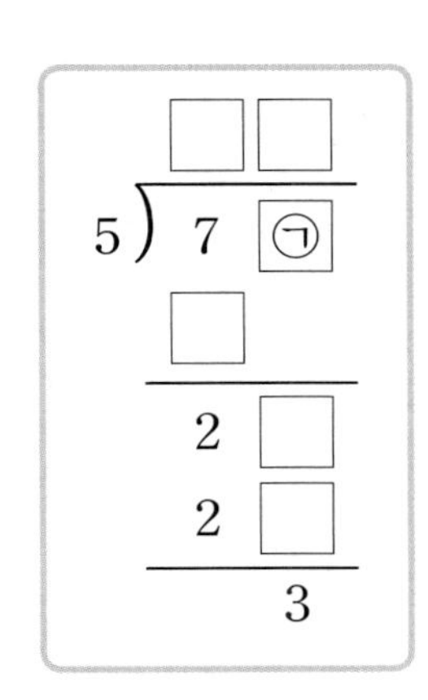

(　　　　　　　　)

해결 순서
❶ 십의 자리와 일의 자리 계산으로 나누어 계산하기
❷ ㉠에 들어갈 수 있는 수 모두 구하기

2 단원

응용 공략하기

나누어지는 수 구하기

13 □ **안에 들어갈 수 있는 수 중에서 가장 큰 수**를 구해 보세요.

$\square \div 4 = 13 \cdots ♥$

(　　　　　　　　　　)

레벨UP 공략 07

■÷㉠의 나머지가 될 수 있는 수는?
- 가장 큰 나머지: ㉠－1
- 가장 작은 나머지: 0

해결 순서
1. ♥가 될 수 있는 수 중에서 가장 큰 수 구하기
2. □ 안에 들어갈 수 있는 수 중에서 가장 큰 수 구하기

조건을 만족하는 수 구하기

14 60보다 크고 70보다 작은 두 자리 수 중에서 다음 **두 조건을 만족하는 수**를 구해 보세요.

- 3으로 나누면 나머지가 1입니다.
- 8로 나누면 나머지가 3입니다.

(　　　　　　　　　　)

레벨UP 공략 08

나누어지는 수를 구하려면?

□÷▲＝●…★

→ ▲×●＝■ → ■＋★＝□

바르게 계산한 값 구하기　　서술형

15 어떤 수를 5로 나누어야 할 것을 잘못하여 8로 나누었더니 몫이 12이고 나머지가 1이었습니다. **바르게 계산했을 때의 몫과 나머지**를 구하려고 합니다. 풀이 과정을 쓰고, 답을 구해 보세요.

풀이

답 몫:　　　　　　, 나머지:

수 카드를 사용하여 나눗셈식 만들기

16 4장의 수 카드 중에서 3장을 골라 한 번씩만 사용하여 나눗셈식 (몇십몇)÷(몇)을 만들려고 합니다. **나눗셈의 몫이 가장 크게 될 때의 몫**을 구해 보세요.

4 7 8 3

( )

나눗셈의 나머지를 구하여 문제 해결하기

17 신유형 가람이네 학교 3학년 학생 77명이 그림과 같이 **세 번 짝을 지었을 때 세 번째 놀이에서 짝을 짓지 못하고 남은 학생은 몇 명**일까요?

놀이 방법 ① 정해진 수만큼씩 모여 짝을 짓기 → ② 짝을 짓지 못한 사람은 더 이상 놀이에 참여하지 않고, 짝을 지은 사람은 다음 놀이 준비하기 → ③ 위 ①과 ②를 반복하여 짝을 짓기

첫 번째
6명씩 모여!
두 번째
5명씩 모여!
세 번째
4명씩 모이자!

( )

도형의 변에 일정한 간격으로 찍는 점의 수 구하기

18 한 변이 126 cm인 정사각형의 네 변 위에 3 cm 간격으로 점을 찍으려고 합니다. 네 꼭짓점에는 반드시 점을 찍는다고 할 때 정사각형의 **네 변 위에 찍는 점은 모두 몇 개**인지 구해 보세요.

( )

레벨 UP 공략 09

몫이 가장 큰 나눗셈식 (몇십몇)÷(몇)을 만들려면?

나누어지는 수		나누는 수
가장 큰 두 자리 수	÷	가장 작은 한 자리 수

해결 순서

❶ 한 변 위에 찍는 점의 수 구하기

❷ 정사각형의 각 변에 찍는 점의 수의 합 구하기

❸ 정사각형의 네 변 위에 찍는 점의 수의 합 구하기

2 단원

심화 해결하기

■ **레벨UP공략법**을 활용한 **고난도 문제**를 스스로 해결하고 발전합니다.

01 **가장 큰 수를 가장 작은 수로 나눈 몫**을 구해 보세요.

76	4	8	52	39

( )

02 둘레가 48 m인 원 모양의 잔디밭이 있습니다. 이 잔디밭의 둘레에 3 m 간격으로 의자를 놓으려고 합니다. **필요한 의자는 모두 몇 개**인지 구해 보세요. (단, 의자의 두께는 생각하지 않습니다.)

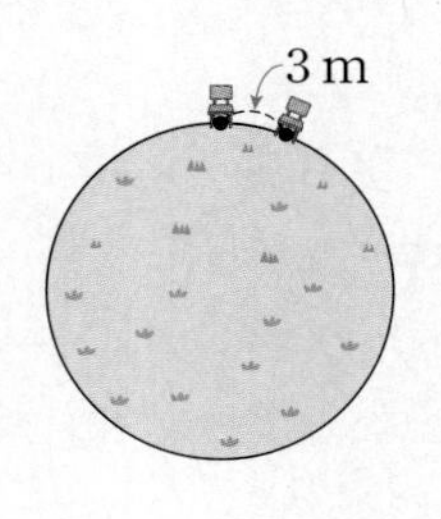

( )

03 신유형 젠가는 나무 블록 54개를 한 층에 3개씩 서로 엇갈려 쌓은 다음 나무 블록을 한 개씩 빼내어 맨 위층에 다시 쌓는 놀이입니다. 나무 블록 한 개의 높이가 2 cm일 때 한 층에 3개씩 쌓아 만든 **젠가탑의 전체 높이는 몇 cm**일까요?

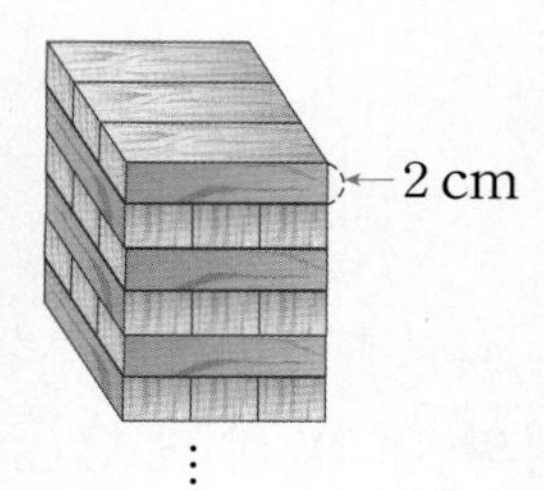

( )

04 3장의 수 카드 5, 7, 8을 □ 안에 한 번씩만 넣어 나눗셈식을 완성하려고 합니다. □ **안에 알맞은 수**를 써넣으세요.

$$47 \div \square = \square \cdots \square$$

05 민영이는 상추 씨앗을 189개, 토마토 씨앗을 104개 가지고 있습니다. 주말 농장에 상추 씨앗은 9줄에 똑같이 나누어 심고, 토마토 씨앗은 4줄에 똑같이 나누어 심으려고 합니다. **한 줄에 심는 씨앗은 어느 씨앗이 몇 개 더 많은지** 구해 보세요.

(,)

서술형

06 나눗셈식에서 ㉠**과** ㉡**에 들어갈 수 있는 가장 작은 수의 합**을 구하려고 합니다. 풀이 과정을 쓰고, 답을 구해 보세요.

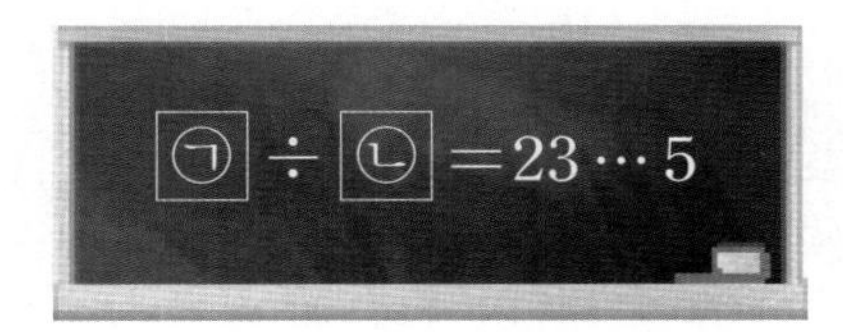

풀이

답

2
단원

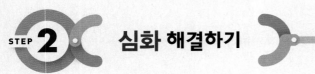

07 두 나눗셈이 모두 나누어떨어질 때 □ **안에 공통으로 들어갈 수 있는 한 자리 수**를 구해 보세요

7□÷6	5□÷4

( )

08 창의융합 여러 가지 동물의 빠르기를 조사한 것입니다. **1초 동안 달린 거리가 가장 긴 동물의 이름과 1초 동안 달린 거리**를 써 보세요. (단, 각 동물은 일정한 빠르기로 달렸습니다.)

- 기린: 4초 동안 60 m를 달렸습니다.
- 타조: 3초 동안 66 m를 달렸습니다.
- 토끼: 5초 동안 90 m를 달렸습니다.

(,)

서술형

09 어떤 수를 4로 나누었더니 몫이 21로 나누어떨어졌습니다. **어떤 수를 8로 나눈 나머지**를 구하려고 합니다. 풀이 과정을 쓰고, 답을 구해 보세요.

풀이

답

둘을 하나로 묶어 세는 단위

10 창의융합

곤충은 2쌍의 날개와 3쌍의 다리가 있습니다. 딱정벌레와 사마귀의 다리가 모두 144개이고, 사마귀의 날개가 28개일 때 **딱정벌레와 사마귀 중 어느 곤충이 몇 마리 더 많은지** 구해 보세요.

딱정벌레

사마귀

(,)

11 정사각형 모양의 종이를 다음과 같이 모양과 크기가 같은 직사각형 2개로 잘랐습니다. 자른 직사각형 한 개의 네 변의 길이의 합이 60 cm라면 **자르기 전 정사각형 모양 종이의 네 변의 길이의 합은 몇 cm**일까요?

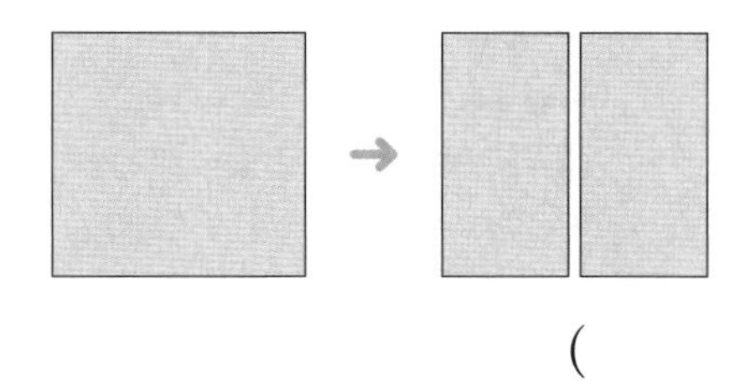

( )

12 전체 쪽수가 148쪽인 수학 문제집을 일주일 동안 매일 같은 쪽수씩 풀었더니 113쪽이 남았습니다. 매일 이전과 같은 쪽수씩 수학 문제집을 푼다고 할 때 **수학 문제집을 모두 풀려면 앞으로 적어도 며칠이 더 걸리는지** 구해 보세요.

( )

13 수를 일정한 규칙에 따라 늘어놓았습니다. **98째에 놓이는 수**를 구해 보세요.

1 3 2 4 1 1 3 2 4 1 1 3 2 ……

( )

서술형

14 75보다 크고 100보다 작은 두 자리 수 중에서 8로 나누었을 때 **나머지가 가장 크게 되는 수는 모두 몇 개**인지 구하려고 합니다. 풀이 과정을 쓰고, 답을 구해 보세요.

풀이

답

15 3장의 수 카드 중에서 2장을 골라 한 번씩만 사용하여 두 자리 수를 만들고, 그 수를 남은 수 카드의 수로 나눌 때 **나머지가 가장 크게 되는 나눗셈식**을 써 보세요.

7 4 3

□□÷□=□…□

16 (보기)는 15를 연속된 3개의 자연수의 합, 50을 연속된 5개의 자연수의 합으로 나타낸 것입니다. 같은 방법으로 **85를 연속된 5개의 자연수의 합**으로 나타내어 보세요.

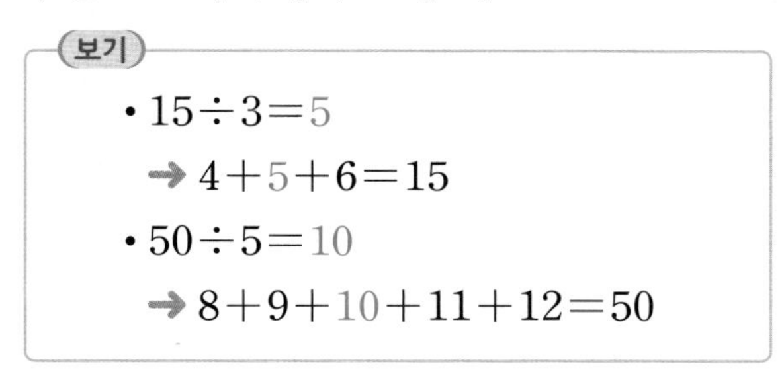

식 ________________

17 길이가 같은 색 테이프 9장을 3 cm씩 겹쳐서 한 줄로 길게 이어 붙였습니다. 한 줄로 길게 이어 붙인 색 테이프의 전체 길이가 84 cm일 때 **색 테이프 한 장의 길이는 몇 cm**인지 구해 보세요.

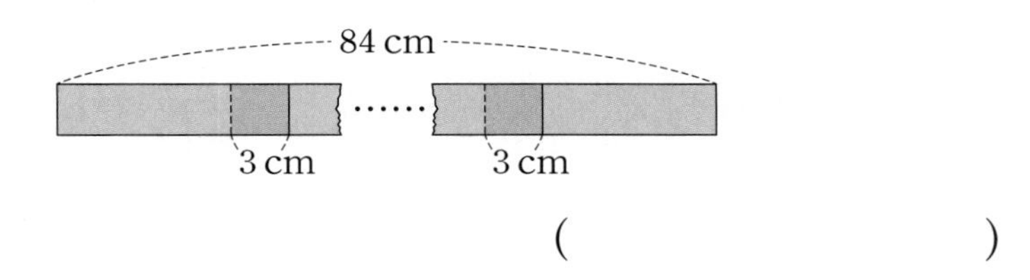

(   )

18 네 변의 길이의 합이 96 cm인 정사각형에 다음과 같은 규칙으로 선을 그어 크기가 같은 정사각형이 여러 개 되도록 만들었습니다. **넷째에 만든 가장 작은 정사각형 한 개의 네 변의 길이의 합은 몇 cm**인지 구해 보세요.

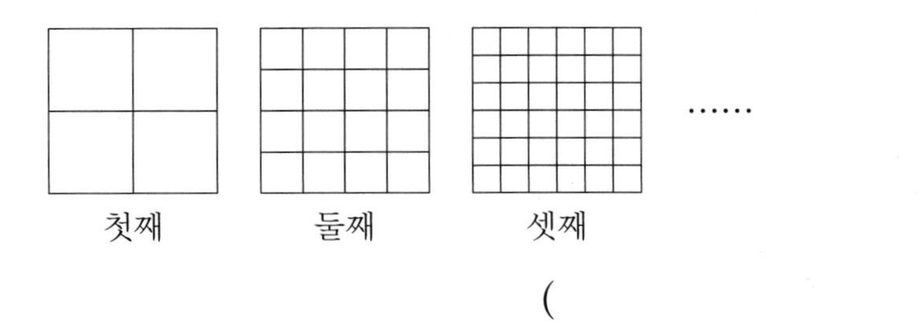

(   )

최상위 도전하기

■ **경시 수준**의 **최상위 문제**에 도전하여 사고력을 키웁니다.

1

□ 안에 들어갈 수 있는 세 자리 중에서 **8로 나누어떨어지는 수는 모두 몇 개**일까요?

$125 < \square < 153$

( )

2 창의융합

어느 마트에서 파는 세 종류의 종이봉투입니다. **한 장의 가격이 가장 저렴한 종이봉투를 골라 9묶음을 사려면 얼마가 필요한지** 구해 보세요.

종이봉투	㉮ 6장	㉯ 5장	㉰ 2장
한 묶음의 수	6장	5장	2장
한 묶음의 가격	720원	650원	480원

( )

3

어느 장난감 공장에서 직원 4명이 18일 동안 전체 일의 $\frac{1}{2}$을 하였습니다. **남은 일을 6명이 하면 며칠이 걸리는지** 구해 보세요. (단, 한 사람이 하루에 하는 일의 양은 모두 같습니다.)

( )

4 다음과 같은 규칙으로 수가 변할 때 ㉠**에 알맞은 수**를 구해 보세요.

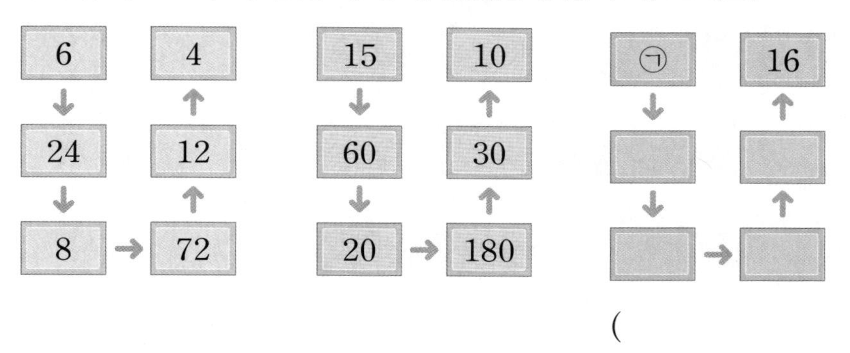

( )

5 잔디밭에 한 변이 76 m인 정사각형 모양의 선을 그었습니다. 그은 선 위에 2 m 간격으로 깃발을 세우고, 깃발 사이에 안내 푯말을 한 개씩 세우려고 합니다. 정사각형의 네 꼭짓점에는 반드시 깃발을 세운다면 **깃발과 안내 푯말은 모두 몇 개 필요한지** 구해 보세요. (단, 깃발의 두께는 생각하지 않습니다.)

( )

1% 도전

6 어떤 두 자리 수를 그 수의 일의 자리 숫자로 나누면 17로 나누어떨어집니다. 어떤 두 자리 수를 **그 수의 십의 자리 숫자로 나누었을 때의 나머지**를 구해 보세요.

( )

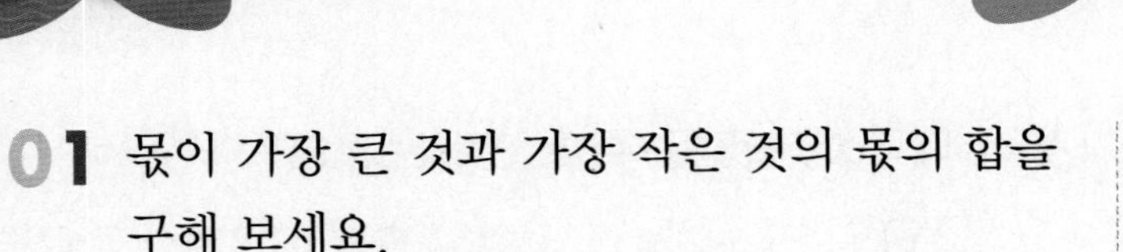

상위권 TEST

01 몫이 가장 큰 것과 가장 작은 것의 몫의 합을 구해 보세요.

㉠ $36 \div 3$
㉡ $85 \div 5$
㉢ $76 \div 4$

(　　　　　　　　)

02 □ 안에 들어갈 수 있는 두 자리 수는 모두 몇 개인지 구해 보세요.

$30 \div 3 < \square < 80 \div 5$

(　　　　　　　　)

03 준영이가 위인전을 하루에 47쪽씩 3일 동안 모두 읽었습니다. 은성이가 같은 위인전을 하루에 8쪽씩 읽는다면 모두 읽는 데 적어도 며칠이 걸릴까요?

(　　　　　　　　)

04 다음 나눗셈이 나누어떨어질 때 0부터 9까지의 수 중에서 ★에 알맞은 수를 모두 구해 보세요.

4★÷3

(　　　　　　　　)

05 농장에 있는 소와 닭의 다리 수를 세어 보니 모두 128개였습니다. 닭이 38마리라면 소는 몇 마리일까요?

(　　　　　　　　)

06 길이가 1 m인 철사를 잘라 겹치는 부분 없이 똑같은 정사각형 모양 3개를 만들었더니 16 cm가 남았습니다. 만든 정사각형의 한 변의 길이는 몇 cm일까요?

(　　　　　　　　)

정답 및 풀이 > 12쪽

07 어떤 수를 6으로 나누었더니 몫이 13이고 나머지가 1이었습니다. 어떤 수를 4로 나누었을 때의 몫과 나머지를 구해 보세요.

몫 ( )
나머지 ( )

08 세 변의 길이가 모두 같은 삼각형을 그림과 같이 모양과 크기가 같은 삼각형 9개로 나누었습니다. 가장 큰 삼각형의 세 변의 길이의 합이 90 cm일 때 가장 작은 삼각형 한 개의 세 변의 길이의 합은 몇 cm일까요?

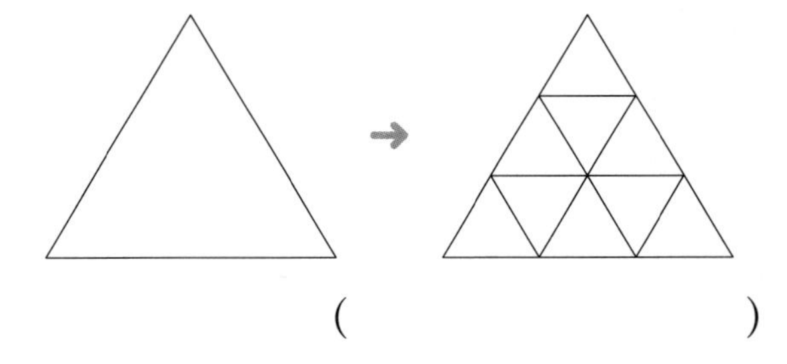

( )

09 5장의 수 카드 중에서 4장을 골라 한 번씩만 사용하여 (세 자리 수)÷(한 자리 수)의 나눗셈식을 만들려고 합니다. 나눗셈의 몫이 가장 크게 될 때의 몫과 나머지의 차를 구해 보세요.

3 8 9 2 5

( )

10 61보다 크고 83보다 작은 두 자리 수 중에서 5로 나누었을 때 나머지가 가장 크게 되는 수는 모두 몇 개인지 구해 보세요.

( )

★ 최상위

11 길이가 같은 색 테이프 7장을 2 cm씩 겹쳐서 한 줄로 길게 이어 붙였습니다. 이어 붙인 색 테이프의 전체 길이가 79 cm일 때 색 테이프 한 장의 길이는 몇 cm인지 구해 보세요.

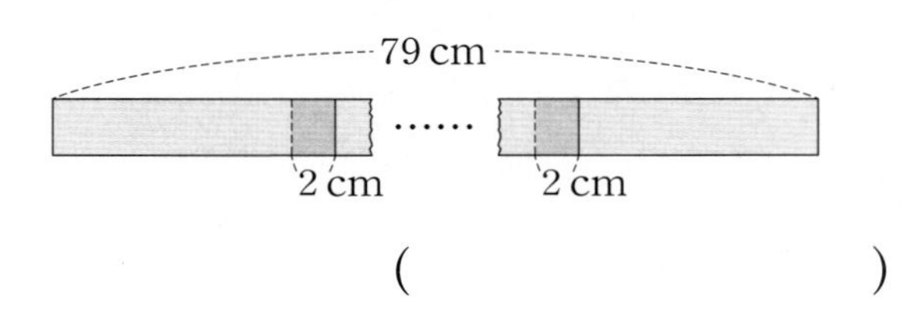

( )

★ 최상위

12 운동장에 가로가 84 m, 세로가 72 m인 직사각형 모양의 선을 그었습니다. 그은 선 위에 3 m 간격으로 학생들을 세우려고 합니다. 직사각형의 네 꼭짓점에는 반드시 학생들을 세운다면 학생들을 모두 몇 명 세울 수 있는지 구해 보세요.

( )

2 단원

쉬어가기

사자성어

일거양득

一 擧 兩 得

한 일 　 들 거 　 두 양 　 얻을 득

바로 뜻 한 가지 일을 하여 두 가지 이익을 얻는다는 뜻.

깊은 뜻 마음과 마음이 통해, 말을 하지 않아도 서로 뜻이 통한다는 말이에요.

이럴 때 쓰는 말이야!

노나라에 변장자라는 힘 센 **장사**가 있었어요. 어느 날 변장자가 사는 마을에 호랑이 2마리가 나타나 **가축**들을 잡아먹기 시작했어요. 마을 사람들은 호랑이가 나타나 공격을 할 지도 모른다는 생각에 **두려움**에 떨었어요. 변장자가 당장 **호랑이**를 잡으려고 했으나 옆에 있던 사람이 말리면서 말했어요.

"지금 호랑이 2마리가 서로 **소**를 차지하려고 싸우고 있습니다. 서로 싸우다가 결국 힘이 약한 호랑이는 죽고, 나머지 호랑이도 큰 **상처**를 입을 것입니다. 그때 상처를 입은 호랑이를 잡으면 한 마리만 잡고도 동시에 2마리를 잡게 되는 것이지요."

이 말을 듣고 **변장자**는 호랑이들의 싸움이 끝나기를 기다렸다가 상처 입은 호랑이를 잡았어요.

힘들이지 않고 □□□□으로 2마리 호랑이를 모두 잡게 된 것이지요!

잠깐! Quiz

Q □□□□에 들어갈 말은?

A 위의 글을 읽고 파란색 글자들을 아래에서 모두 찾아 /표로 지웁니다.

노	상				
나	처		두	려	움
라	호	랑	이		장
			소	가	사
일	거	양	득	축	
	변	장	자		

원

개념 넓히기

1 원의 중심, 반지름, 지름

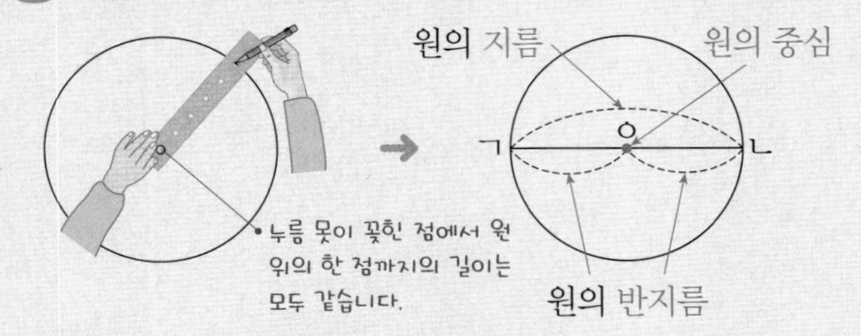

(1) **원의 중심**: 누름 못이 꽂혔던 점 ㅇ

(2) **원의 반지름**: 원의 중심 ㅇ과 원 위의 한 점을 이은 선분

(3) **원의 지름**: 원의 중심 ㅇ을 지나는 원 위의 두 점을 이은 선분

① 한 원에는 지름을 무수히 많이 그을 수 있습니다.

② 원에 그은 선분 중 길이가 가장 긴 선분입니다.

선행 개념 [6학년] 원주와 원주율

- **원주**: 원의 둘레 또는 원주의 길이
- **원주율**: 원주를 지름의 길이로 나눈 값

2 원의 지름과 반지름 사이의 관계

한 원에서 지름의 길이는 반지름의 길이의 2배입니다.

예 원의 반지름이 5 cm일 때 원의 지름의 길이 구하기

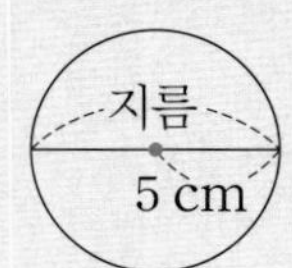

(원의 지름)=(원의 반지름)×2
=5×2=10(cm)

응용 3 원의 중심을 지나는 선분의 길이 구하기

예 원의 지름이 6 cm일 때 선분 ㄱㄴ의 길이 구하기

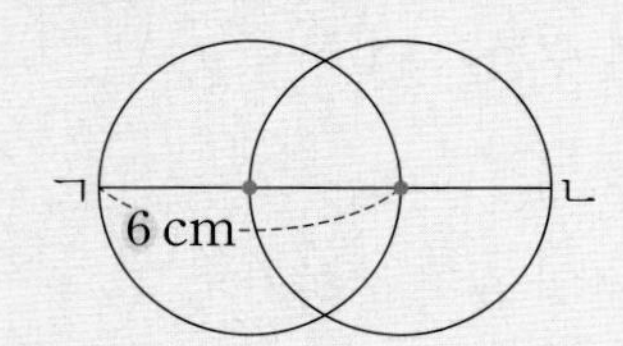

① (원의 반지름)=6÷2=3(cm)

② (선분 ㄱㄴ)=(원의 반지름)×3
=3×3=9(cm)

4 컴퍼스를 이용하여 원 그리기

예 컴퍼스를 이용하여 반지름이 1 cm인 원 그리기

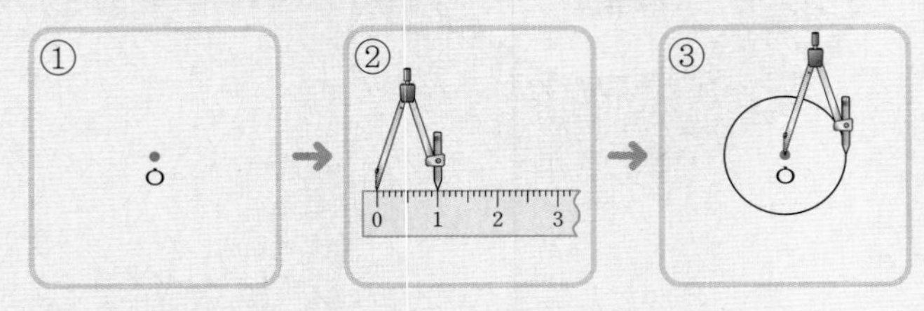

① 원의 중심이 되는 점 ㅇ을 정합니다.

② 컴퍼스를 원의 반지름만큼 벌립니다.

③ 컴퍼스의 침을 점 ㅇ에 꽂고 원을 그립니다.

선행 개념 [5학년] 세 변의 길이가 주어진 삼각형 그리기

예 세 변이 각각 6 cm, 9 cm, 7 cm인 삼각형을 그리는 방법은 다음과 같습니다.

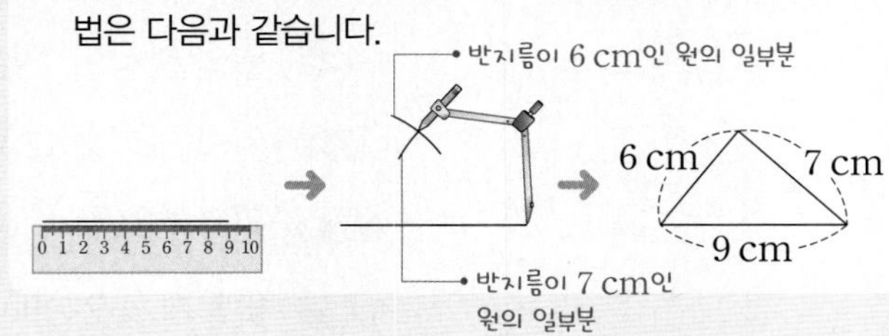

응용 5 원의 중심을 꼭짓점으로 하는 삼각형의 세 변의 길이의 합 구하기

예 크기가 같은 원 2개를 서로 원의 중심이 지나도록 겹쳐서 그렸을 때 삼각형 ㄱㄴㄷ의 세 변의 길이의 합 구하기

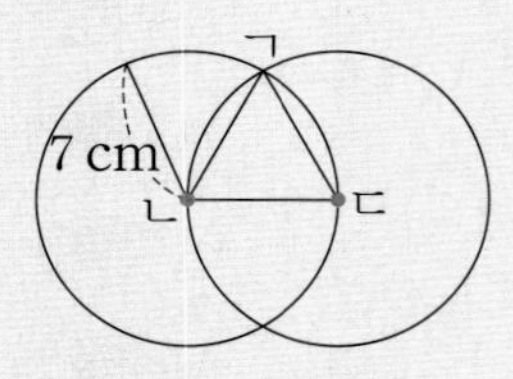

① (선분 ㄱㄴ)=(선분 ㄴㄷ)=(선분 ㄱㄷ)
=(원의 반지름)=7 cm

② (삼각형 ㄱㄴㄷ의 세 변의 길이의 합)
=7+7+7=21(cm)

선행 개념 [4-2] 2. 삼각형

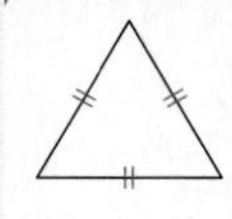

- 정삼각형: 세 변의 길이가 같은 삼각형

참고 위의 삼각형 ㄱㄴㄷ의 각각의 변은 원의 반지름으로 세 변의 길이가 같습니다.
→ 삼각형 ㄱㄴㄷ은 정삼각형입니다.

6 두 원의 중심 사이의 거리 구하기

예 크기가 다른 원 2개를 겹쳐서 그렸을 때 두 원의 중심 사이의 거리 구하기

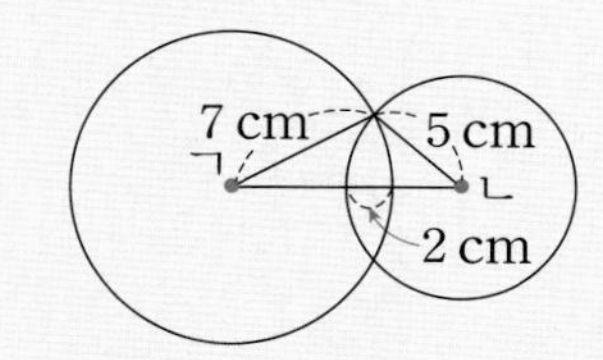

① (큰 원의 반지름)=7 cm
(작은 원의 반지름)=5 cm

② (선분 ㄱㄴ)
=(큰 원의 반지름)+(작은 원의 반지름)
−(겹쳐진 부분의 길이)
=7+5−2=10(cm)

7 원을 이용하여 여러 가지 모양 그리기

(1) 규칙에 따라 원 그리기 — 원의 중심, 반지름의 길이, 지름의 길이의 변화를 살펴보고 규칙을 찾습니다.

원의 중심은 같고 원의 반지름의 길이만 변하는 규칙	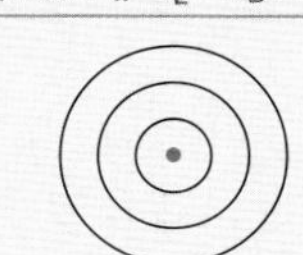
원의 중심만 변하고 원의 반지름의 길이는 같은 규칙	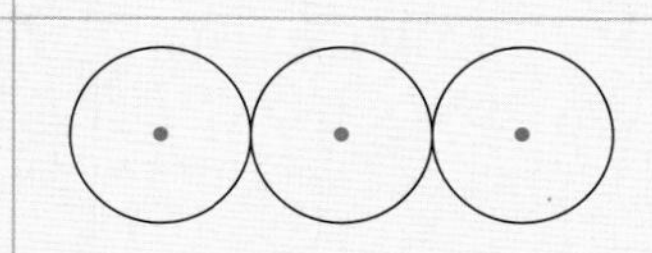
원의 중심과 원의 반지름의 길이가 모두 변하는 규칙	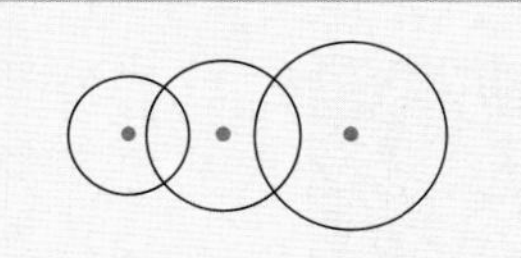

(2) 원을 이용하여 여러 가지 모양 그리기

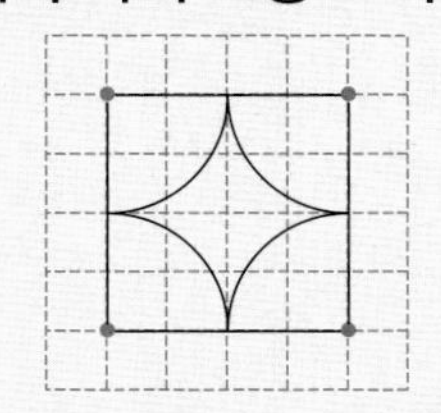

① 정사각형을 그립니다.

② 정사각형의 꼭짓점을 원의 중심으로 하는 원의 일부분을 4개 그립니다.

참고 주어진 모양에서 원의 중심을 찾으면 그려야 할 원 또는 원의 일부분이 모두 몇 개인지 알 수 있습니다.

1 원의 반지름을 나타내는 선분은 모두 몇 개일까요?

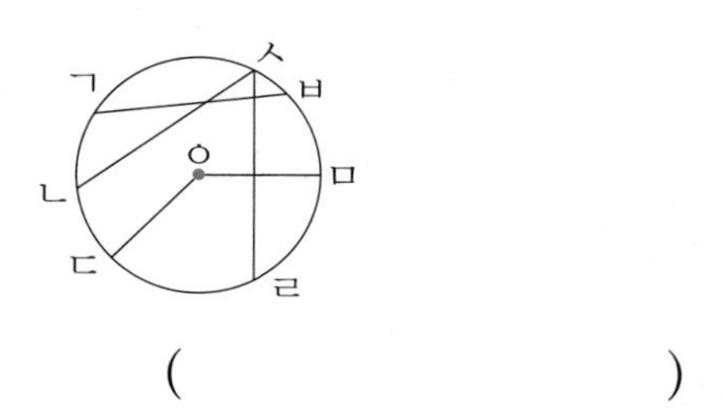

( )

2 원의 반지름과 지름은 각각 몇 cm일까요?

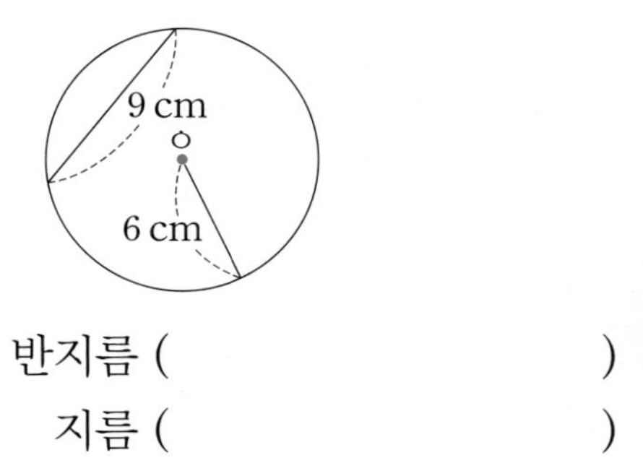

반지름 ( )
지름 ( )

3 지름이 4 cm인 원을 그리기 위해서 컴퍼스를 정확하게 벌린 것을 찾아 기호를 써 보세요.

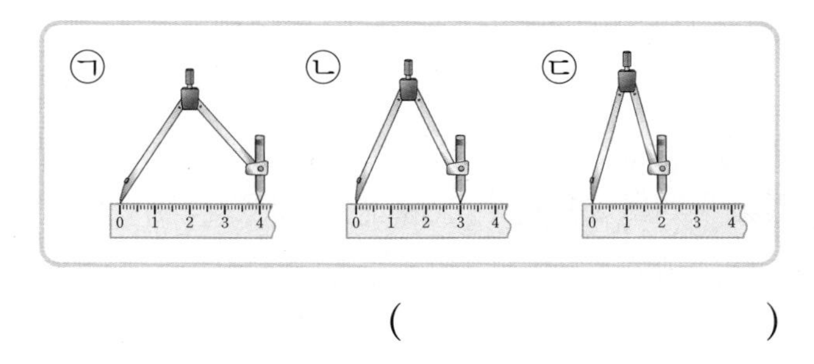

( )

4 원을 이용하여 다음과 같은 모양을 그려 보세요.

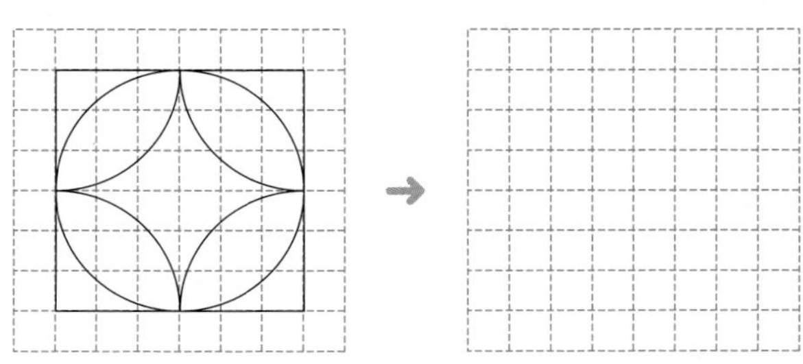

3 단원

응용 공략하기

■ **응용·심화 문제**와 **레벨UP공략법**으로 문제 해결 능력을 키웁니다.

원의 반지름의 길이 구하기

01 **두 원의 반지름의 차는 몇 cm**일까요?

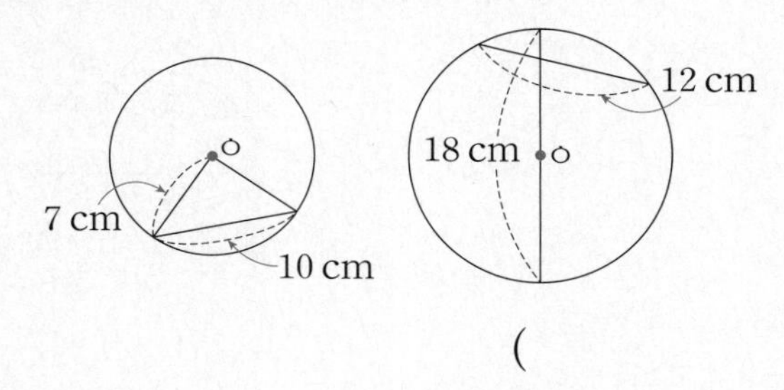

( )

원의 중심의 개수 구하기

02 정사각형과 원을 이용하여 만든 모양입니다. **원의 중심은 모두 몇 개**일까요?

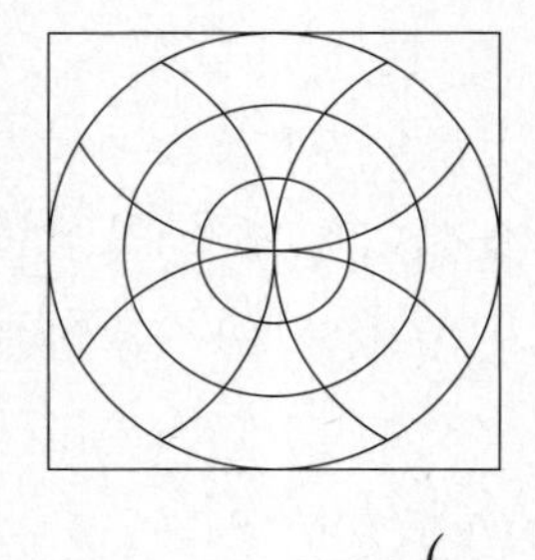

( )

레벨UP 공략 01

중심이 같은 원이 있을 때 원의 중심의 개수를 구하려면?

① 원의 중심이 같은 원은 원의 중심을 1개로 생각합니다.

② 모양을 그릴 때 이용한 원이 ■개, 원의 중심이 같은 원이 ▲개일 때
(원의 중심의 개수)=■−▲+1

원의 크기 비교하기

03 창의융합 나무의 나이테는 원 모양입니다. **나이테가 큰 것부터 차례로 기호**를 써 보세요.

나이테: 나무 줄기를 가로로 잘랐을 때 보이는 짙은 색의 원 모양 무늬

㉠ 반지름이 26 cm인 나이테
㉡ 지름이 70 cm인 나이테
㉢ 원의 중심과 원 위의 한 점을 이은 선분이 20 cm인 나이테

( )

레벨UP 공략 02

원의 크기가 더 큰 것은?

원의 지름의 길이나 반지름의 길이가 길수록 더 큰 원입니다.

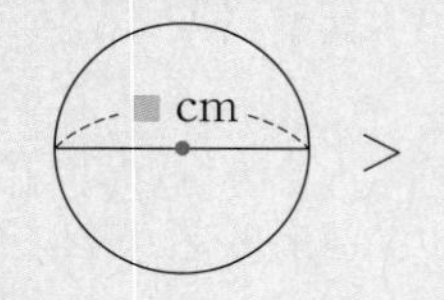

해결 순서

❶ 길이를 반지름(지름) 한 가지로 나타내기
❷ 원의 크기를 비교하여 큰 것부터 차례로 기호 쓰기

원을 이용하여 여러 가지 모양 그리기

04 **원을 이용하여 다음과 같은 모양**을 그려 보세요.

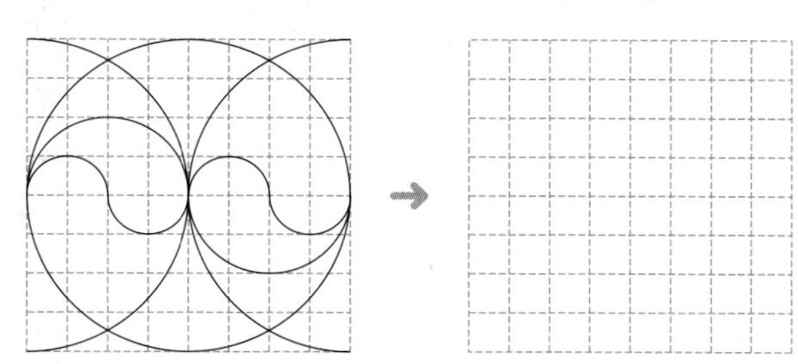

해결 순서
❶ 컴퍼스의 침을 꽂아야 할 곳 찾기
❷ 주어진 모양과 똑같이 그리기

맞닿게 놓인 원에서 선분의 길이 구하기 서술형

05 점 ㄱ, 점 ㄴ, 점 ㄷ은 원의 중심입니다. **선분 ㄱㄷ의 길이는 몇 cm**인지 풀이 과정을 쓰고, 답을 구해 보세요.

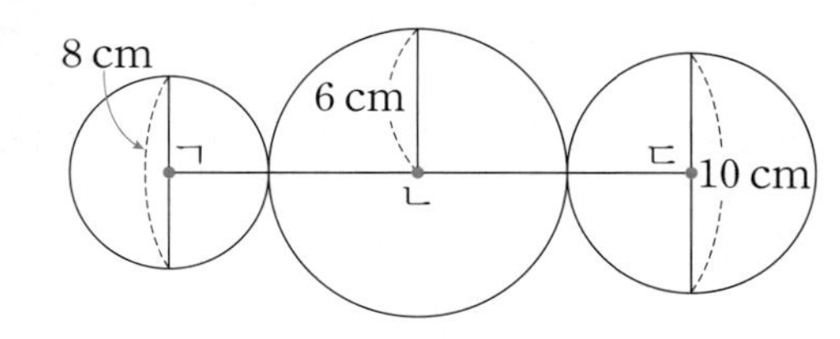

풀이

답

레벨UP 공략 03
원의 지름의 길이와 반지름의 길이 사이의 관계는?
• (원의 지름)=(원의 반지름)$\times 2$
• (원의 반지름)=(원의 지름)$\div 2$

크기가 같은 겹쳐진 원에서 도형의 변의 길이의 합 구하기

06 반지름이 8 cm인 원 3개를 서로 원의 중심이 지나도록 겹쳐서 그린 후 다음과 같이 삼각형을 그렸습니다. **삼각형 ㄱㄴㄷ의 세 변의 길이의 합은 몇 cm**일까요?

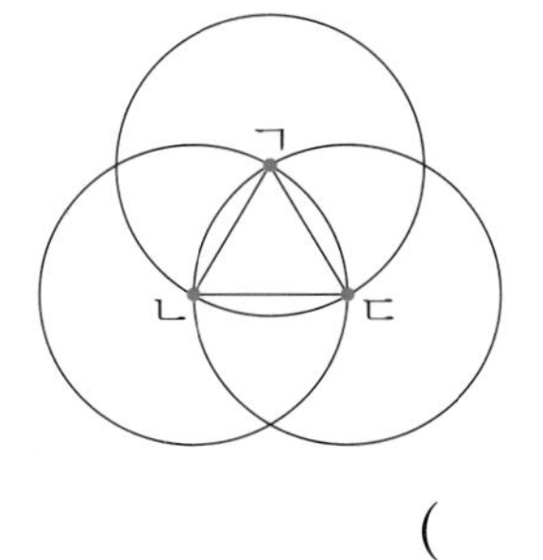

( )

레벨UP 공략 04
서로 원의 중심이 지나도록 겹쳐서 그린 원 2개의 반지름의 길이의 관계는?

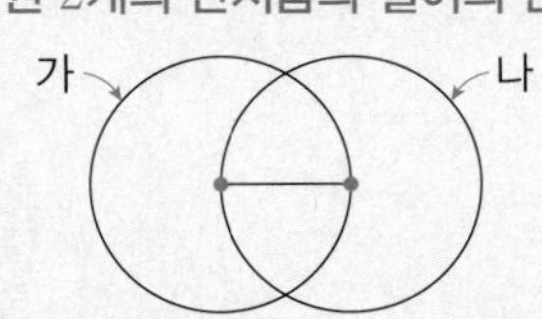

(원 가의 반지름)=(원 나의 반지름)

3 단원

응용 공략하기

크기가 주어진 두 원을 맞닿게 그리기

07 **지름이 2 cm, 지름이 4 cm인 두 원을 맞닿게** 그려 보세요.

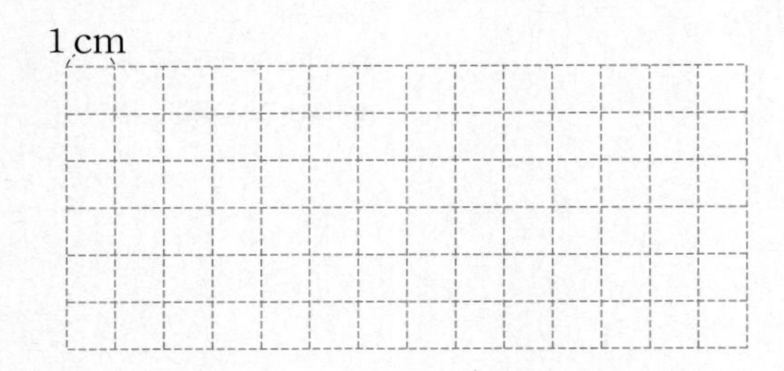

직사각형 안에 그릴 수 있는 가장 큰 원의 크기 구하기

08 직사각형 안에 원을 그리려고 합니다. 그릴 수 있는 **가장 큰 원의 반지름은 몇 cm**일까요?

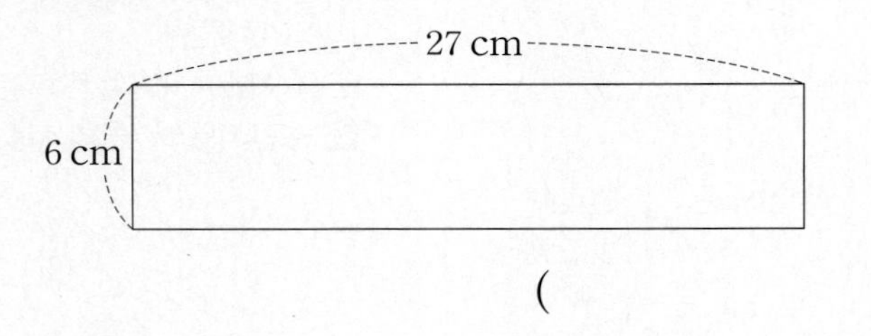

(　　　　　　　　　　)

레벨UP 공략 05

직사각형 안에 그릴 수 있는 가장 큰 원의 지름의 길이는?

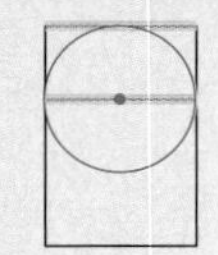

(가장 큰 원의 지름)
=(직사각형의 짧은 변)

규칙이 있는 모양에서 원의 지름의 길이 구하기

09 창의융합

과녁은 화살을 쏠 때의 목표점으로 주로 원을 겹친 모양으로 만듭니다. 다음은 양궁의 과녁으로 가장 작은 원의 반지름이 4 cm이고 반지름이 4 cm씩 늘어나게 원을 그려 만든 것입니다. **아홉째에 그려진 원의 지름은 몇 cm**일까요?

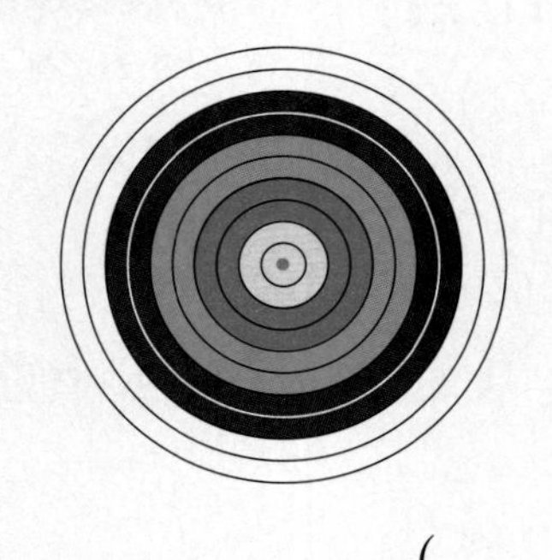

(　　　　　　　　　　)

해결 순서

❶ 아홉째에 그려진 원의 반지름의 길이 구하기

❷ 아홉째에 그려진 원의 지름의 길이 구하기

원의 중심을 연결한 도형의 변의 길이 구하기

10 원 4개를 맞닿게 그린 다음 원의 중심을 이어서 사각형을 만들었습니다. **사각형 ㄱㄴㄷㄹ의 네 변의 길이의 합은 몇 cm** 일까요?

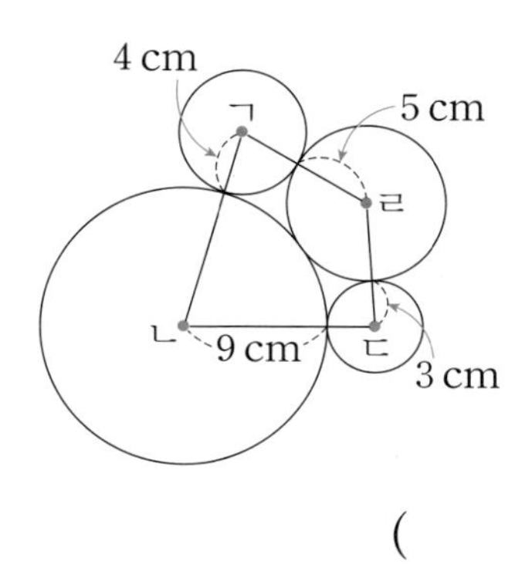

( )

레벨 UP 공략 06

크기가 다른 두 원의 중심을 연결한 선분의 길이를 구하려면?

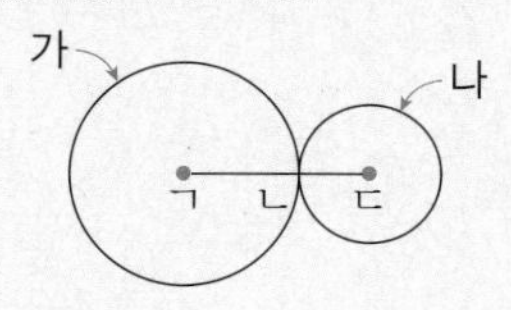

(선분 ㄱㄷ)
=(선분 ㄱㄴ)+(선분 ㄴㄷ)
=(원 가의 반지름)+(원 나의 반지름)

원을 둘러싼 선의 길이 구하기

11 신유형

서경이는 원 모양을 이용하여 한글 자음을 만드는 놀이를 하였습니다. 지름이 6 cm인 원 5개를 맞닿게 그린 후 둘레를 선분으로 그었더니 다음과 같이 'ㄴ'이 만들어졌습니다. 원을 둘러싸고 있는 **굵은 선의 길이는 몇 cm**인지 구해 보세요. (단, 굵은 선의 두께는 생각하지 않습니다.)

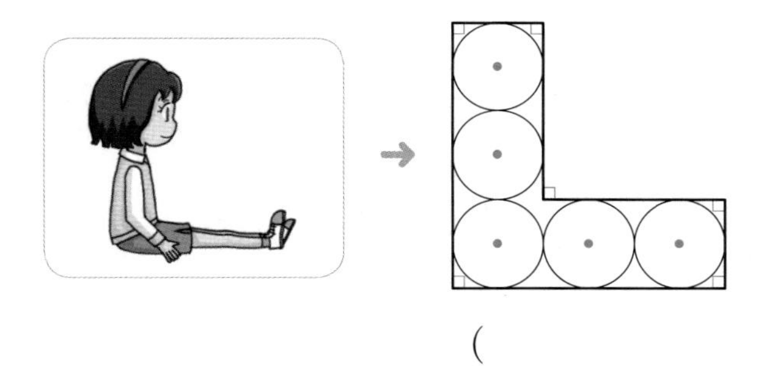

( )

레벨 UP 공략 07

한 줄로 맞닿게 놓여진 원의 지름이 ■ cm일 때 원을 둘러싸고 있는 굵은 선의 길이를 구하려면?

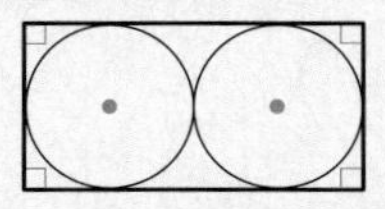

- (직사각형의 긴 변)=■×(원의 개수)
- (직사각형의 짧은 변)=(원의 지름)=■

3 단원

가장 작은 원의 반지름의 길이 구하기

12 오른쪽 그림에서 점 ㄱ, 점 ㄴ, 점 ㄷ은 원의 중심입니다. 가장 큰 원의 지름이 16 cm일 때 **가장 작은 원의 반지름은 몇 cm**일까요?

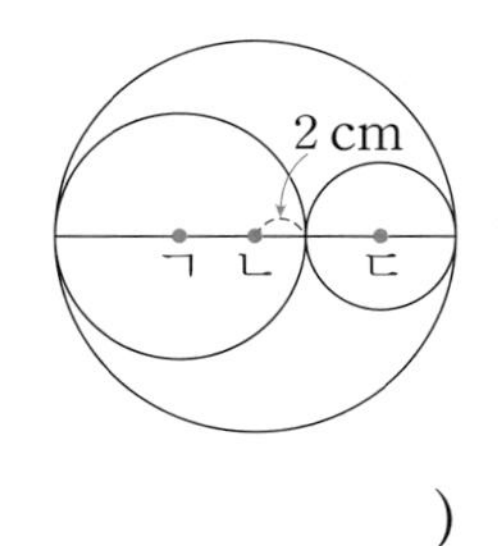

( )

해결 순서

1. 가장 큰 원의 반지름의 길이 구하기
2. 가장 작은 원의 반지름의 길이 구하기

크기가 다른 겹쳐진 원에서 도형의 변의 길이의 합 구하기

13 점 ㄱ, 점 ㄴ은 원의 중심입니다. **삼각형 ㄱㄷㄴ의 세 변의 길이의 합은 몇 cm**일까요?

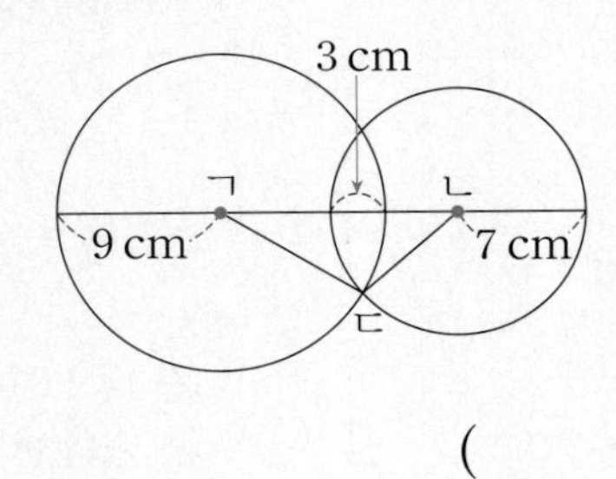

( )

해결 순서
1. 선분 ㄱㄷ, 선분 ㄴㄷ의 길이 각각 구하기
2. 선분 ㄱㄴ의 길이 구하기
3. 삼각형 ㄱㄷㄴ의 세 변의 길이의 합 구하기

크기가 같은 작은 원이 여러 개 있을 때 원의 반지름의 길이 구하기 서술형

14 오른쪽 그림과 같이 큰 원 안에 크기가 같은 작은 원 7개를 서로 중심이 지나도록 겹쳐서 그렸습니다. 큰 원의 반지름이 32 cm라면 **작은 원의 반지름은 몇 cm**인지 풀이 과정을 쓰고, 답을 구해 보세요.

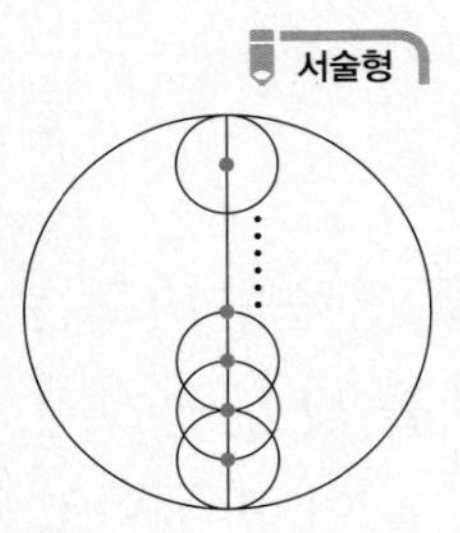

풀이

답

레벨UP 공략 08

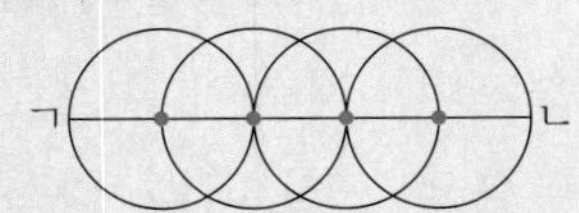

원이 ■개일 때 원의 중심을 지나는 선분의 길이는?

ㄱ ㄴ

(반지름의 개수)=(■+1)개

→ (선분 ㄱㄴ)
=(원의 반지름)×(반지름의 개수)

정사각형 안에 그린 원에서 선분의 길이 구하기

15 오른쪽 그림에서 각 점은 원의 중심이고 정사각형 안에 원 5개를 그린 것입니다. **선분 ㄴㄹ의 길이는 몇 cm**일까요? (단, 가장 작은 원 3개의 크기는 같습니다.)

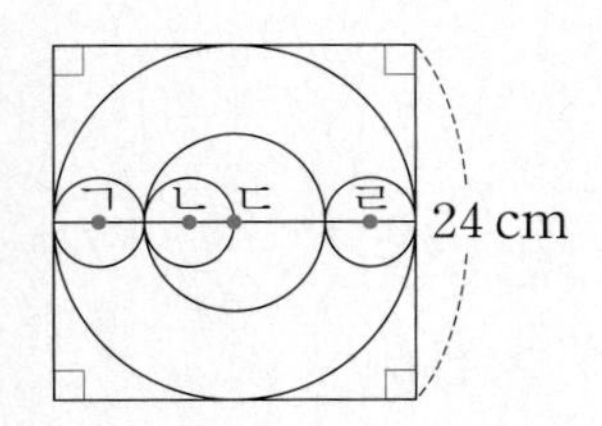

( )

해결 순서
1. 가장 큰 원의 반지름, 중간 크기의 원의 반지름, 가장 작은 원의 반지름의 길이 각각 구하기
2. 선분 ㄴㄹ의 길이 구하기

직사각형을 이용하여 원의 반지름의 길이 구하기

16 직사각형 모양의 상자 안에 원 모양의 크기가 같은 단추 4개를 겹치지 않게 이어 붙여 놓은 것입니다. 직사각형의 가로와 세로의 합이 110 mm일 때 **단추의 반지름은 몇 cm인지 소수로** 나타내어 보세요.

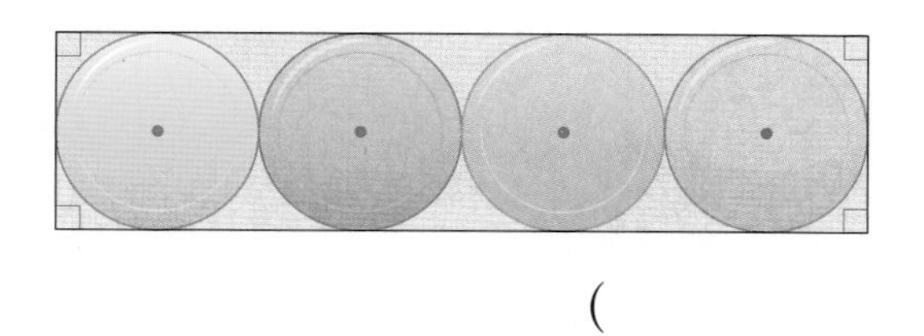

(　　　　　　　　　)

해결 순서
❶ 직사각형의 가로와 세로는 단추의 지름의 몇 배인지 각각 구하기
❷ 단추의 지름의 길이 구하기
❸ 단추의 반지름의 길이를 소수로 나타내기

조건을 만족하는 원의 반지름의 길이 구하기

17 크기가 다른 원 4개를 오른쪽 그림과 같이 그렸습니다. 원 다의 반지름은 원 라의 반지름의 길이의 2배이고, 원 나의 반지름은 원 다의 반지름의 길이의 3배입니다. 원 나와 원 라의 중심을 이은 선분의 길이가 33 cm라 할 때 **원 가의 반지름은 몇 cm**일까요?

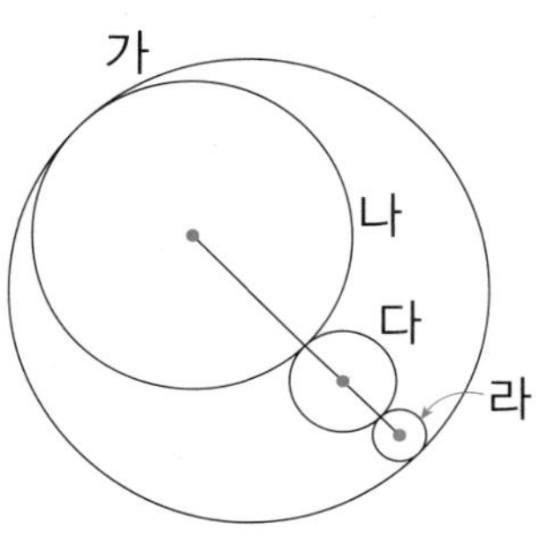

(　　　　　　　　　)

직사각형 안에 맞닿게 놓여진 원에서 선분의 길이 구하기

18 점 ㄱ, 점 ㄴ, 점 ㄷ, 점 ㄹ은 원의 중심입니다. 직사각형 안에 크기가 같은 큰 원 2개와 크기가 같은 작은 원 2개를 맞닿게 그렸습니다. **선분 ㄱㄹ의 길이는 몇 cm**인지 구해 보세요.

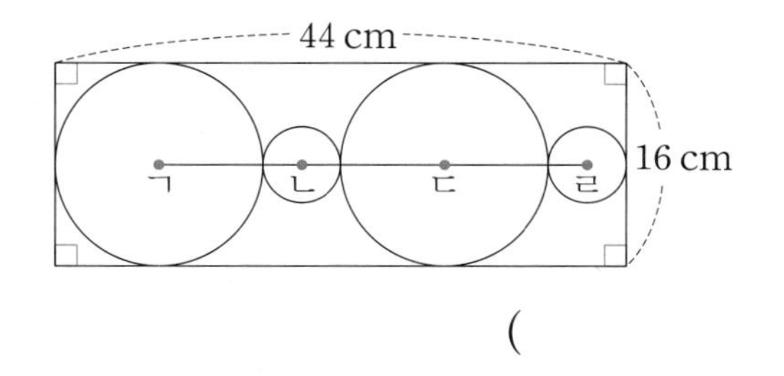

(　　　　　　　　　)

해결 순서
❶ 큰 원의 반지름의 길이 구하기
❷ 작은 원의 반지름의 길이 구하기
❸ 선분 ㄱㄹ의 길이 구하기

3 단원

심화 해결하기

■ **레벨UP공략법**을 활용한 **고난도 문제**를 스스로 해결하고 발전합니다.

01 진영이와 수민이가 각각 다음과 같은 모양을 그렸습니다. 진영이와 수민이가 그린 모양에서 **원의 중심의 개수의 합은 몇 개**인지 구해 보세요.

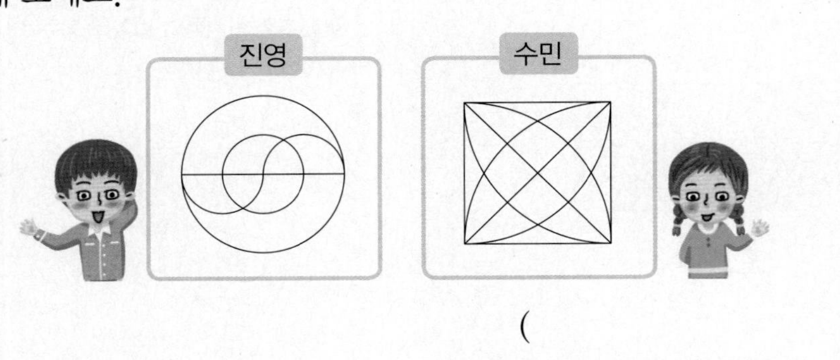

( )

02 서진이는 반지름이 6 cm인 원 모양의 종이를 다음과 같이 접었습니다. **접은 종이를 펼쳤을 때 생기는 선분의 길이의 합은 몇 cm**일까요?

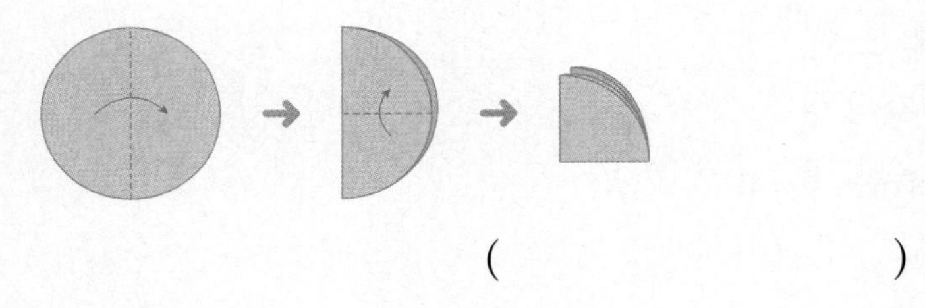

( )

03 원 가, 나, 다가 각각 다음과 같을 때 **가장 큰 원과 가장 작은 원의 지름의 길이의 차는 몇 cm**인지 구해 보세요.

- 원 가의 반지름은 9 cm입니다.
- 원 나의 지름의 길이는 원 가의 지름의 길이보다 2 cm 짧습니다.
- 원 다의 지름의 길이는 원 나의 반지름의 길이의 3배입니다.

( )

04 오른쪽 삼각형 ㄱㅇㄴ의 세 변의 길이의 합은 49 cm입니다. **원의 반지름은 몇 cm**일까요?

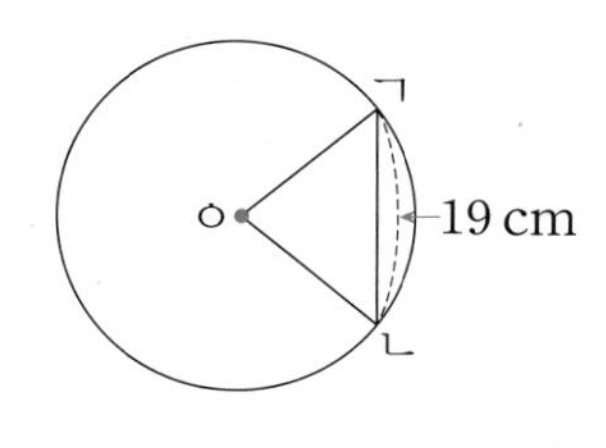

(　　　　　　　　　　)

서술형

05 오른쪽 그림과 같이 크기가 같은 원 4개를 맞닿게 그린 다음 네 원의 중심을 연결하였습니다. 사각형 ㄱㄴㄷㄹ의 네 변의 길이의 합이 48 cm일 때 **원의 지름은 몇 cm**인지 풀이 과정을 쓰고, 답을 구해 보세요.

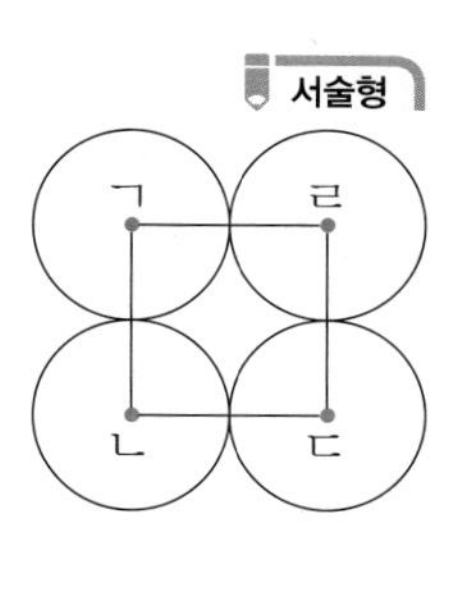

풀이

답

06 신유형

원을 이용하여 **재훈이네 집에서 200 m 안에 있는 건물**을 모두 찾아 써 보세요.

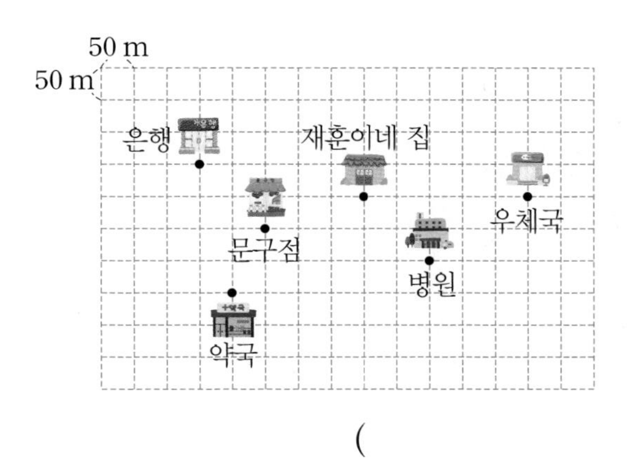

(　　　　　　　　　　)

3 단원

07 다음에서 설명한 규칙에 따라 **원을 4개 더 그려 보세요.**

- 원의 중심은 오른쪽으로 2 cm씩 옮겨 가며 그립니다.
- 반지름이 1 cm인 원과 반지름이 2 cm인 원을 번갈아 가며 그립니다.

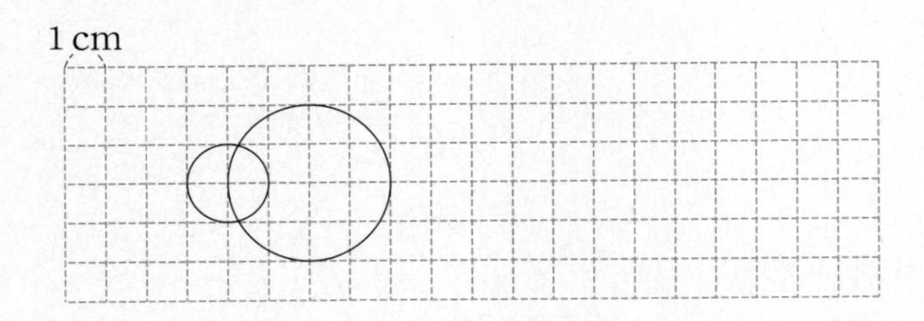

08 각 점은 원의 중심입니다. **선분 ㄱㄴ의 길이는 몇 cm**일까요?

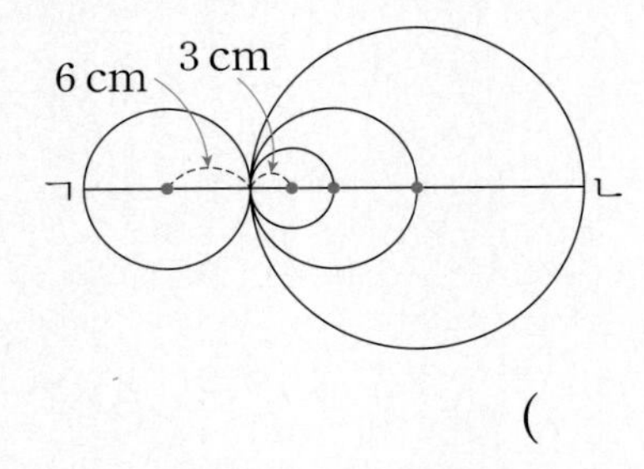

(　　　　　　　　　　)

09 창의융합 컬링에서 득점 구역은 중심이 같고 크기가 다른 원으로 이루어져 있습니다. 원 가의 반지름은 원 나의 반지름의 3배입니다. 원 가의 지름이 366 cm라면 **원 나의 반지름은 몇 cm**일까요?

컬링: 빙판에서 돌을 미끄러뜨려 득점 구역 안에 넣는 경기

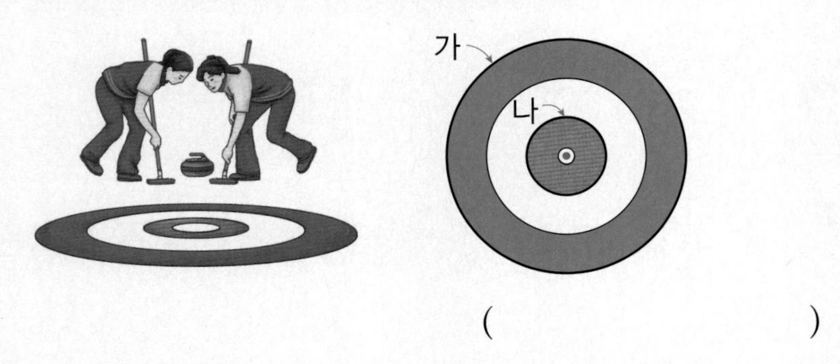

(　　　　　　　　　　)

10 크기가 같은 원을 여러 개 겹쳐서 오른쪽과 같은 모양을 만들었습니다. 삼각형 ㄱㄴㄷ의 세 변의 길이의 합이 72 cm일 때 **원의 반지름은 몇 cm**일까요?

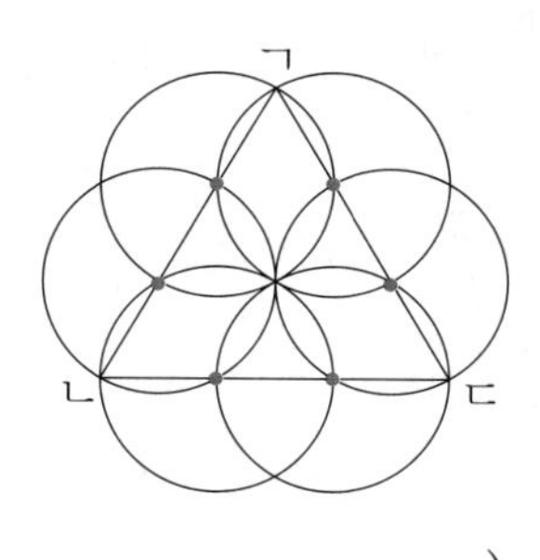

(　　　　　　　　　　)

11 가로가 32 cm, 세로가 18 cm인 직사각형의 네 변을 따라 그림과 같이 지름이 2 cm인 원을 그리려고 합니다. **그릴 수 있는 원은 모두 몇 개**인지 구해 보세요.

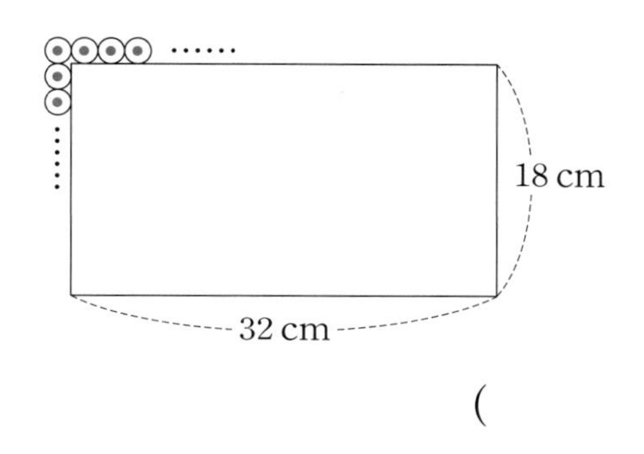

(　　　　　　　　　　)

서술형

12 두 원의 중심과 두 원이 만나는 점을 선분으로 연결하여 사각형을 만들었습니다. **사각형 ㄱㄴㄷㄹ의 네 변의 길이의 합은 몇 cm**인지 풀이 과정을 쓰고, 답을 구해 보세요.

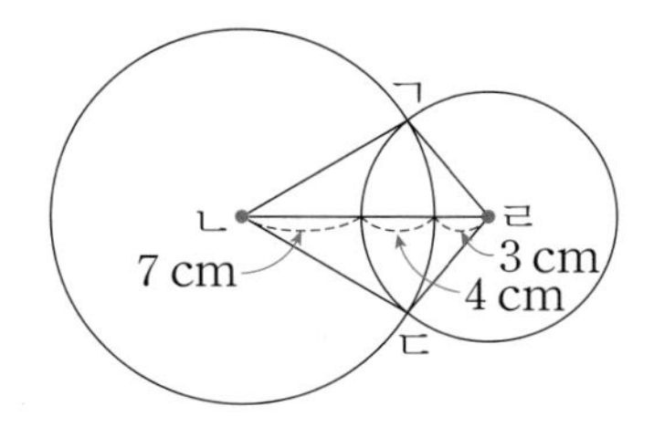

풀이

답

13 창의융합

윤서는 다음과 같이 태극 모양에서 작은 원의 반지름을 6 cm로 하여 태극기를 그렸습니다. 태극기의 나비는 태극 모양에서 큰 원의 지름의 2배일 때 **윤서가 그린 태극기의 나비는 몇 cm**일까요?

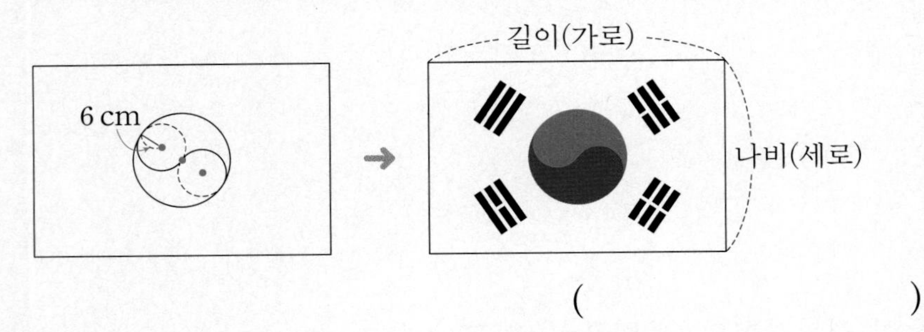

( )

14 가장 작은 원의 반지름을 3 cm로 하여 원의 반지름을 2 cm씩 늘려 가며 그림과 같이 직사각형 안에 원 5개를 그렸습니다. **직사각형의 네 변의 길이의 합은 몇 cm**일까요?

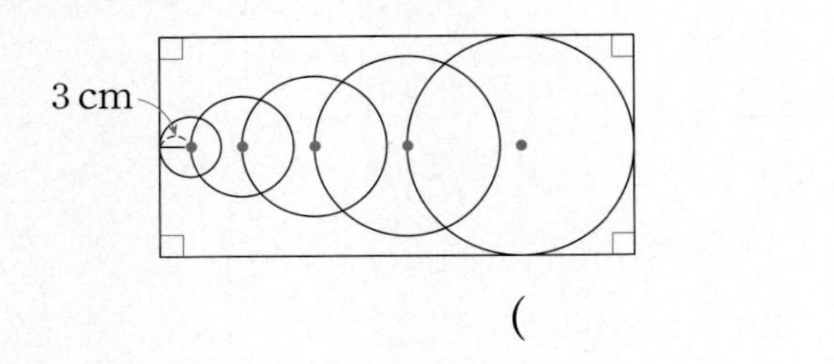

( )

서술형

15 동훈이는 크기가 같은 원 8개를 이용하여 오른쪽과 같은 모양을 만든 후 빨간색 선을 그었습니다. 바깥쪽과 안쪽의 빨간색 선의 길이의 합이 56 cm일 때 **원의 반지름은 몇 cm**인지 풀이 과정을 쓰고, 답을 구해 보세요.

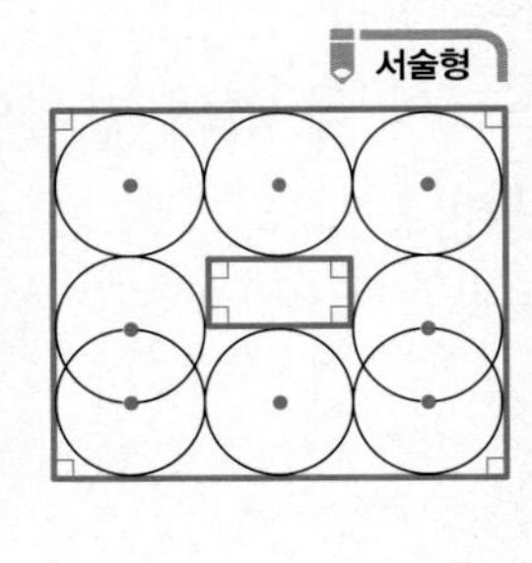

풀이

답

16 지름이 16 cm인 원을 다음과 같이 겹쳐서 그렸더니 전체 길이가 168 cm가 되었습니다. **그린 원은 모두 몇 개**일까요?

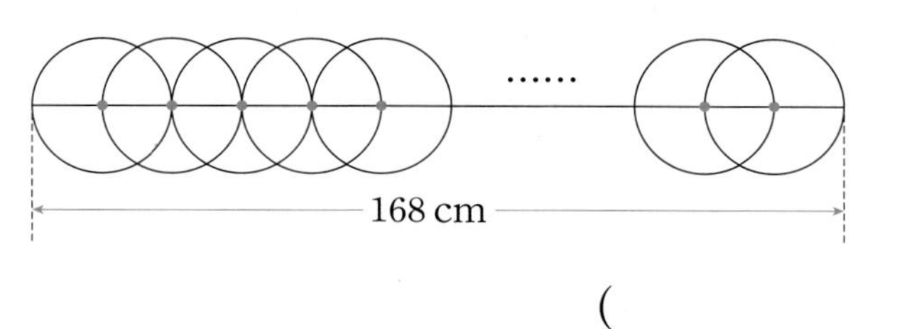

(　　　　　　　　　　)

17 오른쪽 그림에서 점 ㄱ, 점 ㄴ, 점 ㄷ은 원의 중심이고, 삼각형 ㄱㄴㄷ의 세 변의 길이의 합은 43 cm입니다. **세 원의 반지름의 합은 몇 cm**인지 구해 보세요.

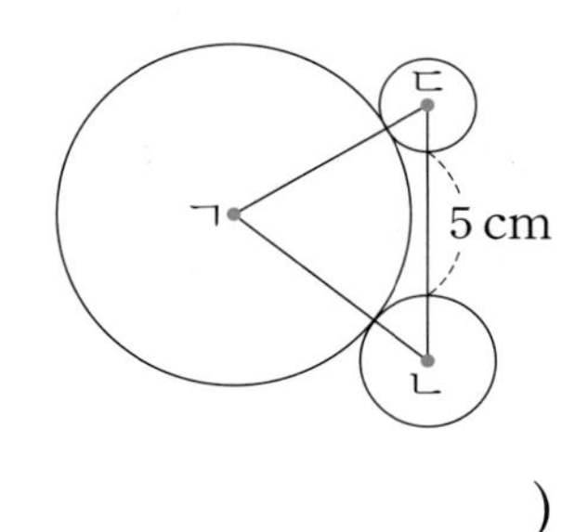

(　　　　　　　　　　)

18 직사각형의 네 꼭짓점 ㄱ, ㄴ, ㄷ, ㄹ을 원의 중심으로 하여 원의 일부분을 그렸습니다. 점 ㄱ을 중심으로 하는 원의 반지름은 점 ㄴ을 중심으로 하는 원의 반지름보다 3 cm 더 깁니다. 변 ㄴㄷ의 길이가 30 cm일 때 **점 ㄷ을 중심으로 하는 원의 반지름은 몇 cm**일까요?

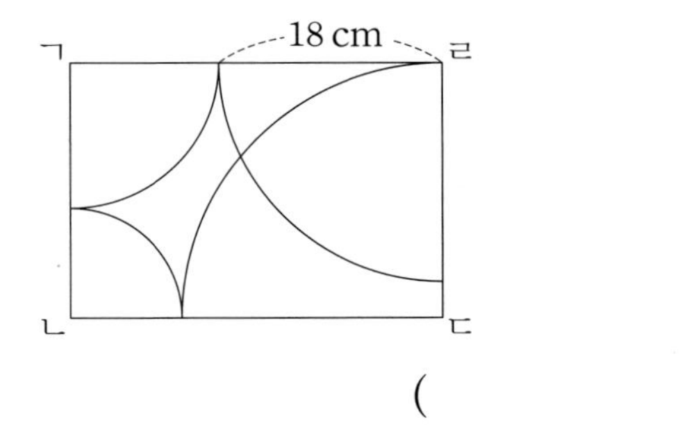

(　　　　　　　　　　)

최상위 도전하기

■ **경시 수준**의 **최상위 문제**에 도전하여 사고력을 키웁니다.

1 직사각형 안에 서로 원의 중심을 지나도록 원 3개를 겹쳐서 그렸습니다. **색칠한 사각형 2개의 모든 변의 길이의 합은 몇 cm일까요?**

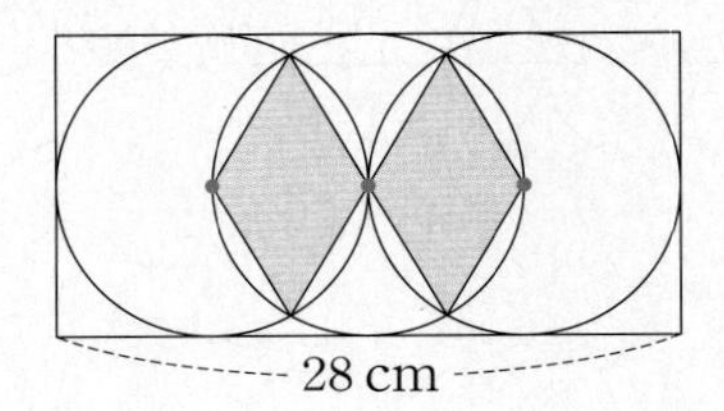

(　　　　　　　　)

2 각 점은 원의 중심입니다. 큰 원 안에 크기가 같은 작은 원 3개를 그렸습니다. 큰 원의 반지름이 21 cm일 때 **작은 원의 반지름은 몇 cm인지 구해 보세요.**

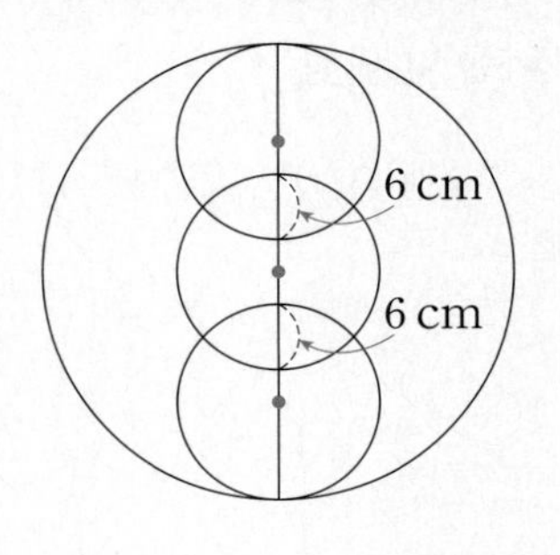

(　　　　　　　　)

3 반지름이 3 cm인 원을 맞닿게 붙인 다음 원의 중심을 이어 삼각형을 만들었습니다. **일곱째 삼각형의 세 변의 길이의 합은 몇 cm일까요?**

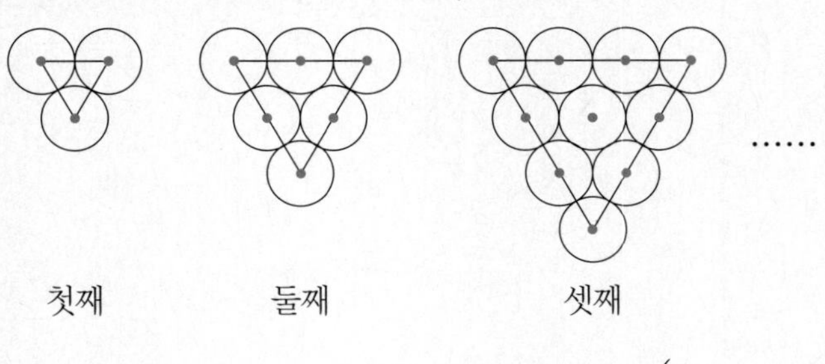

(　　　　　　　　)

옛날에 살았던 생물의 몸체나 흔적이 돌처럼 굳어 그대로 남아 있는 것

4
창의융합

암모나이트는 중생대에 바다에서 생활하였던 생물입니다. 원의 일부분을 겹치지 않게 이어 붙여 암모나이트 화석과 비슷한 모양을 그렸습니다. 각 점은 원의 중심일 때 **점 ㄱ을 중심으로 하는 원의 반지름은 몇 cm**인지 구해 보세요.

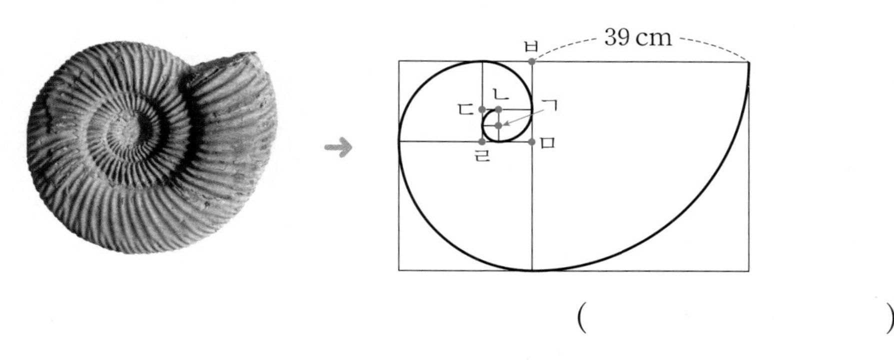

( )

5

각 점은 원의 중심입니다. **사각형 ㄱㄴㄷㄹ의 네 변의 길이의 합과 사각형 ㄹㅁㅂㅅ의 네 변의 길이의 합의 차는 몇 cm**일까요?

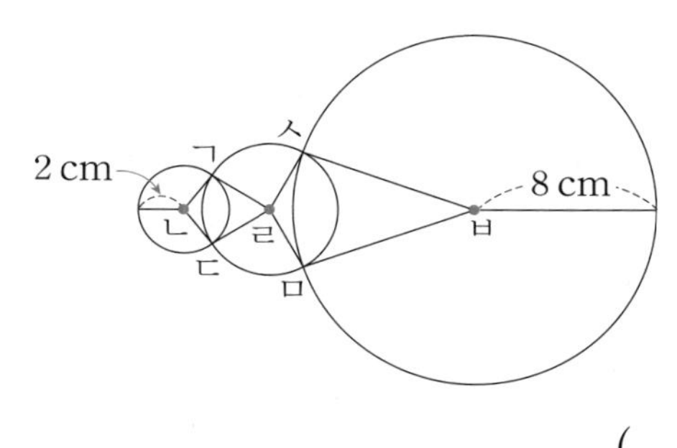

( )

1% 도전

6

똑같은 원 모양의 고리 7개를 다음과 같이 연결하였습니다. 선분 ㄱㄴ의 길이가 134 cm라면 **고리 한 개의 안쪽 원의 반지름은 몇 cm**인지 구해 보세요.

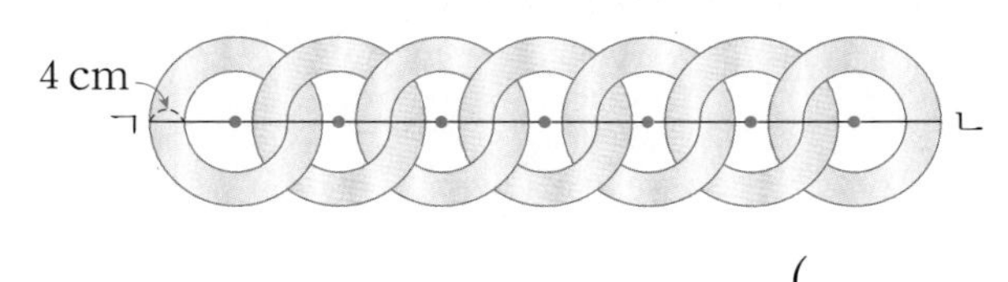

( )

3 단원

상위권 TEST

01 가장 큰 원과 가장 작은 원의 지름의 길이의 차는 몇 cm일까요?

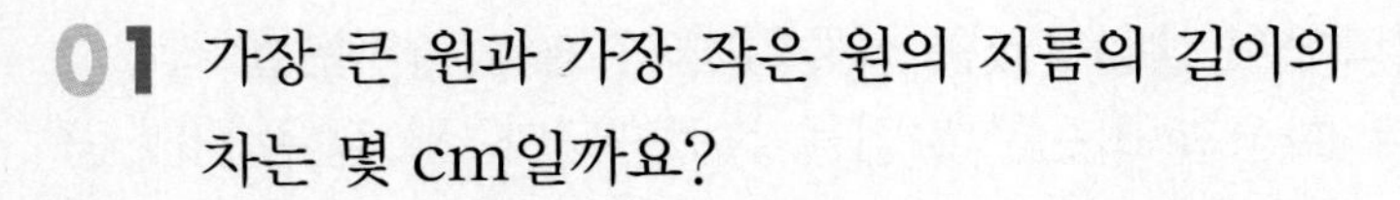

㉠ 반지름이 6 cm인 원
㉡ 지름이 8 cm인 원
㉢ 반지름이 5 cm인 원

(　　　　　　　　)

02 다음과 같은 모양을 그리기 위하여 컴퍼스의 침을 꽂아야 할 곳은 모두 몇 군데일까요?

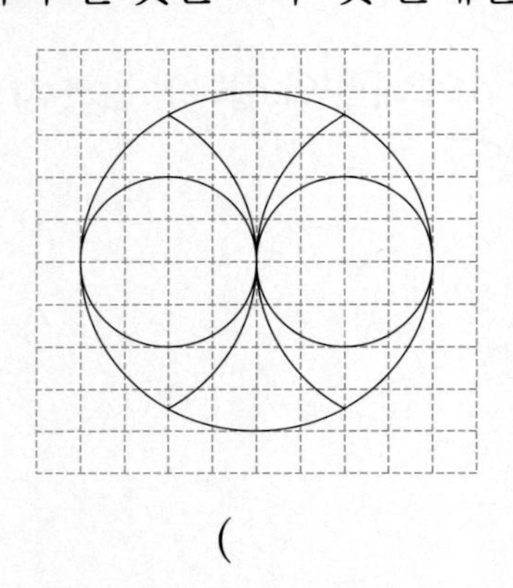

(　　　　　　　　)

03 점 ㄱ, 점 ㄴ, 점 ㄷ은 원의 중심입니다. 선분 ㄱㄷ의 길이는 몇 cm인지 구해 보세요.

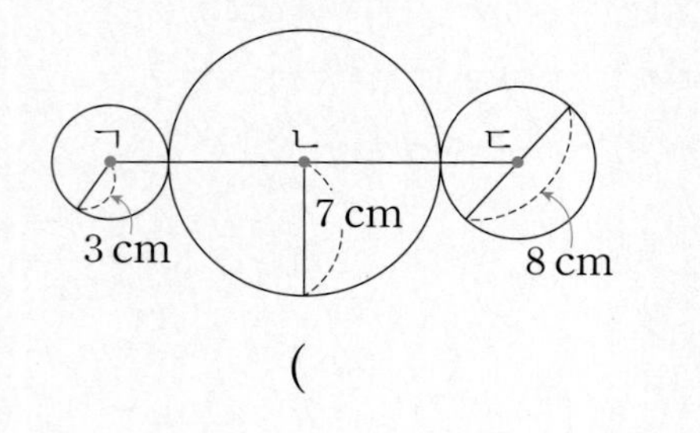

(　　　　　　　　)

04 크기가 같은 원 2개를 서로 원의 중심이 지나도록 겹쳐서 그렸습니다. 사각형 ㄱㄴㄷㄹ의 네 변의 길이의 합은 몇 cm일까요?

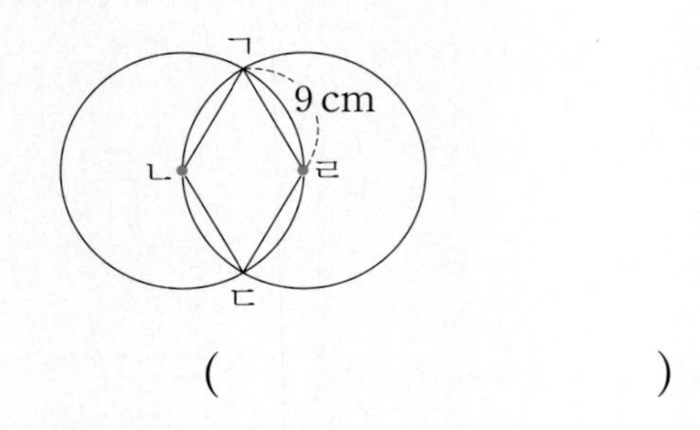

(　　　　　　　　)

05 점 ㄱ, 점 ㄴ, 점 ㄷ은 원의 중심입니다. 선분 ㄱㄷ의 길이는 몇 cm일까요?

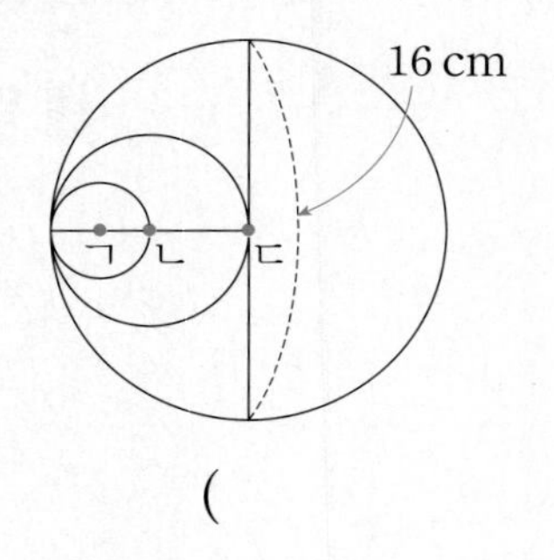

(　　　　　　　　)

06 크기가 같은 원 4개를 서로 원의 중심이 지나도록 겹쳐서 그린 후 직사각형을 그렸습니다. 직사각형 ㄱㄴㄷㄹ의 네 변의 길이의 합은 몇 cm일까요?

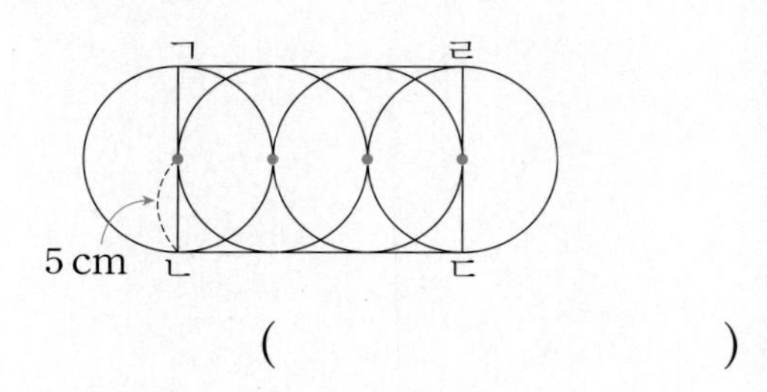

(　　　　　　　　)

정답 및 풀이 > 18쪽

07 직사각형 안에 크기가 같은 원 6개를 그림과 같이 맞닿게 그렸습니다. 직사각형의 네 변의 길이의 합이 60 cm일 때 원의 반지름은 몇 cm인지 구해 보세요.

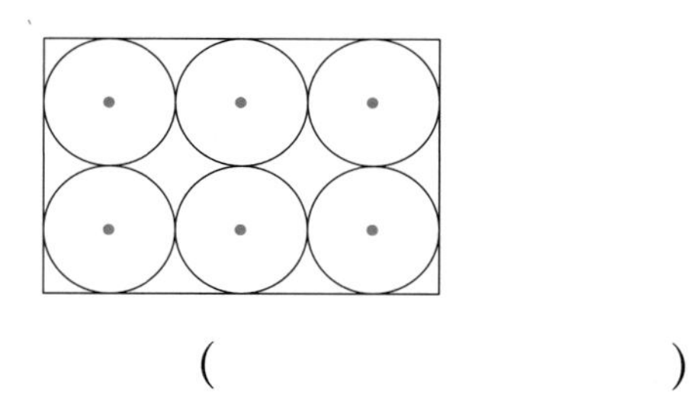

( )

08 점 ㄱ, 점 ㄴ은 원의 중심입니다. 삼각형 ㄱㄴㄷ의 세 변의 길이의 합이 34 cm일 때 작은 원의 반지름은 몇 cm일까요?

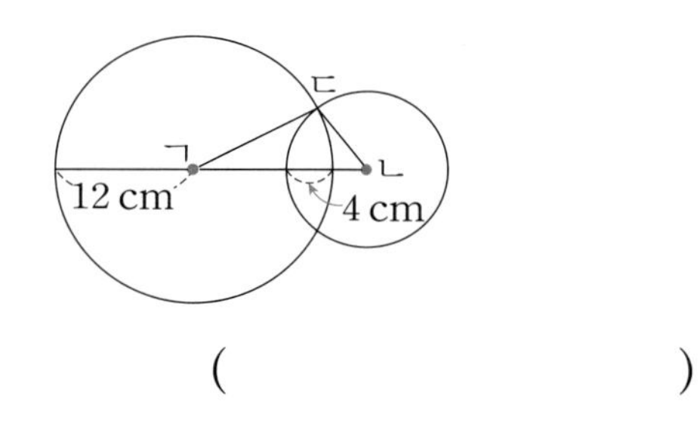

( )

09 연아는 지름이 8 cm인 원 11개를 맞닿게 그린 후 둘레를 선분으로 그었습니다. 원을 둘러싸고 있는 빨간색 선의 길이는 몇 cm일까요?

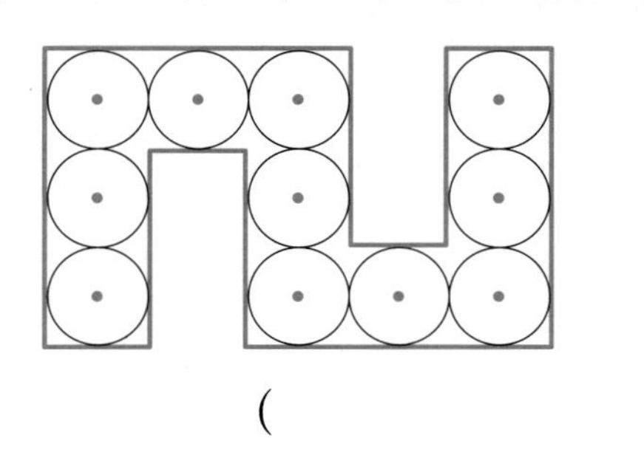

( )

10 지름이 14 cm인 원을 다음과 같이 겹쳐서 그렸더니 전체 길이가 112 cm가 되었습니다. 그린 원은 모두 몇 개일까요?

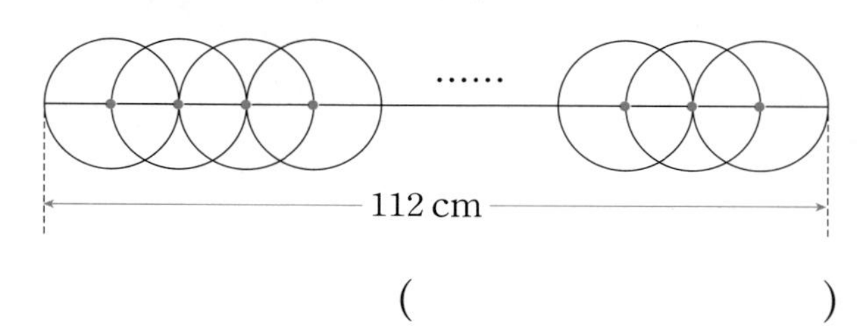

( )

★ 최상위

11 직사각형의 네 꼭짓점을 원의 중심으로 하여 원의 일부분을 그렸습니다. 점 ㄴ을 중심으로 하는 원의 반지름은 점 ㄷ을 중심으로 하는 원의 반지름의 2배보다 1 cm 더 깁니다. 선분 ㄱㅁ의 길이는 몇 cm인지 구해 보세요.

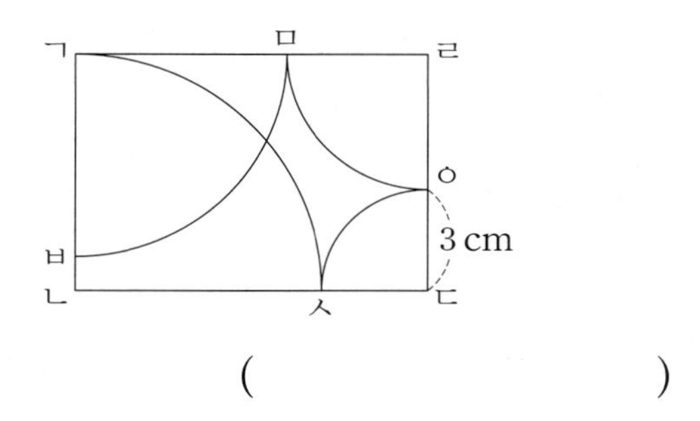

( )

★ 최상위

12 큰 원 안에 크기가 같은 작은 원 3개를 그렸습니다. 큰 원의 반지름이 16 cm일 때 작은 원의 반지름은 몇 cm인지 구해 보세요.

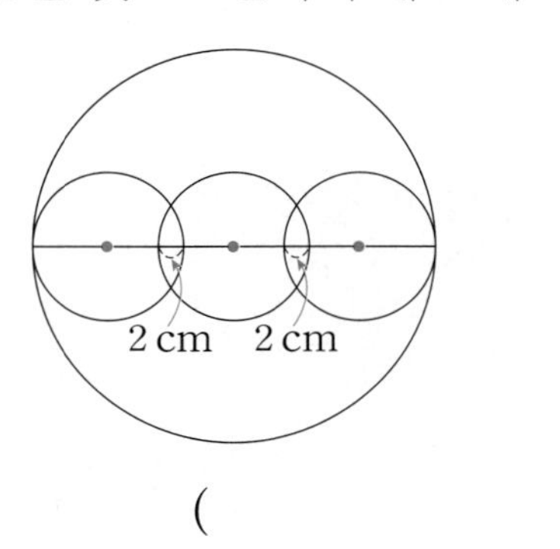

( )

3 단원

쉬어가기

사자성어

과유불급

過 猶 不 及

지날 과 오히려 유 아닐 불 미칠 급

바로 뜻 지나친 것은 부족한 것과 마찬가지라는 뜻.

깊은 뜻 어느 한쪽으로 치우지지 않는 상태가 중요하다는 말이에요.

이럴 때 쓰는 말이야!

옛날 어느 마을 착한 할아버지 집에 나그네가 찾아왔어요. 할아버지는 나그네를 재워주고 맛있는 밥도 주었어요. 나그네는 할아버지에게 부채를 선물로 주었어요. 빨간 부채로 부치면 코가 늘어나고, 파란 부채로 부치면 코가 줄어드는 요술 부채였어요!

이웃집 욕심쟁이 할아버지는 요술 부채가 탐나서 가짜 부채와 요술 부채를 바꾸었어요. 신이 난 욕심쟁이 할아버지가 빨간 부채로 부채질을 하자 코가 길어져 옥황상제의 대궐 바닥을 뚫어 버렸어요. 화가 난 옥황상제는 할아버지 코를 기둥에 묶어버렸고, 당황한 욕심쟁이 할아버지가 파란 부채로 부채질을 하자 몸이 둥둥 떠올랐어요.

그 순간 옥황상제는 묶었던 코를 풀어 버렸고 할아버지는 바닥에 쿵 떨어졌어요.

□□□□하여 화를 입고 만 거예요.

잠깐! Quiz

Q □□□□에 들어갈 말은?

A 왼쪽 한자와 오른쪽 음을 알맞은 것끼리 선으로 이어 봅니다.

過 •	• 과
猶 •	• 급
不 •	• 불
及 •	• 유

분수

응용 대표 유형

① 분수로 나타내기

예 12를 4씩 묶으면 부분은 전체의 몇 분의 몇인지 알아보기

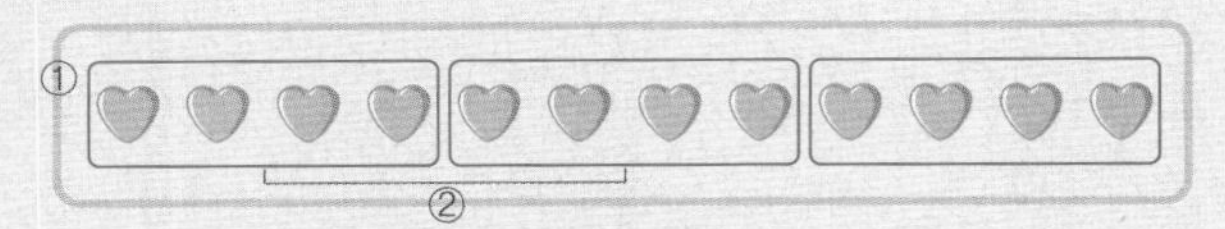

① 12를 4씩 묶으면 4는 3묶음 중 1묶음입니다.

→ 4는 12의 $\frac{1}{3}$입니다.

② 12를 4씩 묶으면 8은 3묶음 중 2묶음입니다.

→ 8은 12의 $\frac{2}{3}$입니다.

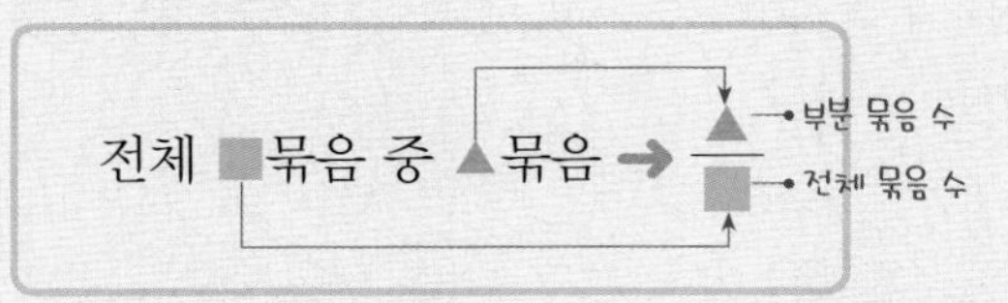

② 분수만큼은 얼마인지 알아보기

(1) 수에 대한 분수만큼을 알아보기

예 10의 $\frac{1}{5}$은 얼마인지 구하기

① 10을 5묶음으로 묶은 것 중의 1묶음이므로 10을 5묶음으로 나누면 1묶음은 2입니다.

② 10의 $\frac{1}{5}$은 2입니다.

(2) 길이에 대한 분수만큼을 알아보기

예 9 m의 $\frac{2}{3}$는 몇 m인지 구하기

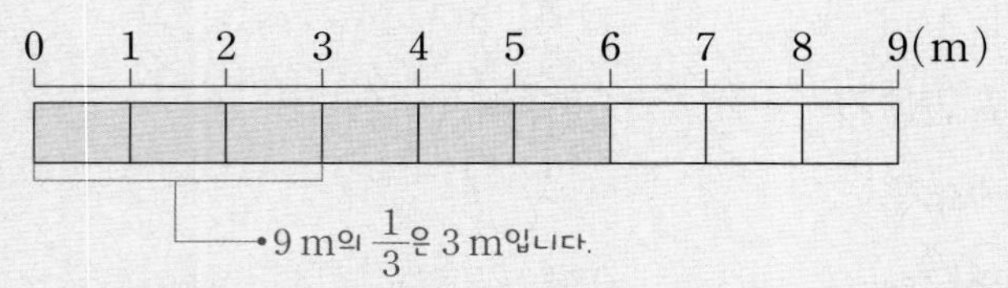

① 9 m를 똑같이 3으로 나눈 것 중의 1은 3 m입니다.

② 2는 1의 2배이므로 9 m의 $\frac{2}{3}$는 6 m입니다. (3×2)

응용 ③ 어떤 수의 분수만큼은 얼마인지 구하기

예 어떤 수의 $\frac{1}{3}$이 4일 때 어떤 수는 얼마인지 구하기

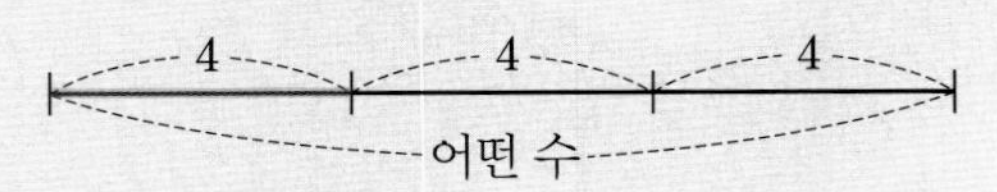

어떤 수를 똑같이 3으로 나눈 것 중의 1은 4입니다.

→ (어떤 수)$=4\times3=12$

응용 ④ 남은 양 구하기

예 피자 한 판을 똑같이 8조각으로 나눈 것 중의 $\frac{1}{4}$을 먹었을 때 남은 피자의 조각 수 구하기

① 8조각의 $\frac{1}{4}$은 2조각입니다.

→ (먹은 피자의 조각 수)=2조각

② (남은 피자의 조각 수)$=8-2=6$(조각)

(8: 전체 피자의 조각 수)

⑤ 진분수, 가분수, 대분수

(1) 진분수: $\frac{1}{3}$, $\frac{2}{3}$와 같이 분자가 분모보다 작은 분수

(2) 가분수: $\frac{3}{3}$, $\frac{4}{3}$와 같이 분자가 분모와 같거나 분모보다 큰 분수

참고 $\frac{3}{3}$은 1과 같습니다. 1, 2, 3과 같은 수를 자연수라고 합니다.

(3) 대분수: $1\frac{3}{4}$과 같이 자연수와 진분수로 이루어진 분수

1과 $\frac{3}{4}$ → 쓰기: $1\frac{3}{4}$, 읽기: 1과 4분의 3

응용 ⑥ 분모가 ■인 진분수 중에서 가장 큰 수 구하기

예 분모가 8인 진분수 중에서 가장 큰 수 구하기

① 분모가 8인 진분수: (분자)<8

→ 분자가 될 수 있는 가장 큰 수: 7

② 분모가 8인 진분수 중에서 가장 큰 수: $\frac{7}{8}$

7 대분수를 가분수로, 가분수를 대분수로 나타내기

(1) 대분수를 가분수로 나타내기

예 $2\frac{3}{7}$을 가분수로 나타내기

① 2는 $\frac{1}{7}$이 $2\times7=14$(개), $\frac{3}{7}$은 $\frac{1}{7}$이 3개입니다.

② $2\frac{3}{7}$은 $\frac{1}{7}$이 $14+3=17$(개) ➜ $2\frac{3}{7}=\frac{17}{7}$

(2) 가분수를 대분수로 나타내기

예 $\frac{13}{6}$을 대분수로 나타내기

① $\frac{1}{6}$이 12개이면 $\frac{12}{6}=2$입니다.

② $\frac{13}{6}$은 $\frac{1}{6}$이 13개, $13=12+1$ ➜ $\frac{13}{6}=2\frac{1}{6}$

8 분수의 크기 비교

(1) 분모가 같은 가분수 또는 대분수의 크기 비교

- 분모가 같은 가분수는 분자가 클수록 더 큽니다.
- 분모가 같은 대분수는 자연수 부분의 크기를 비교하고, 자연수 부분이 같으면 분자가 클수록 더 큽니다.

예 $\frac{8}{3}<\frac{11}{3}$ ($8<11$) $2\frac{1}{7}>1\frac{4}{7}$ ($2>1$) $4\frac{3}{8}<4\frac{5}{8}$ ($3<5$)

(2) 분모가 같은 가분수와 대분수의 크기 비교

예 $1\frac{4}{5}$와 $\frac{7}{5}$의 크기 비교하기

방법 ❶ 대분수를 가분수로 나타내어 크기 비교하기

$1\frac{4}{5}=\frac{9}{5}$이므로 $\frac{9}{5}>\frac{7}{5}$입니다. ➜ $1\frac{4}{5}>\frac{7}{5}$

방법 ❷ 가분수를 대분수로 나타내어 크기 비교하기

$\frac{7}{5}=1\frac{2}{5}$이므로 $1\frac{4}{5}>1\frac{2}{5}$입니다. ➜ $1\frac{4}{5}>\frac{7}{5}$

선행 개념 [5학년] 분모가 다른 분수의 크기 비교하기

- 분모가 다른 두 분수는 분모를 같게 한 다음 분수의 크기를 비교합니다. (분모를 같게 → 통분)

예 $\frac{1}{2}$과 $\frac{4}{5}$의 크기 비교하기

$\frac{1}{2}=\frac{1\times5}{2\times5}=\frac{5}{10}$, $\frac{4}{5}=\frac{4\times2}{5\times2}=\frac{8}{10}$ ➜ $\frac{1}{2}<\frac{4}{5}$

(분모와 분자에 0이 아닌 같은 수를 곱하여도 크기가 같습니다.)

1 27을 3씩 묶으면 몇 묶음이고, 12는 27의 몇 분의 몇인지 구해 보세요.

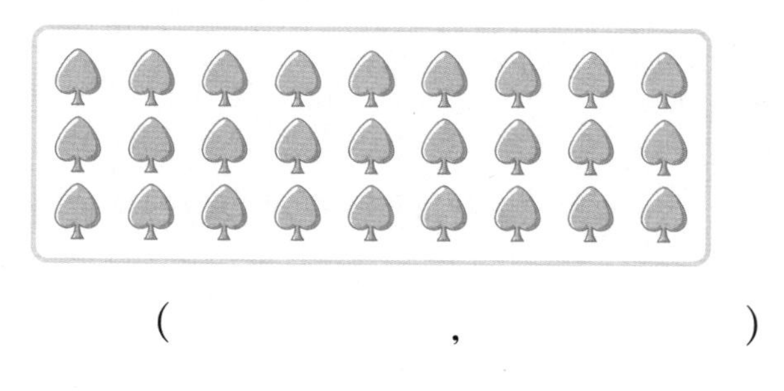

(,   )

2 □ 안에 알맞은 수를 써넣으세요.

(1) 12의 $\frac{1}{6}$은 □입니다.

(2) 32의 $\frac{5}{8}$는 □입니다.

3 두 분수의 크기를 비교하여 ○ 안에 >, =, <를 알맞게 써넣으세요.

(1) $1\frac{5}{9}$ ○ $1\frac{1}{9}$

(2) $\frac{23}{6}$ ○ $4\frac{1}{6}$

4 동화책을 지석이는 $1\frac{3}{4}$시간 동안 읽었고, 연정이는 $\frac{9}{4}$시간 동안 읽었습니다. 지석이와 연정이 중 동화책을 더 오래 읽은 사람은 누구일까요?

(   )

4 단원

응용 공략하기

■ **응용·심화 문제**와 **레벨UP공략법**으로 문제 해결 능력을 키웁니다.

분수로 나타내기

01 **㉠과 ㉡에 알맞은 분수**를 각각 구해 보세요.

• 20을 4씩 묶으면 12는 20의 ㉠입니다.

• 20을 5씩 묶으면 15는 20의 ㉡입니다.

㉠ (　　　　), ㉡ (　　　　)

레벨UP 공략 01

부분은 얼마인지 분수로 나타내려면?

$\frac{(\text{분자})}{(\text{분모})}=\frac{(\text{부분 묶음 수})}{(\text{전체 묶음 수})}$

분수만큼은 얼마인지 구하기

02 **㉠과 ㉡에 알맞은 수의 합**을 구해 보세요.

• 48의 $\frac{1}{4}$은 ㉠입니다.

• ㉠의 $\frac{2}{3}$는 ㉡입니다.

(　　　　)

해결 순서

❶ ㉠에 알맞은 수 구하기

❷ ㉡에 알맞은 수 구하기

❸ 위 ❶과 ❷에 알맞은 수의 합 구하기

분수의 종류 알아보기 서술형

03 **분모가 9인 가분수는 모두 몇 개**인지 풀이 과정을 쓰고, 답을 구해 보세요.

$\frac{5}{9}$　$\frac{9}{7}$　$\frac{9}{9}$　$\frac{9}{10}$　$\frac{21}{9}$　$\frac{13}{9}$

풀이

답

정답 및 풀이 > 20쪽

어떤 수의 분수만큼은 얼마인지 구하기

04 **□ 안에 알맞은 수가 가장 큰 것**을 찾아 기호를 써 보세요.

㉠ □의 $\frac{5}{6}$는 30입니다.

㉡ □의 $\frac{7}{8}$은 28입니다.

㉢ □의 $\frac{4}{9}$는 20입니다.

(　　　　　　　　)

레벨UP 공략 02

어떤 수의 $\frac{1}{■}$이 ★일 때 어떤 수를 구하려면?

(어떤 수의 $\frac{1}{■}$)=★

→ (어떤 수)=★×■

수직선에서 나타내는 분수 구하기

05 수직선에서 ㉠**이 나타내는 분수를 가분수와 대분수**로 각각 나타내어 보세요.

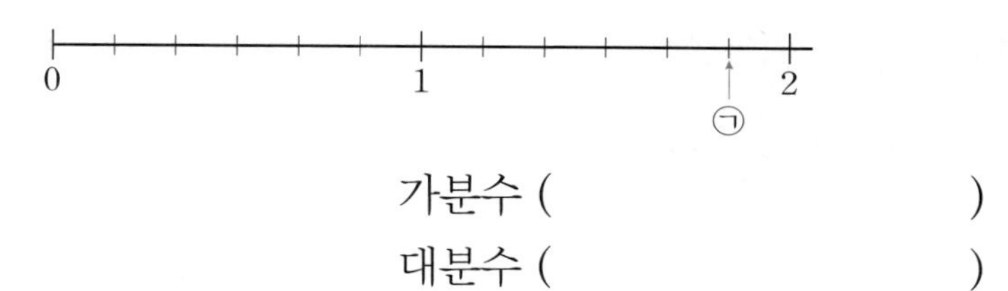

가분수 (　　　　　　　　)

대분수 (　　　　　　　　)

해결 순서

❶ ㉠이 나타내는 가분수 구하기

❷ ㉠이 나타내는 대분수 구하기

전체의 수 구하기

06 신유형

오른쪽 조각상은 밀로의 비너스입니다. 조각상 전체 길이의 $\frac{5}{13}$는 상반신의 길이입니다. 상반신의 길이가 25 cm일 때 **조각상의 전체 길이는 몇 cm**인지 구해 보세요.

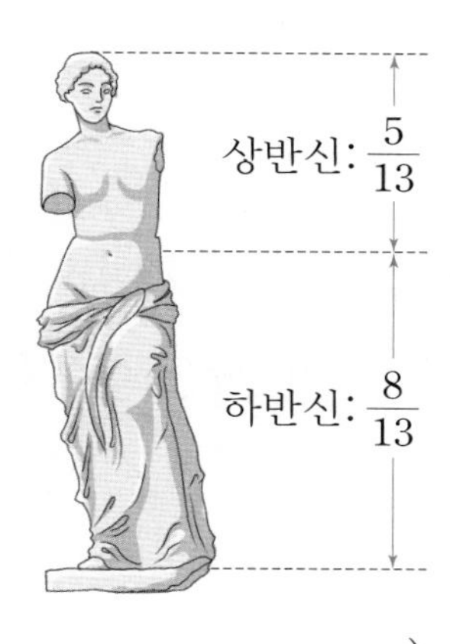

(　　　　　　　　)

레벨UP 공략 03

분수만큼을 이용하여 전체의 수를 구하려면?

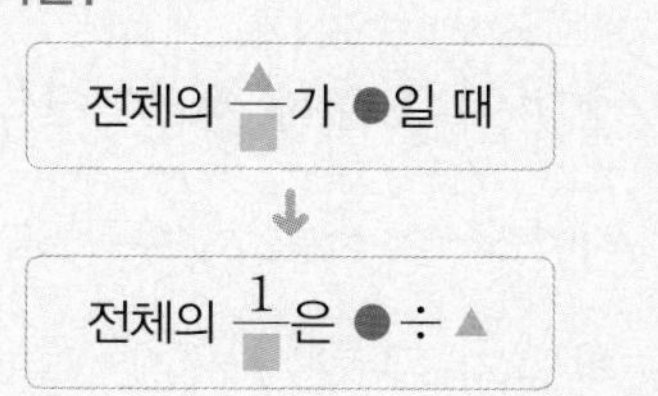

해결 순서

❶ 전체 길이의 $\frac{1}{13}$은 얼마인지 구하기

❷ 조각상의 전체 길이 구하기

4 단원

부분의 수 구하기

07 소현이가 **하루에 잠을 자는 시간과 공부를 하는 시간은 모두 몇 시간**인지 구해 보세요.

잠을 자는 시간	공부를 하는 시간
하루의 $\frac{3}{8}$	하루의 $\frac{1}{6}$

( )

해결 순서
❶ 잠을 자는 시간과 공부를 하는 시간 각각 구하기
❷ 하루에 잠을 자는 시간과 공부를 하는 시간의 합 구하기

여러 가지 분수의 크기 비교하기

08 창의융합 지구의 크기를 1로 보았을 때 행성들의 크기를 나타낸 것입니다. **크기가 큰 행성부터 차례로** 써 보세요.

지구	수성	목성	토성
1	$\frac{2}{5}$	$\frac{56}{5}$	$9\frac{2}{5}$

( )

레벨 UP 공략 04
여러 가지 분수의 크기를 비교하려면?
대분수와 가분수의 크기를 비교할 때에는 가분수 → 대분수 또는 대분수 → 가분수로 고쳐서 비교합니다.

남은 물건의 수 구하기

09 정현이가 수수깡 12개씩 7묶음과 낱개 6개를 가지고 있습니다. 오늘 전체 수수깡의 $\frac{2}{5}$를 사용했다면 **남은 수수깡은 몇 개**인지 구해 보세요.

( )

해결 순서
❶ 전체 수수깡의 수 구하기
❷ 오늘 사용한 수수깡의 수 구하기
❸ 남은 수수깡의 수 구하기

주어진 범위에 속하는 대분수의 개수 구하기

10 **8보다 크고 10보다 작은 분수 중에서 분모가 7인 대분수는 모두 몇 개**인지 구해 보세요.

( )

레벨UP 공략 05

자연수 부분이 ●이고 분모가 ■인 대분수의 개수는?

$●\frac{1}{■}$, $●\frac{2}{■}$ ...... $●\frac{■-1}{■}$

→ (■−1)개

입장료 구하기 서술형

11 어느 박물관의 어른 한 명의 입장료는 800원이고, 어린이 한 명의 입장료는 어른 한 명의 입장료의 $\frac{5}{8}$입니다. **어른 한 명과 어린이 3명의 박물관 입장료는 모두 얼마**인지 풀이 과정을 쓰고, 답을 구해 보세요.

풀이

답

수 카드로 만들 수 있는 진분수의 개수 구하기

12 창의융합 이집트 사람들이 사용하던 수는 다음과 같습니다. 이집트 수는 모양을 본떠서 만든 것으로 수의 크기만큼 모양을 나열하는 원리입니다. 이집트 수가 쓰인 카드 |||, ||||(5), ||||을 사용하여 **만들 수 있는 진분수는 모두 몇 개**일까요?

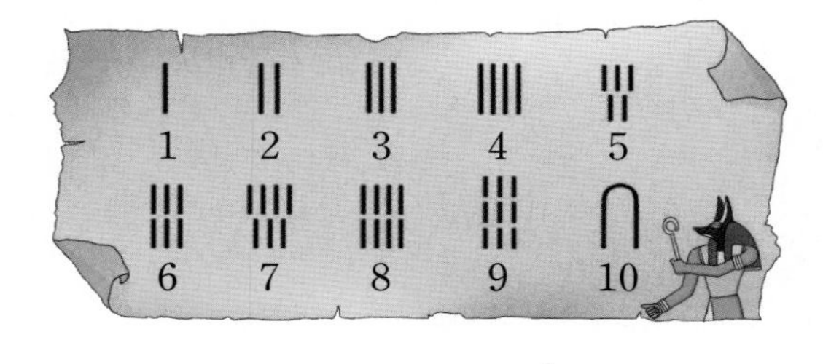

( )

해결 순서

❶ 수 카드 2장으로 만들 수 있는 진분수 구하기

❷ 수 카드 3장으로 만들 수 있는 진분수 구하기

❸ 만들 수 있는 진분수의 개수 구하기

4 단원

응용 공략하기

분수의 크기 비교에서 □ 안에 들어갈 수 있는 수 구하기

13 **□ 안에 들어갈 수 있는 자연수 중에서 가장 큰 수**를 구해 보세요.

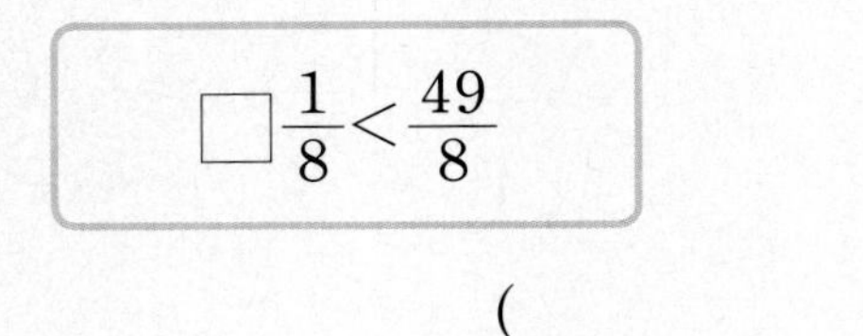

(　　　　　　　　　　)

> **해결 순서**
> ❶ 가분수를 대분수로 나타내기
> ❷ □ 안에 들어갈 수 있는 수 구하기
> ❸ 위 ❷ 중에서 가장 큰 수 구하기

주어진 길이를 이용하여 모르는 길이 구하기

14 창의융합

태극기의 세로는 가로의 $\frac{2}{3}$입니다. 서영이가 태극기의 세로를 36 cm로 그린다면 **가로는 몇 cm**로 그리면 될까요?

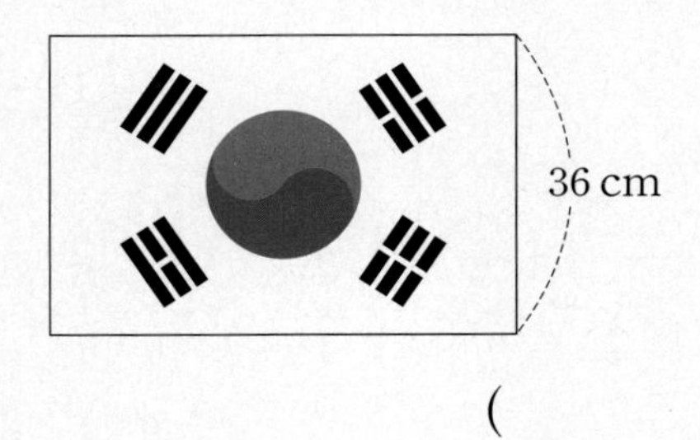

(　　　　　　　　　　)

> **해결 순서**
> ❶ 태극기의 가로를 □ cm라 하여 문제에 알맞은 식 세우기
> ❷ 태극기의 가로 구하기

분수만큼의 수를 구하여 문제 해결하기　　서술형

15 진주는 쿠키 40개를 만들었습니다. 이 중에서 다음과 같이 3명의 친구에게 나누어 주었습니다. **쿠키를 가장 많이 받은 친구는 누구**인지 풀이 과정을 쓰고, 답을 구해 보세요.

은수	기범	정아
전체의 $\frac{2}{5}$	전체의 $\frac{1}{4}$	전체의 $\frac{3}{10}$

풀이

답

조건을 만족하는 분수 구하기

16 **주어진 두 조건을 만족하는 분수보다 작은 가분수는 모두 몇 개**일까요?

- 분모가 8인 분수입니다.
- 분자를 분모로 나눈 몫은 9이고 나머지는 1입니다.

(　　　　　　　　　　)

해결 순서
1. 분수의 분자를 □라 하여 분수로 나타내기
2. 조건을 만족하는 분수 구하기
3. 조건을 만족하는 분수보다 작은 가분수의 개수 구하기

수 카드로 조건에 알맞은 분수 만들기

17 5장의 수 카드 중에서 3장을 골라 한 번씩만 사용하여 대분수를 만들려고 합니다. 만들 수 있는 분수 중에서 **분모가 8인 대분수는 모두 몇 개**일까요?

3　1　9　5　8

(　　　　　　　　　　)

레벨 UP 공략 06

분모가 ■인 대분수로 나타내려면?

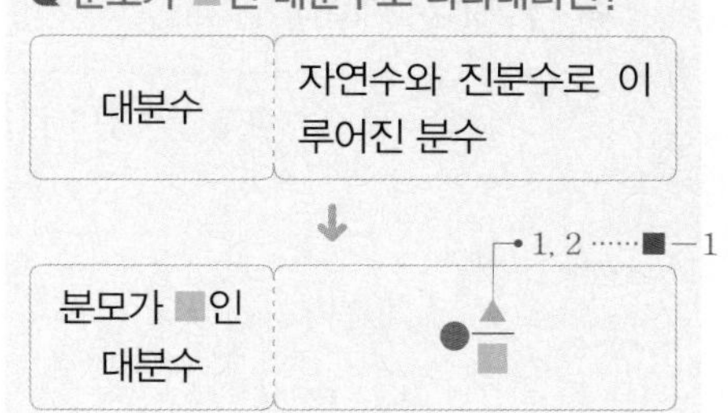

대분수
자연수와 진분수로 이루어진 분수
1, 2 ……■−1
분모가 ■인 대분수

합과 차를 이용하여 가분수 구하기

18 분자와 분모의 합이 23이고 차가 5인 가분수가 있습니다. **이 가분수를 대분수로 나타내어** 보세요.

(　　　　　　　　　　)

해결 순서
1. 합이 23이고 차가 5인 두 수 구하기
2. 위 1의 두 수를 이용하여 가분수 만들기
3. 위 2에서 만든 가분수를 대분수로 나타내기

4 단원

가분수와 대분수의 크기 비교하기

19 가, 나, 다, 라가 모두 같은 수일 때 ㉠, ㉡, ㉢, ㉣의 크기를 비교하여 **작은 것부터 차례로** 기호를 써 보세요.

가: ㉠의 $\frac{27}{23}$	나: ㉡의 $1\frac{8}{23}$
다: ㉢의 $1\frac{2}{23}$	라: ㉣의 $\frac{49}{23}$

( )

규칙을 찾아 문제 해결하기

20 일정한 규칙에 따라 분수를 늘어놓았을 때 **40째에 놓이는 분수**를 구해 보세요.

$\frac{95}{4}, \frac{93}{7}, \frac{91}{10}, \frac{89}{13}, \frac{87}{16}$ ......

( )

해결 순서
❶ 분모와 분자의 규칙 각각 찾기
❷ 40째에 놓이는 분수의 분모와 분자 각각 구하기
❸ 40째에 놓이는 분수 구하기

일정한 빠르기일 때 분수만큼의 시간 구하기

21 일정한 빠르기로 타는 양초가 있습니다. 이 양초에 불을 붙이고 8분이 지난 뒤 양초의 길이를 재어 보니 처음 양초 길이의 $\frac{9}{13}$가 남았습니다. **남은 양초가 모두 타려면 앞으로 몇 분**이 더 걸릴까요?

( )

레벨UP 공략 07

전체 길이의 남은 양이 $\frac{▲}{■}$일 때 사용한 양을 구하려면?

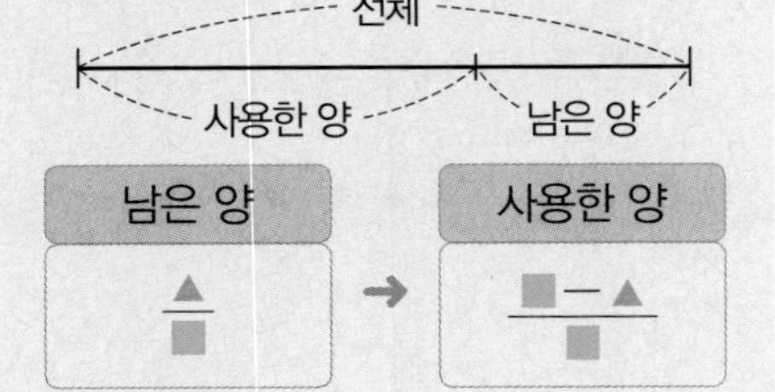

남은 양 $\frac{▲}{■}$ → 사용한 양 $\frac{■-▲}{■}$

심화 해결하기

■ **레벨UP공략법**을 활용한 **고난도 문제**를
스스로 해결하고 발전합니다.

정답 및 풀이 > 22쪽

01 두 분수의 크기를 비교하여 ㉣이 있으면 큰 분수를, ㉦이 있으면 작은 분수를 빈칸에 써넣으려고 합니다. **㉠에 알맞은 분수**를 구해 보세요.

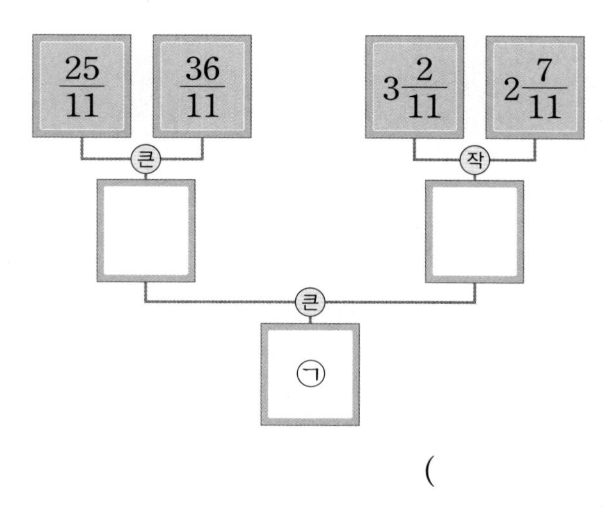

( )

02 **두 수 사이에 있는 자연수는 모두 몇 개**인지 구해 보세요.

$3\frac{4}{9}$	$\frac{115}{9}$

( )

서술형

03 어떤 수의 $\frac{3}{4}$은 15입니다. **어떤 수의 $\frac{1}{5}$은 얼마**인지 풀이 과정을 쓰고, 답을 구해 보세요.

풀이

답

4 단원

04 **1보다 크고 2보다 작은 분수는 모두 몇 개**일까요?

$1\frac{2}{9}$ $\frac{8}{9}$ $2\frac{1}{9}$ $\frac{15}{9}$

( )

05 창의융합 한라산은 우리나라에서 가장 높은 산으로 정상에는 백록담이 있습니다. 다음은 한라산을 오르는 탐방로입니다. 탐방로 중에서 **가장 짧은 탐방로**는 어느 것인지 써 보세요.

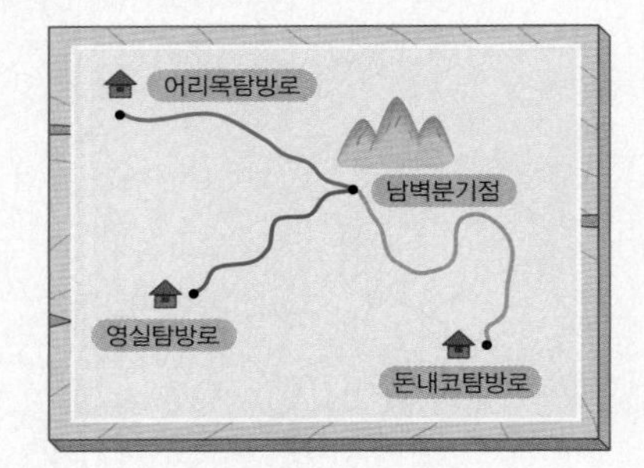

영실탐방로	$5\frac{8}{10}$ km
돈내코탐방로	7 km
어리목탐방로	$\frac{68}{10}$ km

( )

서술형

06 길이가 72 cm인 색 테이프 중에서 전체의 $\frac{1}{6}$은 팔찌를 만들었고, 나머지의 $\frac{2}{3}$는 목걸이를 만들었습니다. **팔찌와 목걸이를 만들고 남은 색 테이프의 길이는 몇 cm**인지 풀이 과정을 쓰고, 답을 구해 보세요.

풀이

답

07 신유형 그리스의 수학자 디오판토스의 묘비에 적힌 글의 일부입니다. 디오판토스의 일생은 84년이라고 할 때 **소년 시절과 청년 시절의 합은 몇 년**인지 구해 보세요.

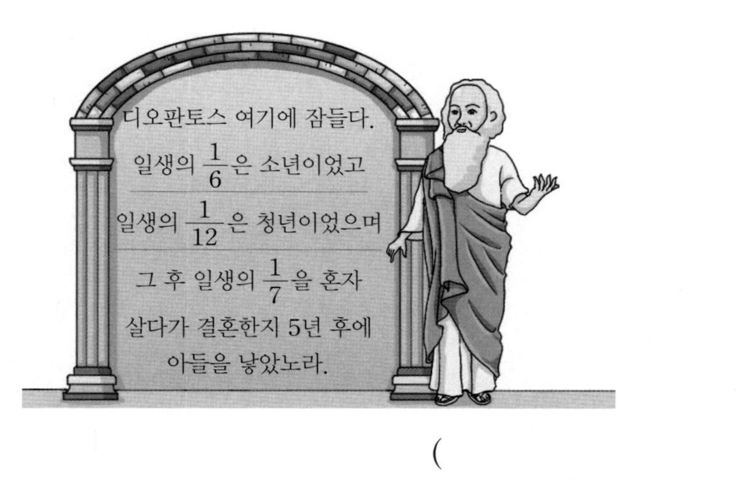

디오판토스 여기에 잠들다.
일생의 $\frac{1}{6}$은 소년이었고
일생의 $\frac{1}{12}$은 청년이었으며
그 후 일생의 $\frac{1}{7}$을 혼자
살다가 결혼한지 5년 후에
아들을 낳았노라.

(　　　　　　　　　　)

08 분수의 크기를 비교한 종이의 일부가 찢어져 가운데 분수의 분자가 보이지 않습니다. **종이의 찢어진 부분에 들어갈 수 있는 자연수는 모두 몇 개**일까요?

$2\frac{3}{8} < \frac{\square}{8} < 3\frac{1}{8}$

(　　　　　　　　　　)

09 선주는 가지고 있던 리본 끈 전체 길이의 $\frac{7}{12}$은 선물을 포장하는 데 사용하고, 전체 길이의 $\frac{1}{4}$은 친구에게 주었습니다. 선주가 선물을 포장하는 데 사용한 길이가 28 m라면 **친구에게 준 리본 끈의 길이는 몇 m**일까요?

(　　　　　　　　　　)

4 단원

10 가분수를 대분수로 나타낸 것입니다. 두 분수의 분모가 같을 때 □ **안에 알맞은 수**를 구해 보세요.

$$\frac{13}{\square}=4\frac{1}{\square}$$

( )

11 창의융합

배추흰나비의 전체 길이는 머리, 가슴, 배의 세 부분으로 나눌 수 있습니다. 오른쪽 배추흰나비의 머리는 전체 길이의 $\frac{1}{8}$이고, 가슴은 전체 길이의 $\frac{1}{4}$입니다. 이 배추흰나비의 머리부터 배까지의 전체 길이가 56 mm라면 **배 부분의 길이는 몇 mm**인지 구해 보세요.

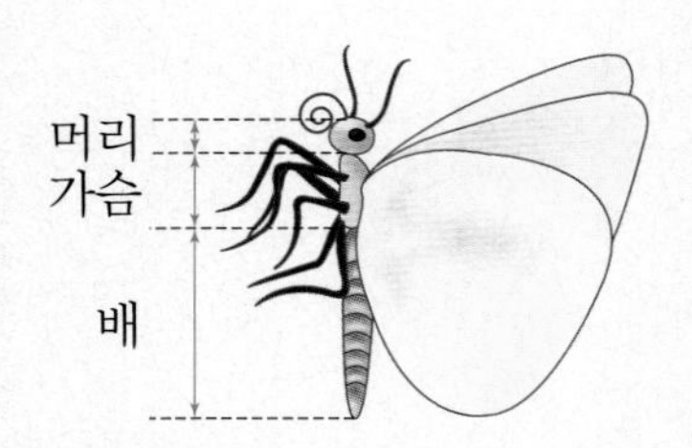

( )

12 주어진 **세 조건을 만족하는 가장 큰 가분수**를 구해 보세요.

- 4보다 작은 분수입니다.
- 분모는 10입니다.
- 대분수로 나타내면 분자는 8보다 작습니다.

( )

정답 및 풀이 > 22쪽

13 5개의 공에 쓰여진 수 중에서 3개를 골라 한 번씩만 사용하여 대분수를 만들려고 합니다. **만들 수 있는 분수 중에서 5보다 작은 대분수는 모두 몇 개**인지 구해 보세요.

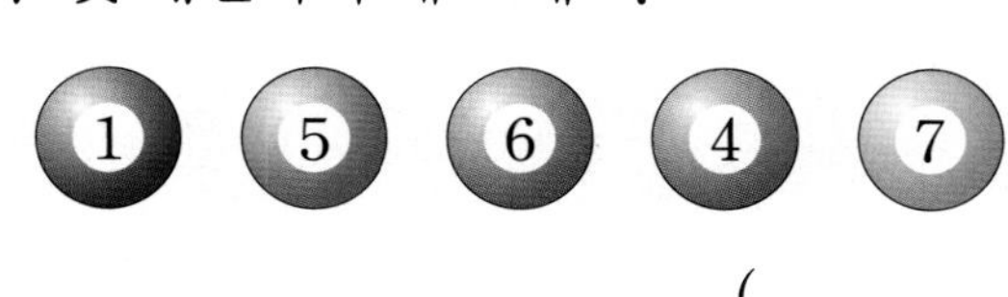

(　　　　　　　　　)

서술형

14 오른쪽 직사각형의 가로는 세로의 $\frac{3}{4}$입니다. 이 직사각형의 가로가 24 cm일 때 **직사각형의 네 변의 길이의 합은 몇 cm**인지 풀이 과정을 쓰고, 답을 구해 보세요.

풀이

답

15 어떤 가분수의 분자와 분모의 합이 19이고 차는 3입니다. 이 가분수와 분모가 같은 분수 중에서 2보다 크고 3보다 작은 **가분수는 모두 몇 개**인지 구해 보세요.

(　　　　　　　　　)

4 단원

심화 해결하기

16 자연수 ■, ♥가 주어진 두 조건을 만족할 때 $\frac{■}{♥}$**가 가분수가 되는 경우는 모두 몇 가지**인지 구해 보세요.

$8<■<13$	$7<♥<11$

( )

서술형

17 창의융합

다음은 마늘과 오이의 개수를 셀 때 사용하는 단위입니다. 어머니께서 시장에서 마늘 두 접의 $\frac{1}{4}$과 오이 한 거리의 $\frac{3}{5}$을 사셨습니다. **어머니께서 사신 마늘과 오이는 모두 몇 개**인지 풀이 과정을 쓰고, 답을 구해 보세요.

종류	마늘	오이
단위	접	거리
개수	100개	50개

풀이

답

18 떨어진 높이의 $\frac{2}{3}$만큼씩 튀어 오르는 공이 있습니다. 이 공을 81 cm 높이에서 떨어뜨린다면 **세 번째에 튀어 오르는 공의 높이는 몇 cm**일까요?

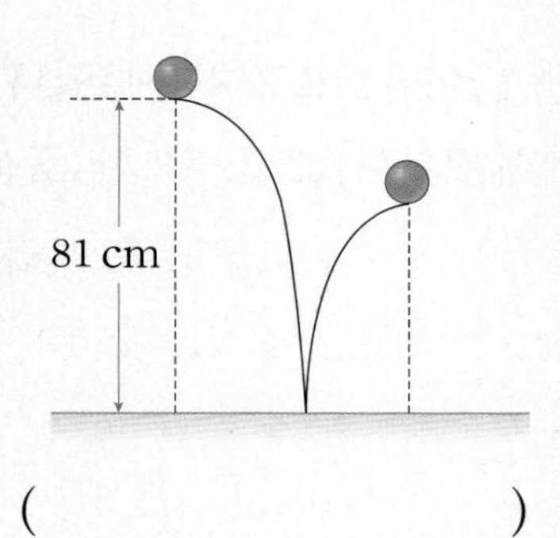

( )

정답 및 풀이 > 22쪽

19 수직선에서 ㉠**보다 크고** ㉡**보다 작은 분수 중에서 분모가 5인 대분수는 모두 몇 개**인지 구해 보세요.

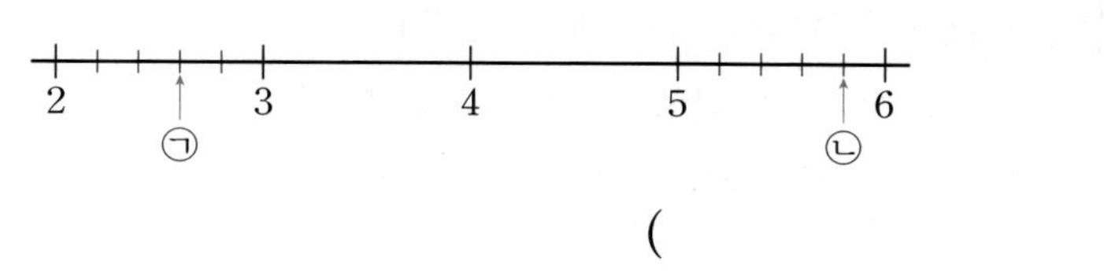

( )

20 일정한 규칙에 따라 수를 늘어놓았습니다. **80째에 놓이는 수**를 구해 보세요.

$1,\ 1\frac{2}{9},\ 1\frac{4}{9},\ 1\frac{6}{9},\ 1\frac{8}{9},\ 2\frac{1}{9},\ 2\frac{3}{9},\ 2\frac{5}{9},\ 2\frac{7}{9},\ 3,\ 3\frac{2}{9}$ ……

( )

21 어느 빵집에서 오전에 만든 식빵의 $\frac{4}{5}$만큼을 오전에 팔고, 오후에 새로 만든 식빵 60개와 오전에 팔고 남은 식빵을 오후에 모두 팔았습니다. 오전에 판 식빵의 수와 오후에 판 식빵의 수가 같다면 **오전에 만든 식빵은 몇 개**일까요?

( )

4
단원

최상위 도전하기

■ **경시 수준**의 **최상위 문제**에 도전하여 사고력을 키웁니다.

1

상자 안에 담겨 있는 사과, 배, 감의 수입니다. **사과의 수는 전체 과일 수의 몇 분의 몇인지 2가지**로 나타내어 보세요. (단, 상자 안에는 사과, 배, 감만 담겨 있습니다.)

사과	배	감
14개	7개	14개

(　　　　　　　　　　)

2

민석이는 궁중 떡볶이를 만들기 위해 필요한 재료와 양념의 양을 알아보았습니다. 1 작은술은 1 큰술의 $\frac{1}{3}$일 때 간장, 설탕, 참기름 중에서 **가장 많이 들어가는 것을 대분수로 나타내면 몇 큰술**인지 구해 보세요.

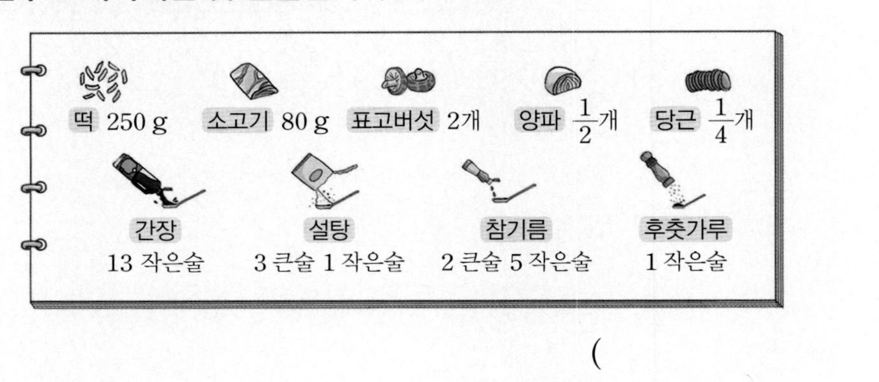

떡 250 g
소고기 80 g
표고버섯 2개
양파 1/2개
당근 1/4개
간장
13 작은술
설탕
3 큰술 1 작은술
참기름
2 큰술 5 작은술
후춧가루
1 작은술

(　　　　　　　　　　)

3

점 ㄱ, 점 ㄹ은 원의 중심입니다. 선분 ㄱㄷ의 길이는 선분 ㄱㄹ의 길이의 $\frac{5}{9}$일 때 **선분 ㄴㄷ의 길이는 몇 cm**인지 구해 보세요.

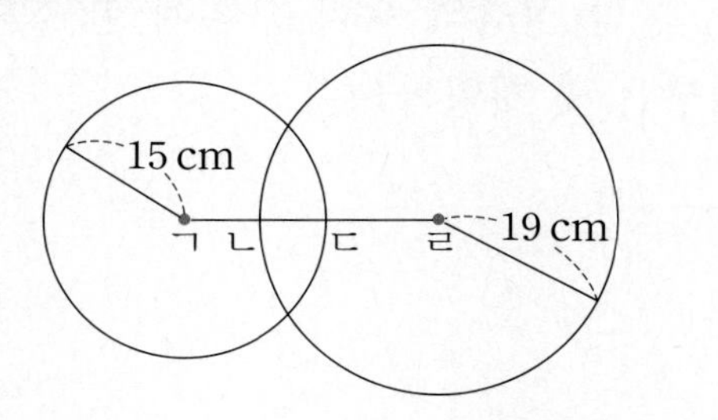

(　　　　　　　　　　)

4

분수 $\frac{㉠-㉡}{㉠+㉡}$이 있습니다. ㉠과 ㉡에 1부터 9까지의 수가 들어갈 수 있습니다. **만들 수 있는 분수 중에서 가장 작은 수**를 구해 보세요. (단, ㉠>㉡이고 ㉠과 ㉡은 서로 다른 수입니다.)

(　　　　　　　　)

5

5장의 수 카드 중에서 3장을 골라 한 번씩 사용하여 분모가 8인 대분수를 만들려고 합니다. **만들 수 있는 대분수 중에서 5에 가장 가까운 수**를 구해 보세요.

1　4　5　8　6

(　　　　　　　　)

1% 도전

6

주어진 **두 조건을 만족하는 가분수는 모두 몇 개**인지 구해 보세요.

- 가분수의 분자를 7로 나누었더니 몫이 3이고 나머지가 1보다 큽니다.
- 가분수의 분모를 3으로 나누었더니 몫이 1이고 나머지가 있습니다.

(　　　　　　　　)

상위권 TEST

01 ㉠, ㉡, ㉢이 나타내는 수의 합을 구해 보세요.

㉠ 30의 $\frac{1}{5}$ ㉡ 36의 $\frac{1}{4}$ ㉢ 28의 $\frac{1}{7}$

( )

02 분수의 크기를 비교하여 가장 큰 분수를 찾아 써 보세요.

$\frac{19}{7}$ $3\frac{3}{7}$ $\frac{25}{7}$

( )

03 민선이는 가지고 있던 사탕 30개 중에서 전체의 $\frac{3}{5}$을 친구에게 선물로 주었습니다. 친구에게 주고 남은 사탕은 몇 개일까요?

( )

04 □ 안에 들어갈 수 있는 자연수를 모두 구해 보세요.

$\frac{31}{9}$<□<$7\frac{2}{9}$

( )

05 1반 학생 25명 중에서 안경을 쓴 학생은 전체의 $\frac{2}{5}$이고, 2반 학생 28명 중에서 안경을 쓴 학생은 전체의 $\frac{3}{7}$입니다. 1반과 2반에서 안경을 쓴 학생은 모두 몇 명일까요?

( )

06 4장의 수 카드 중에서 3장을 골라 한 번씩만 사용하여 분모가 5인 대분수를 만들려고 합니다. 만들 수 있는 가장 큰 대분수를 가분수로 나타내어 보세요.

( )

07 분자와 분모의 합이 26이고 분자와 분모의 차가 8인 진분수가 있습니다. 이 진분수를 구해 보세요.

(　　　　　　　　)

08 자연수 ㉠, ㉡이 주어진 두 조건을 만족할 때 $\frac{㉠}{㉡}$이 가분수가 되는 경우는 모두 몇 가지인지 구해 보세요.

• 7 < ㉠ < 11
• 8 < ㉡ < 12

(　　　　　　　　)

09 떨어진 높이의 $\frac{1}{3}$만큼씩 튀어 오르는 공이 있습니다. 이 공을 54 m 높이에서 떨어뜨린다면 세 번째에 튀어 오르는 공의 높이는 몇 m인지 구해 보세요.

(　　　　　　　　)

10 수직선에서 선분 ㄱㄷ의 길이는 선분 ㄱㄹ의 길이의 $\frac{9}{16}$입니다. 선분 ㄱㄴ의 길이는 몇 cm인지 구해 보세요.

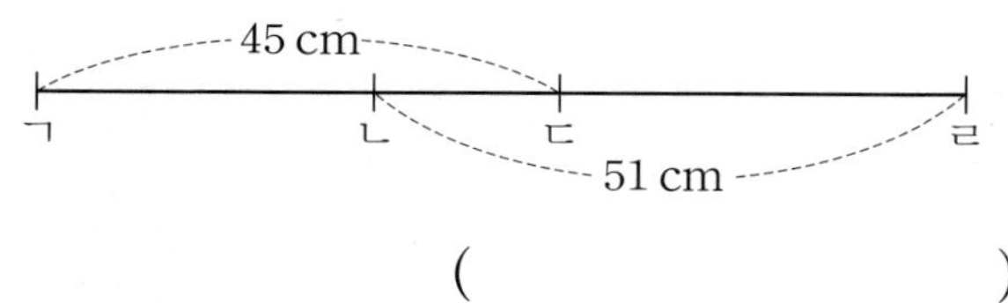

(　　　　　　　　)

★ 최상위

11 일정한 빠르기로 타는 양초가 있습니다. 이 양초에 불을 붙이고 10분이 지난 뒤 양초의 길이를 재어 보니 처음 양초 길이의 $\frac{7}{9}$이 남았습니다. 남은 양초가 모두 타려면 앞으로 몇 분이 더 걸릴까요?

(　　　　　　　　)

★ 최상위

12 어느 가게에서 오전에 만든 김밥의 $\frac{5}{6}$만큼을 팔고, 오전에 팔고 남은 김밥과 오후에 새로 만든 김밥 48줄을 오후에 모두 팔았습니다. 오전에 판 김밥의 수와 오후에 판 김밥의 수가 같다면 오전에 만든 김밥은 몇 줄일까요?

(　　　　　　　　)

쉬어가기

사자성어

죽마고우

竹 馬 故 友

대 죽　말 마　옛 고　벗 우

바로 뜻 대나무 말을 타고 놀던 옛 친구라는 뜻.

깊은 뜻 어릴 때부터 가까이 지내며 자란 친구를 가리키는 말이에요.

이럴 때 쓰는 말이야!

승재와 민현이는 어릴 적부터 가장 친한 친구 사이예요.

어느 날 체육 시간에 친구들과 축구를 하던 도중에 승재가 친구와 부딪혀 넘어지고 말았어요.

승재가 아파하며 일어나지 못하자 민현이가 가장 먼저 달려가 승재를 부축하며 말했어요.

"괜찮아? 많이 다쳤어?"

"아니야. 괜찮아. 나 좀 일으켜 줄래?"

"너가 다쳤는데 당연히 내가 도와줘야지."

이 말을 들은 승재는 웃으며 말했어요.

"고마워. 역시 너는 나의 □□□□야!"

잠깐! Quiz

Q □□□□에 들어갈 말은?

A 왼쪽 한자와 오른쪽 음을 알맞은 것끼리 선으로 이어 봅니다.

한자	음
竹 •	• 고
馬 •	• 죽
故 •	• 마
友 •	• 우

들이와 무게

응용 대표 유형

개념 넓히기

1 들이 비교하기

(1) 직접 비교하기와 간접 비교하기

물을 직접 옮겨 담거나 모양과 크기가 같은 큰 그릇에 부어 비교합니다.

(2) 임의 단위로 비교하기

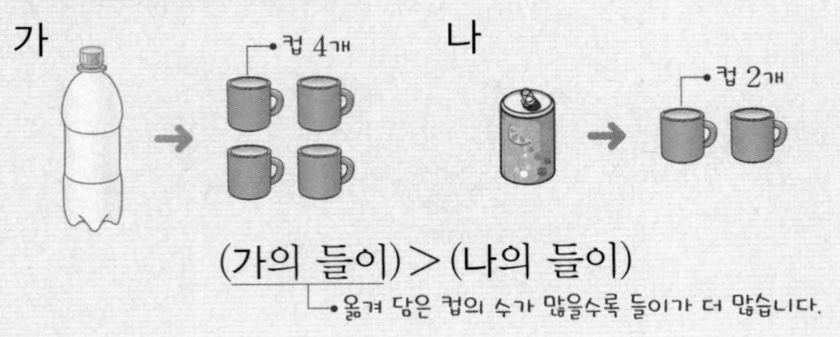

(가의 들이)>(나의 들이)

옮겨 담은 컵의 수가 많을수록 들이가 더 많습니다.

2 들이의 단위

(1) 들이의 단위: 리터, 밀리리터

쓰기	1 L	1 mL
읽기	1 리터	1 밀리리터

(2) L와 mL의 관계: 1 L=1000 mL

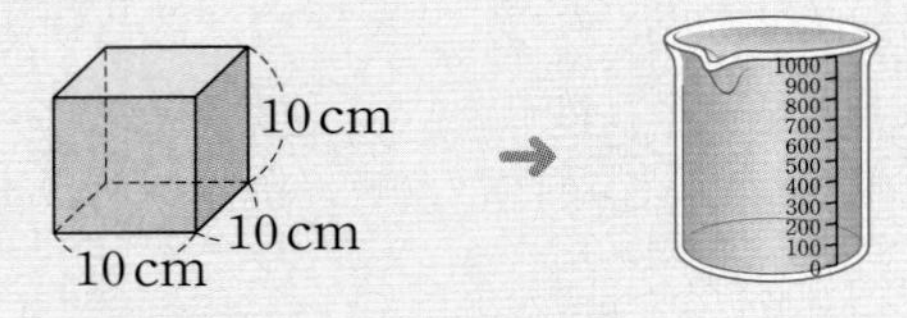

(3) 2 L 500 mL: 2 L보다 500 mL 더 많은 들이

➜ 읽기: 2 리터 500 밀리리터

2 L 500 mL=2500 mL

선행 개념 [5학년] 직육면체, [6학년] 부피의 단위

- **정육면체:** 정사각형 모양의 면 6개로 둘러싸인 도형

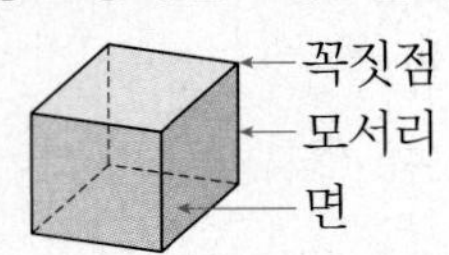

- **1 cm^3:** 한 모서리가 1 cm인 정육면체의 부피
  ➜ 읽기: 1 세제곱센티미터

참고 들이를 어림하여 말할 때에는 약 몇 L 몇 mL 또는 약 몇 mL라고 합니다.

3 들이의 덧셈과 뺄셈

(1) 들이의 덧셈: mL끼리의 합이 1000 mL이거나 1000 mL를 넘을 때에는 1 L=1000 mL임을 이용하여 받아올림합니다.

(2) 들이의 뺄셈: mL끼리의 뺄셈에서 빼려는 수가 더 클 때에는 1 L=1000 mL임을 이용하여 받아내림합니다.

예

$$\begin{array}{rrr} & \overset{1}{3}\ \text{L} & 700\ \text{mL} \\ + & 1\ \text{L} & 600\ \text{mL} \\ \hline & 5\ \text{L} & 300\ \text{mL} \end{array} \qquad \begin{array}{rrr} & \overset{7}{\cancel{8}}\ \text{L} & \overset{1000}{200}\ \text{mL} \\ - & 4\ \text{L} & 800\ \text{mL} \\ \hline & 3\ \text{L} & 400\ \text{mL} \end{array}$$

응용 4 물을 부어야 하는 횟수 구하기

예 **200 mL들이 우유갑으로 600 mL들이 식초병에 물을 가득 채울 때 물을 부어야 하는 횟수 구하기**

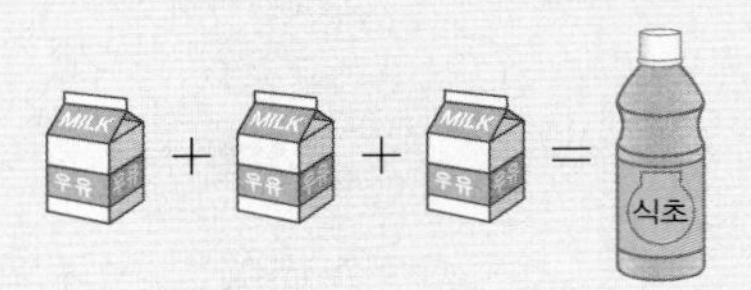

➜ 200×3=600 (mL)이므로 물을 적어도 3번 부어야 합니다.

5 무게 비교하기

(1) 직접 비교하기와 간접 비교하기

직접 들어 보거나 전자저울, 윗접시저울 등을 사용하여 비교합니다.

(2) 임의 단위로 비교하기

물감이 붓보다 100원짜리 동전 5−3=2(개)만큼 더 무겁습니다.

6 무게의 단위

(1) **무게의 단위**: 킬로그램, 그램, 톤

쓰기	1 kg	1 g	1 t
읽기	1 킬로그램	1 그램	1 톤

(2) **kg, g과 t의 관계**

① 1 kg=1000 g

② 1 t=1000 kg

(3) **2 kg 600 g**: 2 kg보다 600 g 더 무거운 무게

→ 읽기: 2 킬로그램 600 그램

2 kg 600 g=2600 g

참고 무게를 어림하여 말할 때에는 약 몇 kg 몇 g 또는 약 몇 g이라고 합니다.

7 무게의 덧셈과 뺄셈

(1) **무게의 덧셈**: g끼리의 합이 1000 g이거나 1000 g을 넘을 때에는 1 kg=1000 g임을 이용하여 받아올림합니다.

(2) **무게의 뺄셈**: g끼리의 뺄셈에서 빼려는 수가 더 클 때에는 1 kg=1000 g임을 이용하여 받아내림합니다.

	1	
	2 kg	700 g
+	1 kg	600 g
	4 kg	300 g

	4 (~~5~~)	1000
	5 kg	200 g
−	3 kg	900 g
	1 kg	300 g

응용

8 담긴 주스의 무게 구하기

예 **주스가 가득 담긴 주스병의 무게가 1 kg 600 g이고 빈 병의 무게가 900 g일 때 담긴 주스의 무게 구하기**

(담긴 주스의 무게)=1 kg 600 g−900 g

=700 g

1 물병과 우유갑에 물을 가득 채운 후 모양과 크기가 같은 컵에 각각 가득 옮겨 담았습니다. 어느 그릇의 들이가 더 많은지 구해 보세요.

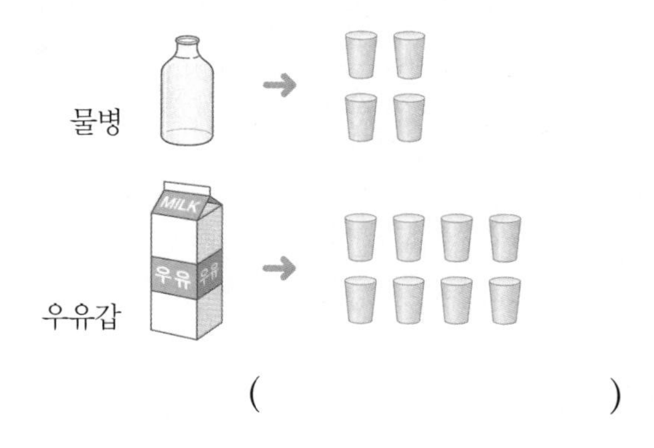

(   )

2 □ 안에 알맞은 수를 써넣으세요.

(1) 3 kg 500 g=□ g

(2) 4000 kg=□ t

3 계산이 잘못된 곳을 찾아 바르게 계산해 보세요.

	2 L	750 mL
+	3 L	600 mL
	5 L	350 mL

→ □

4 4 kg 200 g의 옥수수가 들어 있는 상자에 250 g짜리 옥수수 한 개를 더 넣었습니다. 옥수수가 들어 있는 상자의 무게는 몇 kg 몇 g일까요?

(   )

5 단원

응용 공략하기

■ **응용·심화 문제**와 **레벨UP공략법**으로 문제 해결 능력을 키웁니다.

그릇의 들이 비교하기

01 가, 나, 다 컵에 물을 가득 담아 각각 다음 횟수만큼 모양과 크기가 같은 그릇에 부었더니 물의 높이가 모두 같았습니다. **물을 많이 담을 수 있는 컵부터 차례로 기호**를 써 보세요.

컵	가	나	다
부은 횟수	12	24	20

( )

레벨UP 공략 01

부은 횟수와 컵의 들이의 관계는?
부은 횟수가 많을수록 컵의 들이가 적습니다.

저울로 두 물건의 무게 비교하기

02 저울과 100원짜리 동전을 사용하여 단감과 귤의 무게를 비교하였습니다. **단감의 무게는 귤의 무게의 몇 배**일까요?

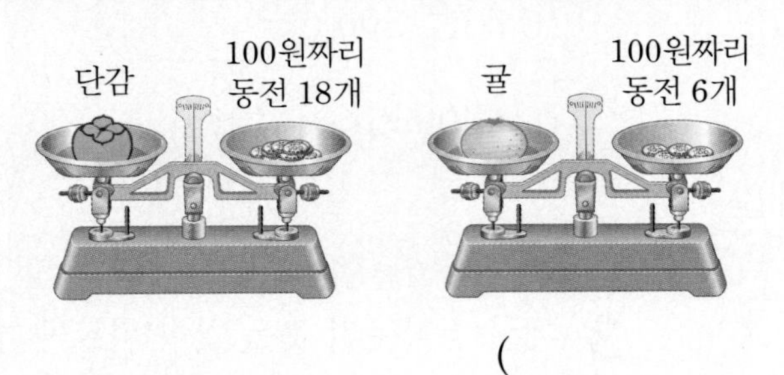

( )

해결 순서

❶ 단감과 귤의 무게는 각각 100원짜리 동전 몇 개의 무게와 같은지 구하기
❷ 단감의 무게는 귤의 무게의 몇 배인지 구하기

빈칸에 알맞은 무게 구하기

03 **빈칸에 알맞은 무게는 각각 몇 kg 몇 g**인지 써넣으세요.

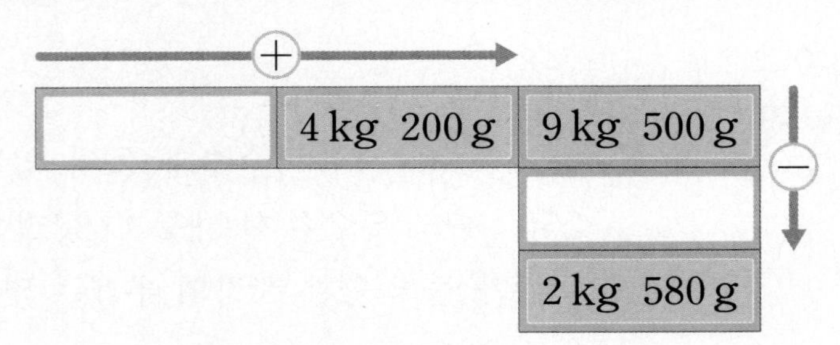

들이가 가장 많은 것과 가장 적은 것의 들이의 합 구하기

04 창의융합 과학 시간에 사용하는 여러 가지 실험 기구입니다. **물이 가장 많이 들어가는 것과 가장 적게 들어가는 것의 들이의 합은 몇 L 몇 mL**일까요?

비커	샬레	수조
500 mL	250 mL	1 L 300 mL

( )

해결 순서
❶ 들이가 가장 많은 것 찾기
❷ 들이가 가장 적은 것 찾기
❸ 위 ❶과 ❷의 들이의 합 구하기

무게가 같은 물건 한 개의 무게 구하기

05 무게가 같은 필통 3개를 저울에 올려놓고 무게를 재었더니 다음과 같았습니다. **필통 1개의 무게는 몇 g**일까요?

( )

레벨 UP 공략 02
무게가 같은 물건이 ▲개 있을 때 물건 1개의 무게는?
■+■+……+■+■=(전체의 무게)
▲번
➜ (물건 1개의 무게)=■

단위가 다른 들이 계산하기

06 서술형 휘발유가 4 L 250 mL 들어 있는 자동차에 5400 mL의 휘발유를 더 넣었습니다. **지금 자동차에 들어 있는 휘발유는 모두 몇 L 몇 mL**인지 풀이 과정을 쓰고, 답을 구해 보세요.

풀이

답

5 단원

응용 공략하기

물을 부어야 하는 횟수 구하기

07 두 냄비를 모두 사용하여 들이가 3400 mL인 물통에 물을 가득 채우려고 합니다. 가 냄비에 물을 가득 채워 한 번 부은 후 **나 냄비로 물을 적어도 몇 번 부어야 하는지** 구해 보세요.

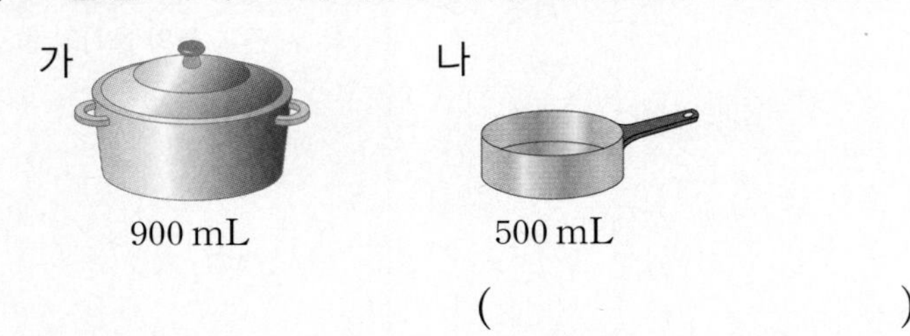

(　　　　　　　　　　)

저울로 세 물건의 무게 비교하기

08 오이, 양파, 당근 1개의 무게를 비교하려고 합니다. **무게가 무거운 것부터 차례로** 써 보세요. (단, 각각은 종류별로 1개의 무게가 같습니다.)

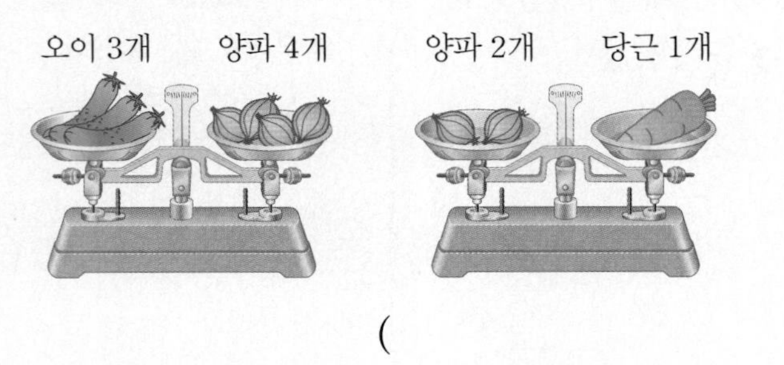

(　　　　　　　　　　)

1 t의 무게 어림하기

09 신유형

무게가 다음과 같은 돌고래, 바다표범, 바다사자가 있습니다. **1 t은 세 동물의 무게의 합의 약 몇 배**쯤 되는지 구해 보세요.

돌고래	바다표범	바다사자
55 kg	110 kg	135 kg

(　　　　　　　　　　)

레벨UP 공략 03

작은 그릇으로 큰 그릇에 물을 가득 채울 때 물을 부어야 하는 횟수를 구하려면?

(작은 그릇의 들이)×■=(큰 그릇의 들이)
→ 물을 부어야 하는 횟수: ■번

레벨UP 공략 04

저울로 개수가 다른 세 물건의 무게를 비교하려면?

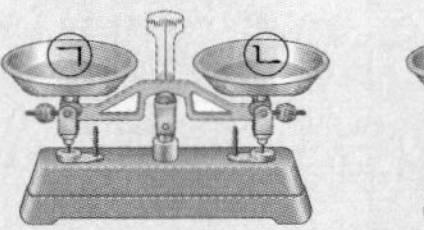

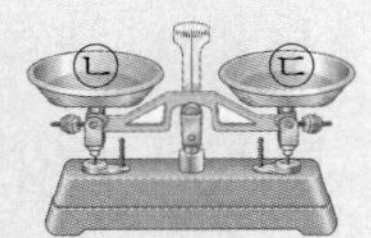

(㉠의 무게)=(㉡의 무게)
=(㉢의 무게)
양쪽 저울에서 같은 물건의 개수를 같게 만듭니다.
→ (㉠의 무게)=(㉢의 무게)

해결 순서

❶ 오이와 양파의 무게 비교하기
❷ 양파와 당근의 무게 비교하기
❸ 무게가 무거운 것부터 차례로 쓰기

해결 순서

❶ 세 동물의 무게의 합 구하기
❷ 1 t은 위 ❶의 무게의 약 몇 배쯤 되는지 구하기

들이를 더 가깝게 어림한 사람 찾기

10 여러 가지 그릇의 들이를 **실제 들이에 가장 가깝게 어림한 사람**은 누구인지 구해 보세요.

이름	어림한 들이	실제 들이
세희	3 L	2 L 750 mL
정연	1 L 800 mL	1 L 950 mL
유빈	2 L 900 mL	3 L 100 mL

( )

몸무게 구하기

11 지연이가 가방을 메고 몸무게를 재면 37 kg 250 g이고, 가방을 메지 않고 재면 32 kg 400 g입니다. 이 가방을 효준이가 메고 몸무게를 재면 39 kg 850 g입니다. **효준이의 몸무게는 몇 kg일까요?**

( )

해결 순서

❶ 가방의 무게 구하기

❷ 효준이의 몸무게 구하기

들이가 얼마나 더 많은지 구하기 서술형

12 선재가 빈 양동이에 5400 mL의 물을 부었더니 600 mL의 물이 넘쳤습니다. 항아리의 들이가 5 L 200 mL일 때 **양동이와 항아리 중에서 어느 것의 들이가 몇 mL 더 많은지** 풀이 과정을 쓰고, 답을 구해 보세요.

풀이

답 ,

레벨UP 공략 05

빈 그릇에 넘친 물의 양으로 그릇의 들이를 구하려면?

(그릇의 들이)

=(부은 물의 양)−(넘친 물의 양)

5 단원

응용 공략하기

남은 물이 담긴 물통의 무게 구하기

13 무게가 250 g인 빈 물통에 물을 가득 담아 무게를 재어 보았더니 850 g이었습니다. 물을 $\frac{1}{3}$만큼 마신 후에 **물이 담긴 물통의 무게를 재면 몇 g**인지 구해 보세요.

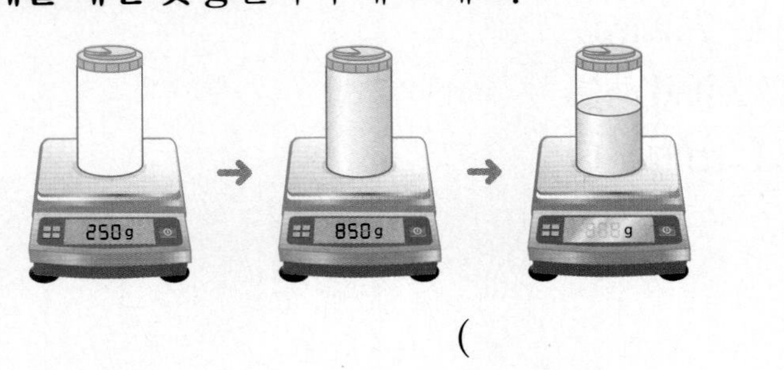

(　　　　　　　　　)

레벨UP 공략 06

음료의 무게를 구하려면?
(담긴 음료의 무게)
=(음료가 담긴 병의 무게)
−(빈 병의 무게)

해결 순서
1. 물의 무게 구하기
2. 마신 물의 양 구하기
3. 마시고 남은 물이 담긴 물통의 무게 구하기

전체 무게를 알 때 부분의 무게 구하기

14 아버지, 어머니, 효민이가 캔 감자의 무게입니다. 세 사람이 캔 감자의 무게가 10 kg일 때 **효민이가 캔 감자의 무게는 몇 kg 몇 g**일까요?

아버지	어머니	효민
3 kg 900 g	2 kg 400 g	?

(　　　　　　　　　)

해결 순서
1. 아버지와 어머니가 캔 감자의 무게의 합 구하기
2. 효민이가 캔 감자의 무게 구하기

그릇의 들이 구하기

15 가와 나 물통에 물을 가득 담았다가 들이가 4 L인 빈 수조에 모두 부었습니다. 다시 가 물통에 물을 가득 담은 후 수조에 부었더니 수조가 가득 찼습니다. **나 물통의 들이는 몇 mL**일까요?

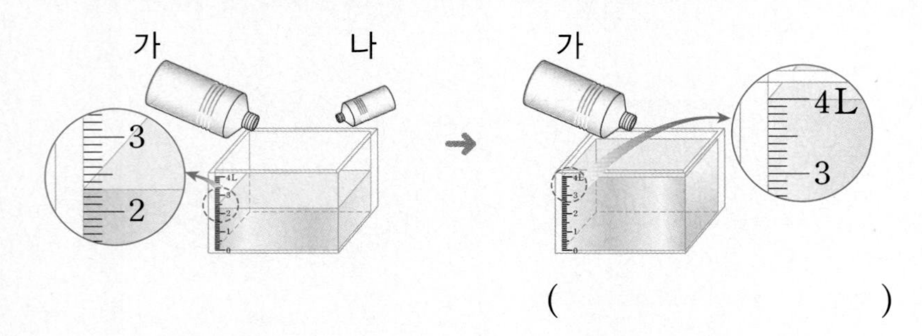

(　　　　　　　　　)

해결 순서
1. 가와 나 물통으로 부은 물의 양의 합 구하기
2. 가 물통의 들이 구하기
3. 나 물통의 들이 구하기

같은 단위로 두 물건의 무게 비교하기

16 저울을 사용하여 무게를 잰 것입니다. **치약 1개의 무게는 구슬 몇 개의 무게와 같은지** 구해 보세요.

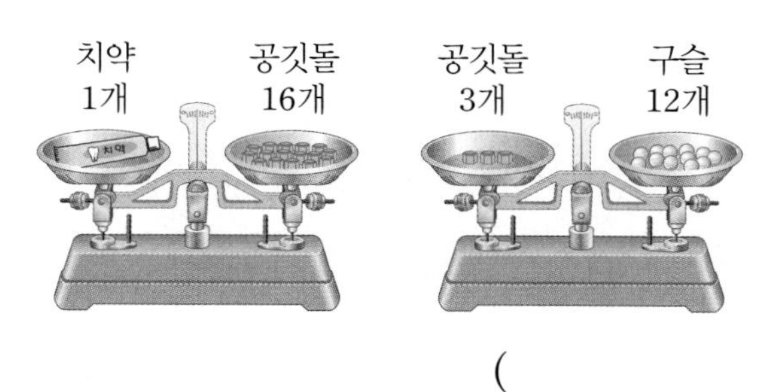

( )

해결 순서
❶ 공깃돌 1개의 무게는 구슬 몇 개의 무게와 같은지 구하기
❷ 치약 1개의 무게는 구슬 몇 개의 무게와 같은지 구하기

일정한 양을 담는 그릇을 이용하여 들이 구하기

17 창의융합

우리 조상들이 사용한 들이의 단위에는 말, 되, 홉이 있습니다. 말, 되, 홉을 오늘날의 단위로 바꾸면 다음과 같습니다. 연주네 집에서 참깨와 들깨를 방앗간에 가지고 가서 참기름과 들기름을 만들었을 때 만든 **참기름 2말과 들기름 3되는 모두 몇 L 몇 mL**인지 구해 보세요.

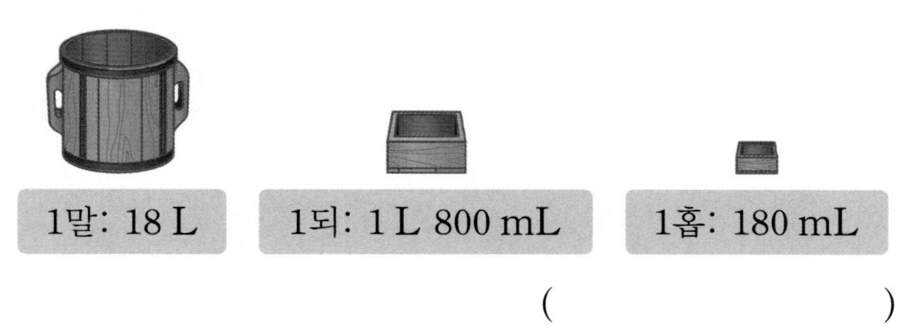

( )

해결 순서
❶ 참기름 2말의 양 구하기
❷ 들기름 3되의 양 구하기
❸ 위 ❶과 ❷의 양의 합 구하기

붓는 횟수가 다른 두 그릇의 들이의 차 구하기 서술형

18 들이가 36 L인 드럼통에 물을 가득 채우려면 각각 ㉮ 그릇으로는 6번을 가득 채워 부어야 하고, ㉯ 그릇으로는 9번을 가득 채워 부어야 합니다. **㉮ 그릇과 ㉯ 그릇의 들이의 차는 몇 L**인지 풀이 과정을 쓰고, 답을 구해 보세요.

풀이

답

레벨UP 공략 07
작은 그릇으로 큰 그릇에 물을 가득 채울 때 작은 그릇의 들이를 구하려면?
(작은 그릇의 들이)
=(큰 그릇의 들이)÷(물을 붓는 횟수)

5 단원

정답 및 풀이 > 27쪽

일정한 양의 무게를 구하여 문제 해결하기

19 창의융합 채아네 반에서 요리 시간에 카레를 만들려고 합니다. 다음은 카레 3인분을 만드는 데 필요한 재료입니다. **카레 8인분을 만드는 데 필요한 재료는 모두 몇 kg 몇 g**인지 구해 보세요. (단, 각각의 재료는 일정한 양으로 사용합니다.)

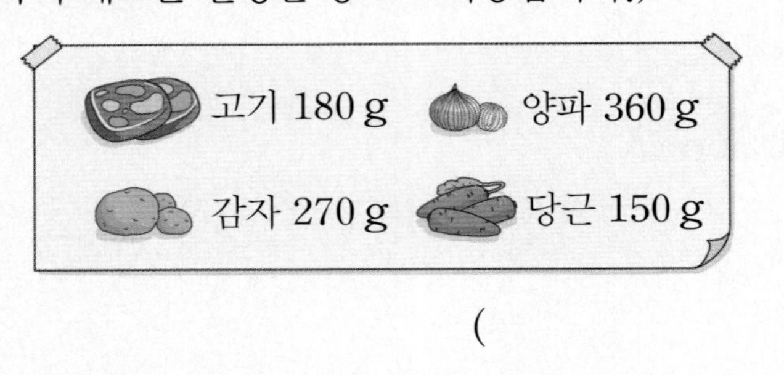

고기 180 g
양파 360 g
감자 270 g
당근 150 g

( )

처음의 양 구하기

20 정수네 가족은 물을 사 와서 첫째 날에는 600 mL, 둘째 날에는 1 L 150 mL, 셋째 날에는 남은 물의 반을 마셨습니다. 남은 물이 850 mL라면 **처음에 사 온 물은 몇 L 몇 mL** 일까요?

( )

레벨UP 공략 08

들이의 계산을 이용하여 처음의 양을 구하려면?

뒤에서부터 거꾸로 생각하여 문제를 해결합니다.

주어진 양 —들이의 덧셈→ 처음의 양
주어진 양 ←들이의 뺄셈— 처음의 양

일정한 시간 동안 받은 물의 양 구하기

21 일정한 빠르기로 물이 3분 동안 45 L씩 나오는 수도가 있습니다. 빈 수조에 이 수도를 틀었더니 물이 2분 동안 6 L씩 일정한 빠르기로 빠져나갔습니다. 이 수조에 **15분 동안 받은 물은 몇 L**인지 구해 보세요. (단, 물이 넘치지 않았습니다.)

( )

해결 순서

❶ 1분 동안 받은 물의 양 구하기

❷ 15분 동안 받은 물의 양 구하기

심화 해결하기

■ **레벨UP공략법**을 활용한 **고난도 문제**를 스스로 해결하고 발전합니다.

정답 및 풀이 > 29쪽

01 대접과 양동이에 물을 가득 담아 모양과 크기가 같은 그릇에 각각 물이 가득 찰 때까지 부은 횟수는 다음과 같습니다. **대접에 물을 가득 담아 빈 양동이에 물이 가득 찰 때까지 부으려면 적어도 몇 번 부어야 하는지** 구해 보세요.

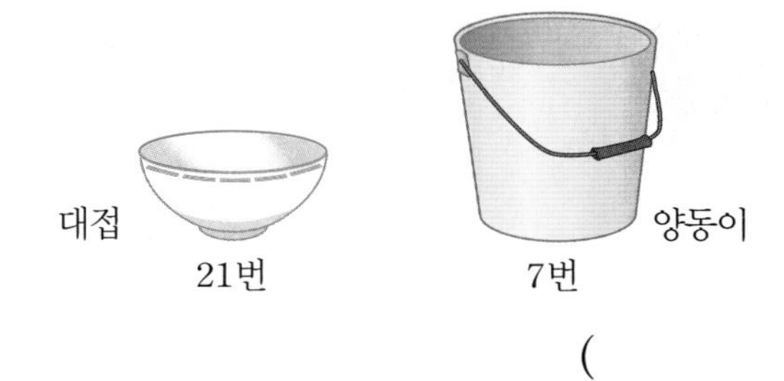

( )

서술형

02 수진, 지훈, 윤서가 하루 동안 마신 물의 양입니다. 물을 **가장 많이 마신 사람과 가장 적게 마신 사람의 마신 물의 양의 합은 몇 L 몇 mL**인지 풀이 과정을 쓰고, 답을 구해 보세요.

수진	지훈	윤서
1 L 800 mL	1090 mL	1 L 950 mL

풀이

답

03 무게가 **가장 무거운 것을 찾아 기호**를 써 보세요.

㉠ 950 kg보다 50 kg 더 무거운 무게
㉡ 1 t보다 30 kg 가벼운 무게
㉢ 200 kg짜리 물건 6개의 무게

( )

5
단원

심화 해결하기

04 창의융합 거중기는 무거운 물건을 들어 올리는 장치입니다. 거중기로 들어 올린 **두 돌의 무게의 합은 몇 kg 몇 g**일까요?

└ 정약용이 만든 장치로 수원 화성을 쌓는 데 이용되었습니다.

13 kg 250 g

9400 g

(   )

05 **㉠과 ㉡에 알맞은 수의 합**을 구해 보세요.

4 L ㉠ mL + ㉡ L 800 mL = 10 L 300 mL

(   )

06 창의융합 세계보건기구(WHO)에서 제시한 하루 물 섭취 권장량은 2 L입니다. 다음은 재민이 아버지께서 오전과 오후에 마신 물의 양입니다. 재민이 아버지께서 하루에 2 L의 물을 마시려면 **오늘 더 마셔야 하는 물은 몇 mL**인지 구해 보세요.

오전	오후
500 mL	1280 mL

(   )

정답 및 풀이 > 29쪽

07 어느 빈 비커에 3 L의 물을 부었더니 오른쪽과 같이 물의 높이가 12 cm였습니다. 같은 들이의 빈 비커에 4 L의 물을 부으면 **물의 높이는 몇 cm가 되는지** 구해 보세요.

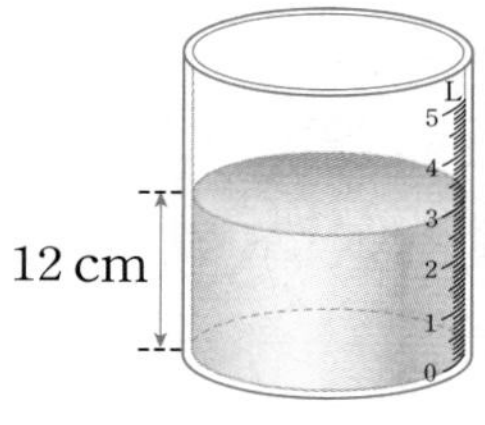

( )

08 사과와 배의 무게를 비교하려고 합니다. 사과 1개의 무게가 400 g일 때 **배 1개의 무게는 몇 g**일까요? (단, 각각은 종류별로 1개의 무게가 같습니다.)

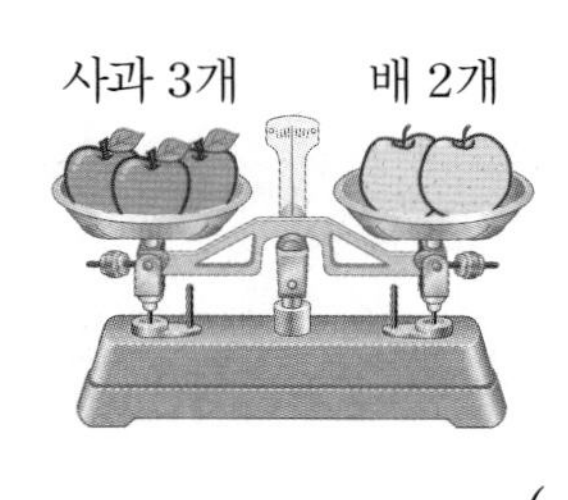

( )

서술형

09 나 물통의 들이는 가 물통의 들이의 3배입니다. 가와 나 물통에 물을 가득 담아 빈 양동이에 한 번씩 부었더니 물이 가득 찼습니다. 양동이의 들이가 64 L일 때 **나 물통의 들이는 몇 L**인지 풀이 과정을 쓰고, 답을 구해 보세요.

풀이

답

5 단원

10 정아는 한 팩의 들이가 600 mL인 주방 세제 2팩을 빈 통에 모두 담았습니다. 빈 통의 들이가 1 L 500 mL일 때 **통을 가득 채우려면 더 담아야 하는 주방 세제는 적어도 몇 mL**일까요?

( )

11 가와 나 수조에 각각 들어 있는 물의 양입니다. 두 수조의 물의 양을 같게 하려면 **나 수조에서 가 수조로 물을 몇 mL 옮겨 담아야 하는지** 구해 보세요.

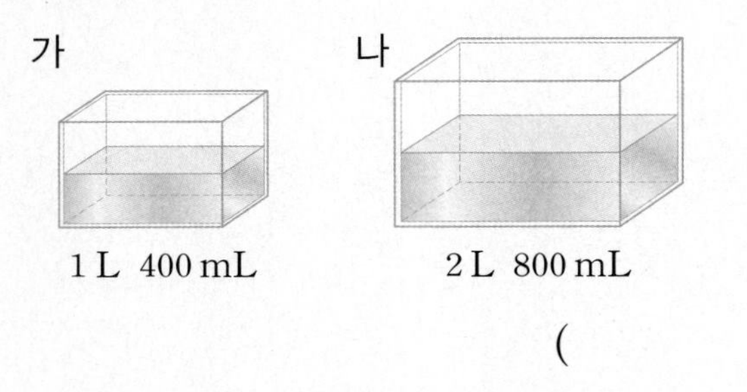

( )

12 창의융합 여행 가방의 무게가 12 kg을 넘으면 비행기에 가지고 탈 수 없다고 합니다. 선경이는 무게가 4 kg 600 g인 빈 여행 가방에 다음과 같은 무게의 물건들을 담았습니다. 이 여행 가방을 가지고 비행기에 타려고 할 때 **여행 가방에 더 담을 수 있는 물건의 무게는 몇 kg 몇 g**인지 구해 보세요.

- 옷: 2 kg 400 g
- 신발: 1 kg 800 g
- 세면도구: 700 g

( )

물체가 어느 한쪽으로 기울지 않고 평평한 상태

13 신유형

베트남에서는 저울처럼 생긴 지게에 물건을 담고 수평을 맞추어 어깨에 메고 다닙니다. 두리안, 망고스틴, 구아바를 다음과 같이 지게에 담았더니 수평을 이루었습니다. 두리안 1개의 무게가 800 g일 때 **구아바 1개의 무게는 몇 g**인지 구해 보세요. (단, 각각은 종류별로 1개의 무게가 같습니다.)

두리안 1개 망고스틴 5개 망고스틴 6개 구아바 2개

(　　　　　　　　)

14 서술형

무게가 같은 복숭아 8개를 쟁반에 담아 무게를 재었더니 2 kg 380 g이었습니다. 이 쟁반에서 복숭아 1개를 덜어낸 후 다시 무게를 재어 보니 2 kg 150 g이 되었습니다. **빈 쟁반의 무게는 몇 g**인지 풀이 과정을 쓰고, 답을 구해 보세요.

풀이

답

15

들이가 7 L인 빈 물통에 물을 들이가 200 mL인 컵으로 가득 담아 4번 붓고, 들이가 300 mL인 컵으로 가득 담아 9번 부었습니다. 이 물통에 물을 가득 채우려면 **들이가 700 mL인 컵으로 적어도 몇 번 더 부어야 하는지** 구해 보세요.

(　　　　　　　　)

5 단원

16 무게가 100 g, 150 g, 300 g, 350 g인 추가 각각 한 개씩 있습니다. 이 추와 저울을 사용하여 다음 물건의 무게를 재려고 합니다. 저울의 한쪽에만 추를 올릴 때 **무게를 잴 수 없는 물건**은 어느 것일까요?

필통	카메라	동화책	책가방
250 g	400 g	700 g	900 g

(　　　　　　　)

17 진환이는 주스 한 병을 사서 들어 있던 주스의 절반을 마셨습니다. 나머지의 $\frac{1}{3}$을 동생이 마셨더니 640 mL가 남았습니다. **처음 병에 들어 있던 주스는 몇 L 몇 mL**일까요?

(　　　　　　　)

18 오른쪽과 같은 수박을 보고 어림한 무게와 실제 무게의 차를 나타낸 표입니다. **가장 가깝게 어림한 사람과 가장 멀게 어림한 사람의 어림한 무게의 차가 가장 작을 때는 몇 g**일까요?

이름	준기	윤아	경민
어림한 무게와 실제 무게의 차	250 g	600 g	200 g

(　　　　　　　)

19 저울에 올려진 공 ㉮, ㉯, ㉰, ㉱의 무게는 서로 다르고 공 ㉮, ㉰, ㉱의 무게의 합은 77 g입니다. 그림을 보고 **공 ㉯의 무게는 몇 g**인지 구해 보세요.

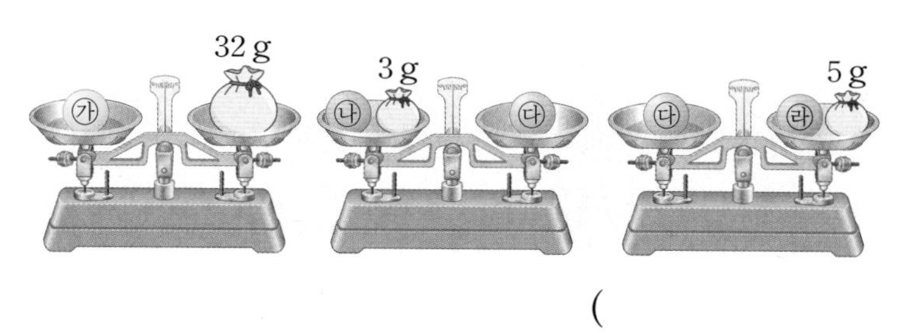

( )

20 밀가루, 설탕, 소금이 한 봉지씩 있습니다. 밀가루와 설탕의 무게의 합은 4 kg 200 g, 설탕과 소금의 무게의 합은 3 kg 400 g, 밀가루와 소금의 무게의 합은 3 kg 600 g입니다. **밀가루의 무게는 몇 kg 몇 g**일까요?

( )

21 차가운 물이 나오는 수도에서는 물이 1초에 450 mL씩 나오고, 뜨거운 물이 나오는 수도에서는 물이 1초에 350 mL씩 나옵니다. 1초에 물이 50 mL씩 새는 90 L들이 빈 욕조에 두 수도를 동시에 틀어 물을 받으려고 합니다. **욕조에 물을 가득 채우는 데 걸리는 시간은 적어도 몇 분**인지 구해 보세요. (단, 두 수도에서 나오는 물의 양과 새는 물의 양은 각각 일정합니다.)

( )

5 단원

최상위 도전하기

■ **경시 수준**의 **최상위 문제**에 도전하여 사고력을 키웁니다.

1

식혜가 다음과 같이 두 통에 가득 들어 있습니다. 두 통에 들어 있는 식혜를 100 mL에 450원씩 받고 남김없이 팔았을 때 **받을 수 있는 금액**은 모두 얼마인지 구해 보세요.

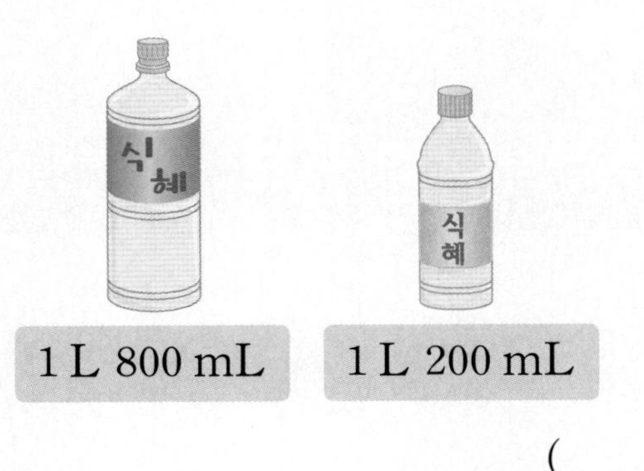

( )

2

창의융합

무게를 재는 단위에는 근, 관이 있습니다. 고기 한 근은 600 g, 채소 한 관은 3 kg 750 g입니다. 어머니께서 시장에서 다음과 같이 샀을 때 **돼지고기, 양파, 당근의 무게의 합은 몇 kg 몇 g**인지 구해 보세요.

돼지고기	3근 반
양파	2관
당근	1관

( )

3

진경, 민현, 소라가 주스 4 L를 나누어 마시려고 합니다. 진경이는 전체의 $\frac{1}{10}$만큼, 민현이는 진경이가 마시고 남은 주스의 $\frac{1}{4}$만큼, 소라는 진경이와 민현이가 마시고 남은 주스의 $\frac{1}{9}$만큼을 마셨습니다. **세 사람이 마시고 남은 주스는 몇 L 몇 mL**일까요?

( )

정답 및 풀이 > 32쪽

4

농구공과 축구공의 무게를 식으로 나타낸 것입니다. **농구공 3개와 축구공 1개의 무게의 합은 몇 kg 몇 g**인지 구해 보세요. (단, 같은 공끼리의 무게는 각각 같습니다.)

(농구공 5개의 무게)+(축구공 4개의 무게)=4 kg 720 g
(농구공 5개의 무게)−(축구공 4개의 무게)=1 kg 280 g

(　　　　　　　　)

5

물을 수미가 3 L, 태호가 3 L 400 mL 가지고 있습니다. 두 사람이 1시간마다 각각 일정한 양의 물을 덜어 내었더니 8시간 후 두 사람에게 남은 물의 양이 같아졌습니다. 태호가 1시간마다 물을 200 mL씩 덜어 내었다면 **수미는 1시간마다 물을 몇 mL씩 덜어 내었는지** 구해 보세요.

(　　　　　　　　)

5 단원

1% 도전

6

무게가 2 g, 3 g, 7 g인 추가 각각 한 개씩 있습니다. **윗접시저울과 주어진 추들을 사용하여 잴 수 있는 무게는 모두 몇 가지**일까요?

(　　　　　　　　)

상위권 TEST

01 가와 나 그릇에 물을 가득 채운 후 모양과 크기가 같은 컵에 각각 가득 옮겨 담았습니다. 가 그릇의 들이는 나 그릇의 들이의 몇 배일까요?

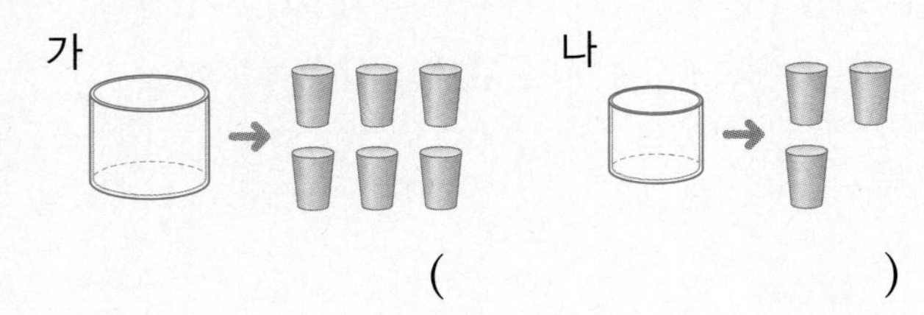

(　　　　　　)

02 ㉠에 알맞은 무게는 몇 kg 몇 g인지 구해 보세요.

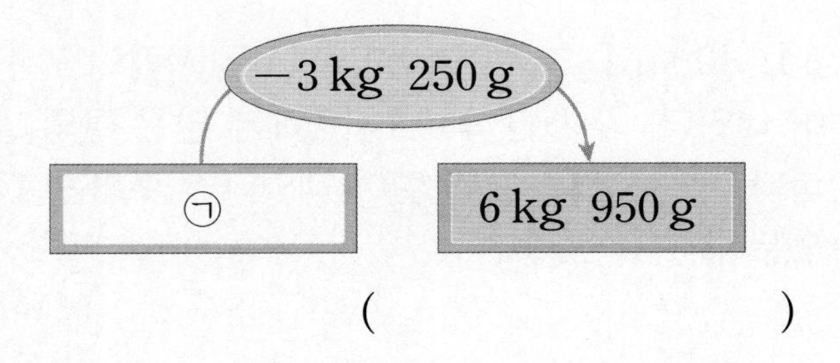

(　　　　　　)

03 물통과 냄비에 물을 가득 채운 뒤 어항에 모두 부었더니 어항이 가득 찼습니다. 어항과 양동이 중에서 어느 것의 들이가 몇 mL 더 많을까요?

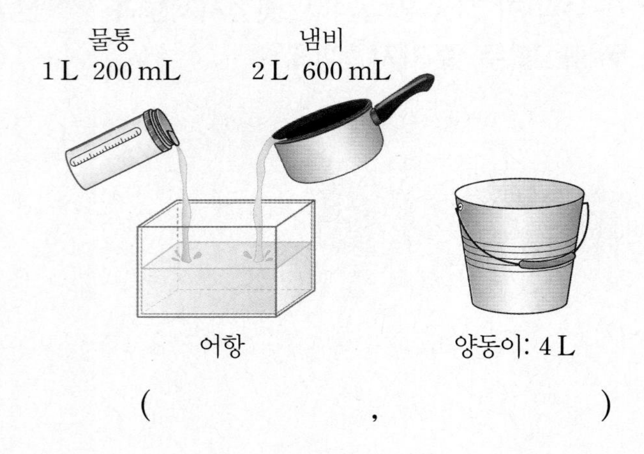

(　　　　, 　　　　)

04 저울과 100원짜리 동전을 사용하여 자두와 살구의 무게를 비교하였습니다. 자두와 살구 중 1개의 무게는 어느 것이 100원짜리 동전 몇 개만큼 더 무거운지 구해 보세요. (단, 각각은 종류별로 1개의 무게가 같습니다.)

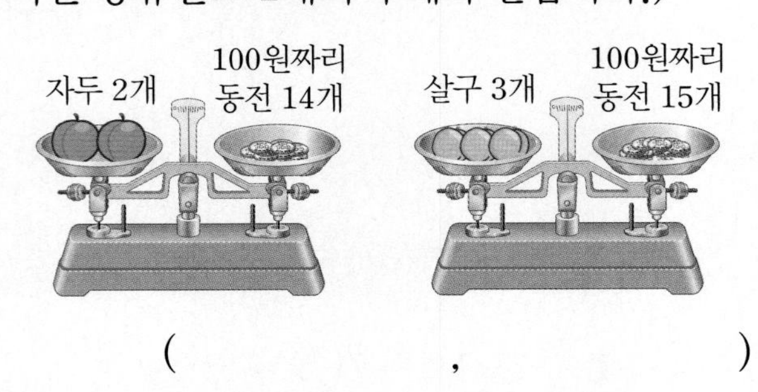

(　　　　, 　　　　)

05 준영이는 보라색 페인트를 만들기 위해 빨간색 페인트 2 L 800 mL와 파란색 페인트 4 L 600 mL를 섞었습니다. 만든 보라색 페인트 중에서 900 mL를 사용하였다면 남은 보라색 페인트는 몇 L 몇 mL일까요?

(　　　　　　)

06 실제 무게가 왼쪽과 같은 멜론의 무게를 현지와 친구들이 오른쪽과 같이 어림하였습니다. 가장 가깝게 어림한 사람은 누구일까요?

1 kg 850 g

- 현지: 1 kg 600 g
- 윤아: 2 kg 50 g
- 재우: 1 kg 750 g

(　　　　　　)

맞힌 개수	0~6개	7~8개	9~10개	11~12개
평가	실수가 많군!	보통이야!	잘했어!	최고야!

정답 및 풀이 > 33쪽

07 수지는 물 7 L 중에서 3 L 420 mL를 사용하였고, 동주는 물 6 L 200 mL 중에서 4 L 500 mL를 사용했습니다. 수지와 동주가 사용하고 남은 물은 모두 몇 L 몇 mL일까요?

( )

08 음료수 캔 1개의 무게가 360 g일 때 주스병 1개의 무게는 몇 g인지 구해 보세요.

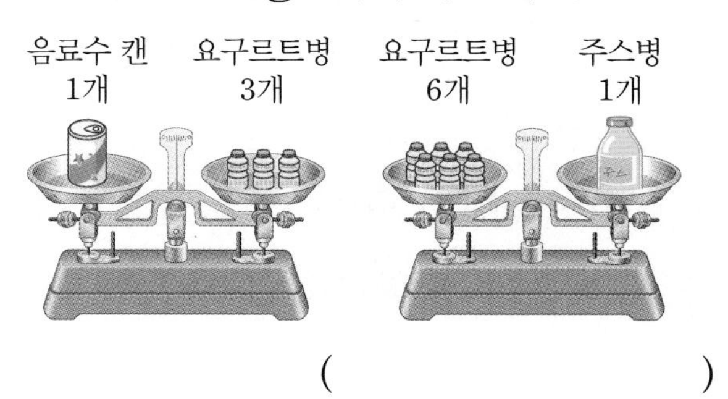

( )

09 들이가 7 L인 빈 수조에 물을 들이가 300 mL인 컵으로 가득 담아 5번 붓고, 들이가 700 mL인 컵으로 가득 담아 4번 부었습니다. 이 수조에 물을 가득 채우려면 들이가 900 mL인 컵으로 적어도 몇 번 더 부어야 할까요?

( )

10 150 g, 200 g, 350 g, 400 g인 추가 각각 한 개씩 있습니다. 이 추와 저울을 사용하여 다음 물건의 무게를 재려고 합니다. 저울의 한쪽에만 추를 올릴 때 무게를 잴 수 없는 물건은 어느 것일까요?

털모자	인형	노트북
500 g	600 g	850 g

( )

★최상위

11 파인애플, 사과, 배가 한 개씩 있습니다. 파인애플과 사과의 무게의 합은 1 kg 700 g, 사과와 배의 무게의 합은 1 kg 200 g, 파인애플과 배의 무게의 합은 2 kg 300 g입니다. 파인애플의 무게는 몇 kg 몇 g일까요?

( )

★최상위

12 성주, 미나, 재희가 우유 1 L를 나누어 마시려고 합니다. 성주는 전체의 $\frac{1}{5}$만큼, 미나는 성주가 마시고 남은 우유의 $\frac{1}{2}$만큼, 재희는 성주와 미나가 마시고 남은 우유의 $\frac{1}{8}$만큼을 마셨습니다. 세 사람이 마시고 남은 우유는 몇 mL일까요?

( )

5 단원

쉬어가기

사자성어

개과천선

改 過 遷 善

고칠 개 / 지날 과 / 옮길 천 / 착할 선

바로 뜻 지난 잘못을 고쳐 착하게 바뀌라는 뜻.

깊은 뜻 지난날의 잘못을 뉘우치고 착한 사람이 되었다는 말이에요.

이럴 때 쓰는 말이야!

중국 **진나라** 시대에 **주처**라는 사람이 살았어요. 주처는 마을 사람들을 괴롭히고 물건을 부수는 행동을 하여 사람들의 미움을 받았어요.

어느 날 주처는 자신의 잘못을 깨닫고 새 사람이 되겠다고 결심하였어요. 그래서 마을 사람들을 괴롭히던 호랑이와 용을 무찌르고 마을로 돌아왔어요. 하지만 아무도 그를 반갑게 대하지 않았어요. 한 번의 **착한 행동**으로 사람들의 마음을 돌릴 수는 없었지요.

실망한 주처는 **육기**라는 학자를 찾아갔어요.

"마음을 굳게 먹고 지난날의 잘못을 고쳐 새로운 사람이 되면 자네의 앞날은 아주 **무한**하네.
□□□□하시게."

이에 **용기**를 얻은 주처는 열심히 공부하여 훌륭한 **학자**가 되었답니다.

잠깐! Quiz

Q □□□□에 들어갈 말은?

A 위의 글을 읽고 파란색 글자들을 아래에서 모두 찾아 /표로 지웁니다.

착			학	자	
한	행	동			
	개	주	진	나	라
	과	처			
육	천		용	기	무
기	선				한

6 자료의 정리

응용 대표 유형

1 자료를 수집하여 표로 나타내고 내용 알아보기

예 좋아하는 동물을 조사한 자료를 표로 나타내고 내용 알아보기

좋아하는 동물

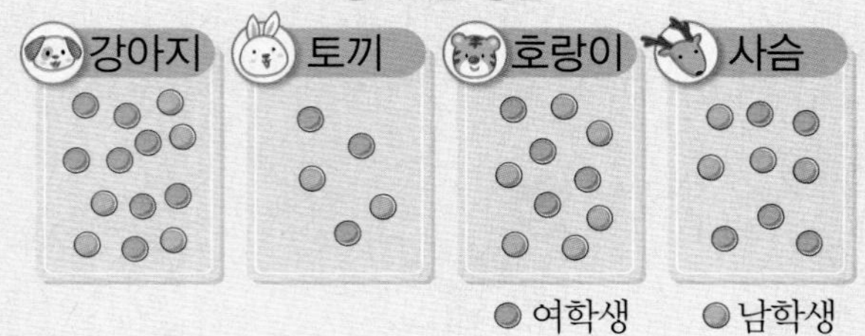

(1) 조사한 자료를 표로 나타내기

좋아하는 동물별 학생 수

동물	강아지	토끼	호랑이	사슴	합계
학생 수(명)	13	5	10	9	37

→ 많은 학생들이 좋아하는 동물부터 순서대로 쓰면 강아지, 호랑이, 사슴, 토끼입니다.
└ 13>10>9>5

(2) 표를 다른 방법으로 나타내기

좋아하는 동물별 학생 수

동물	강아지	토끼	호랑이	사슴	합계
여학생 수(명)	8	3	4	5	20
남학생 수(명)	5	2	6	4	17

① 여학생들이 가장 좋아하는 동물은 강아지입니다.
② 남학생들이 가장 좋아하는 동물은 호랑이입니다.

2 그림그래프

그림그래프: 알고자 하는 수(조사한 수)를 그림으로 나타낸 그래프

예 마을별 가구 수

마을	가구 수
가	
나	
다	

마을별 가구 수를 나타내는 그림
10가구
1가구

3 그림그래프로 나타내기

예 표를 보고 그림그래프로 나타내기

모은 붙임딱지의 수

이름	가희	진우	승규	합계
붙임딱지의 수(장)	51	35	52	138

↓ 그림을 10장과 1장인 2가지로 나타내는 것이 좋습니다.

모은 붙임딱지의 수

이름	붙임딱지의 수
가희	
진우	
승규	

10장
1장

선행 개념 [4-1] 5. 막대그래프

막대그래프: 조사한 수를 막대 모양으로 나타낸 그래프

예 좋아하는 과목별 학생 수

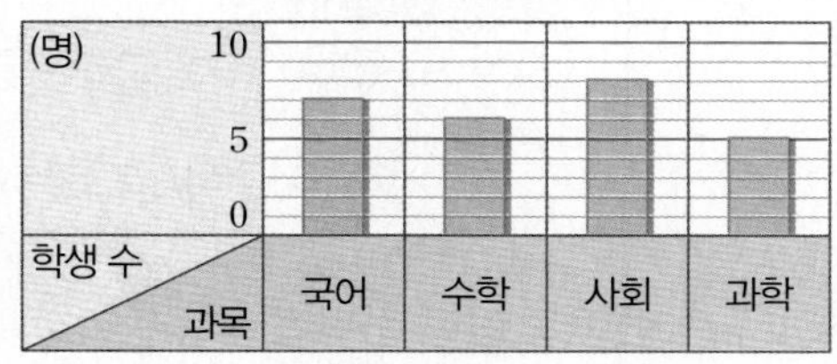

응용 4 조건을 이용하여 그림그래프 완성하기

예 서희가 경호보다 구슬을 12개 더 많이 가지고 있을 때 그림그래프 완성하기

학생별 구슬의 수

이름	구슬의 수
경호	
서희	
민영	

10개
1개

① (경호가 가진 구슬의 수)=21개
② (서희가 가진 구슬의 수)
=(경호가 가진 구슬의 수)+12
=21+12=33(개)

10개의 그림 3개, 1개의 그림 3개

정답 및 풀이 > 35쪽

표와 그림그래프 완성하기

예 진규네 학원 학생들이 좋아하는 과일별 학생 수를 나타낸 표와 그림그래프 완성하기

좋아하는 과일별 학생 수

과일	포도	딸기	키위	합계
학생 수(장)	31	15	24	70

10명의 그림 3개, 1명의 그림 1개

20+4=24(명)

좋아하는 과일별 학생 수

과일	학생 수
포도	
딸기	
키위	

10명
1명

참고 표와 그림그래프의 비교

표	그림그래프
각각의 항목의 수와 합계를 쉽게 알 수 있습니다.	각각의 항목의 크기를 쉽게 비교할 수 있습니다.

그림그래프의 단위를 다르게 하여 나타내기

예 지호네 마을에서 하루 동안 가게별 팔린 빵의 수를 10개, 5개, 1개 단위로 하여 그림그래프로 나타내기

가게별 팔린 빵의 수

가게	빵의 수
가	
나	
다	

10개
1개

2개의 단위로 그릴 때보다 간단하게 나타낼 수 있습니다.

가게별 팔린 빵의 수

가게	빵의 수
가	
나	
다	

10개
5개
1개

[1~2] 소람이네 학교 3학년 학생들의 혈액형을 조사하여 나타낸 그림그래프입니다. 물음에 답하세요.

혈액형별 학생 수

혈액형	학생 수
A형	
B형	
O형	
AB형	

10명
1명

1 혈액형이 A형인 학생은 몇 명인가요?

( )

2 가장 많은 학생들의 혈액형은 무엇인가요?

( )

3 화단에 심어져 있는 종류별 꽃의 수를 조사하여 나타낸 표입니다. 표를 보고 그림그래프로 나타내어 보세요.

종류별 꽃의 수

종류	튤립	진달래	장미	합계
꽃의 수(송이)	43	52	25	120

종류별 꽃의 수

종류	꽃의 수
튤립	
진달래	
장미	

◎ 10송이
○ 1송이

응용 공략하기

■ **응용·심화 문제**와 **레벨UP공략법**으로
문제 해결 능력을 키웁니다.

[01~02] 민국이네 반 학급문고에 있는 종류별 책의 수를 조사하여 나타낸 그림그래프입니다. 물음에 답하세요.

종류별 책의 수

종류	책의 수
동화책	
위인전	
만화책	
과학책	

10권
1권

그림그래프의 항목의 수의 합 구하기

01 **위인전과 과학책은 모두 몇 권**인가요?

( )

그림그래프의 항목의 크기 비교하기

02 책의 수가 **두 번째로 많은 책**은 무엇인가요?

( )

레벨UP 공략 01

수량이 가장 큰 항목을 찾으려면?

큰 그림의 수가 가장 많은 항목 찾기

↓

큰 그림의 수가 같으면
작은 그림의 수가 가장 많은 항목 찾기

조사한 자료를 표로 나타내기

서술형

03 지수네 모둠 학생들이 좋아하는 놀이기구를 조사한 자료입니다. **표로 나타내고, 표에서 알 수 있는 내용**을 2가지 써 보세요.

좋아하는 놀이기구

이름	놀이기구	이름	놀이기구	이름	놀이기구
지수	바이킹	혜경	범퍼카	미리	회전목마
민혁	범퍼카	유정	대관람차	정환	범퍼카
건희	회전목마	지혜	바이킹	동현	범퍼카
현아	범퍼카	수민	회전목마	은지	대관람차

좋아하는 놀이기구별 학생 수

놀이기구	바이킹	범퍼카	회전목마	대관람차	합계
학생 수(명)					

내용

정답 및 풀이 > 35쪽

[04~05] 어느 공장에서 월별 장난감 생산량을 조사하여 나타낸 표와 그림그래프입니다. 물음에 답하세요.

월별 장난감 생산량

월	9월	10월	11월	12월	합계
생산량(상자)	44		35		

월별 장난감 생산량

월	생산량
9월	
10월	큰 그림 2개, 작은 그림 6개
11월	
12월	큰 그림 6개, 작은 그림 1개

큰 그림: 10상자, 작은 그림: 1상자

표와 그림그래프 완성하기

04 **표와 그림그래프를 각각 완성**해 보세요.

그림그래프를 보고 문제 해결하기

05 11월과 12월에 생산된 장난감을 트럭 6대에 똑같이 나누어 실었습니다. **트럭 한 대에 실은 장난감은 몇 상자**일까요?

(　　　　　　　　)

레벨 UP 공략 02

그림그래프의 항목의 수량에 맞게 그림을 그리려면?

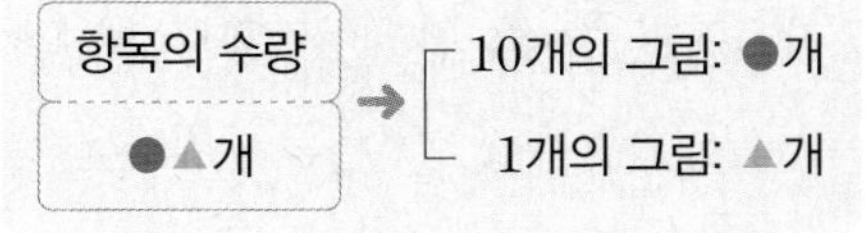

모르는 항목의 수량 구하기

06 수호네 반 학생 32명이 좋아하는 운동을 조사하여 나타낸 그림그래프입니다. **테니스를 좋아하는 학생은 몇 명**인가요?

좋아하는 운동별 학생 수

운동	축구	야구	테니스	농구	배구
학생 수	큰 그림 1개	작은 그림 4개		작은 그림 8개	작은 그림 4개

큰 그림: 10명, 작은 그림: 1명

(　　　　　　　　)

레벨 UP 공략 03

모르는 항목의 수량을 구하려면?
(모르는 항목의 수량)
=(합계)−(나머지 항목들의 수량의 합)

해결 순서
❶ 테니스를 제외한 좋아하는 운동별 학생 수 구하기
❷ 테니스를 좋아하는 학생 수 구하기

6 단원

응용 공략하기

[07~09] 원재네 반과 민서네 반 학생들이 좋아하는 과일을 조사하였습니다. 물음에 답하세요.

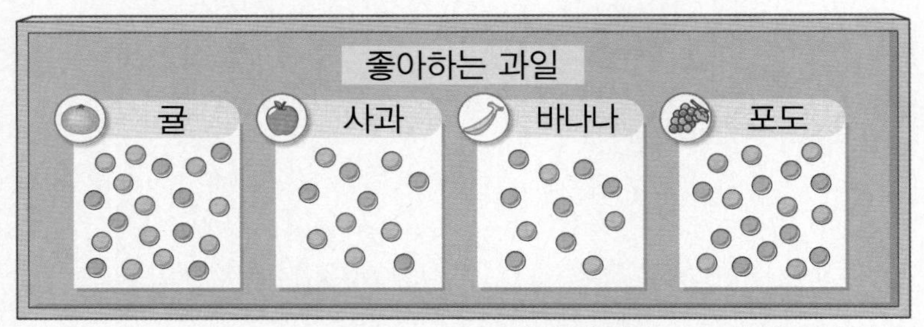

● 원재네 반 학생 ● 민서네 반 학생

자료를 보고 표로 나타내기

07 자료를 보고 **표로 나타내어 보세요.**

좋아하는 과일별 학생 수

과일	귤	사과	바나나	포도	합계
원재네 반 학생 수(명)					
민서네 반 학생 수(명)					

해결 순서
❶ 원재네 반 학생들이 좋아하는 과일별 학생 수 구하기
❷ 민서네 반 학생들이 좋아하는 과일별 학생 수 구하기

표를 보고 내용 알아보기

08 원재네 반에서 가장 많은 학생들이 좋아하는 과일과 민서네 반에서 가장 많은 학생들이 좋아하는 과일의 **학생 수의 차는 몇 명**인가요?

( )

표에서 두 가지 항목의 합 구하기

서술형

09 신유형 원재네 반과 민서네 반은 함께 과일 따기 체험 학습을 가려고 합니다. 원재네 반과 민서네 반은 **어떤 과일 따기 체험 학습을 가면 좋을지 고르고, 그 이유**를 써 보세요.

답

이유

각 그림이 나타내는 수 구하기

10 학교별 심은 나무의 수를 조사하여 나타낸 그림그래프입니다. 가 학교에서 심은 나무는 17그루이고, 나 학교에서 심은 나무는 25그루일 때 **다 학교에서 심은 나무는 몇 그루**인지 구해 보세요.

학교별 심은 나무의 수

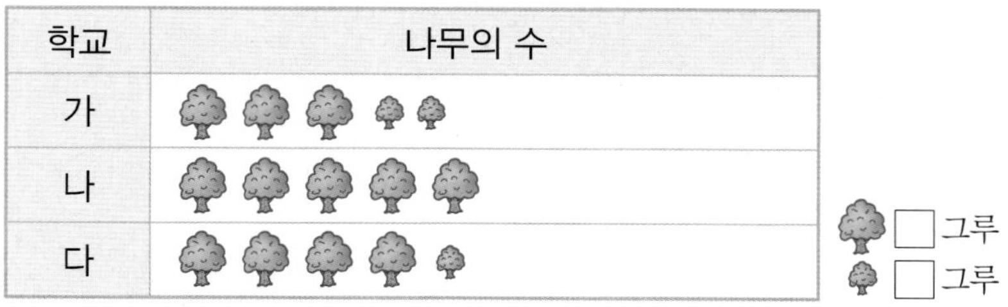

학교	나무의 수
가	큰 나무 3, 작은 나무 2
나	큰 나무 5
다	큰 나무 4, 작은 나무 1

큰 나무 □그루
작은 나무 □그루

(　　　　　　　　)

레벨UP 공략 04

각 그림이 나타내는 수를 구하려면?
그림이 한 종류만 있는 항목을 이용해 그림이 나타내는 수를 구합니다.

해결 순서
1. 큰 그림과 작은 그림이 나타내는 수 각각 구하기
2. 다 학교에서 심은 나무의 수 구하기

모르는 항목의 수를 구하여 그림그래프 완성하기

11 지후네 학교 3학년 학생들이 좋아하는 계절을 조사하여 나타낸 그림그래프입니다. 지후네 학교 3학년 전체 학생은 129명이고, 봄을 좋아하는 학생 수와 겨울을 좋아하는 학생 수는 같습니다. **그림그래프를 완성**해 보세요.

좋아하는 계절별 학생 수

계절	학생 수
봄	
여름	큰 하트 3, 작은 하트 5
가을	큰 하트 4, 작은 하트 2
겨울	

큰 하트 10명
작은 하트 1명

해결 순서
1. 봄을 좋아하는 학생 수와 겨울을 좋아하는 학생 수를 각각 □명이라 하여 알맞은 식 세우기
2. 봄을 좋아하는 학생 수와 겨울을 좋아하는 학생 수 각각 구하기
3. 그림그래프를 완성하기

6 단원

응용 공략하기

3가지 그림의 그림그래프로 나타내기

12 어느 마을의 농장별 수박 판매량을 조사하여 나타낸 표입니다. 표를 보고 **그림그래프로 나타내어 보세요.**

농장별 수박 판매량

농장	가	나	다	라	합계
판매량(통)	235	311	420	134	1100

농장별 수박 판매량

농장	판매량
가	
나	
다	
라	

◎ 100통
△ 10통
○ 1통

레벨UP 공략 05

그림그래프로 나타낼 때 그려야 하는 그림의 수를 구하려면?

큰 그림 → 작은 그림의 순서로 그림을 가능한 적게 그리는 것이 좋습니다.

조건을 이용하여 그림그래프 항목의 수 구하기 서술형

13 창의융합 2018년 평창 동계올림픽에서 나라별 획득한 메달 수를 조사하여 나타낸 그림그래프입니다. **네 나라에서 획득한 메달은 모두 몇 개**인지 풀이 과정을 쓰고, 답을 구해 보세요.

- 노르웨이의 메달 수는 대한민국의 메달 수의 2배보다 5개 더 많습니다.
- 미국의 메달 수는 독일의 메달 수보다 8개 적습니다.

나라별 획득한 메달 수

나라	메달 수
노르웨이	
독일	(10개 메달 3개, 1개 메달 1개)
미국	
대한민국	(10개 메달 1개, 1개 메달 7개)

(큰 메달) 10개
(작은 메달) 1개

풀이

답

[14～15] 어느 지역의 마을별 가구 수를 조사하여 나타낸 그림그래프입니다. 도로의 서쪽에 있는 가구 수와 하천의 남쪽에 있는 가구 수가 같을 때 물음에 답하세요.

마을별 가구 수

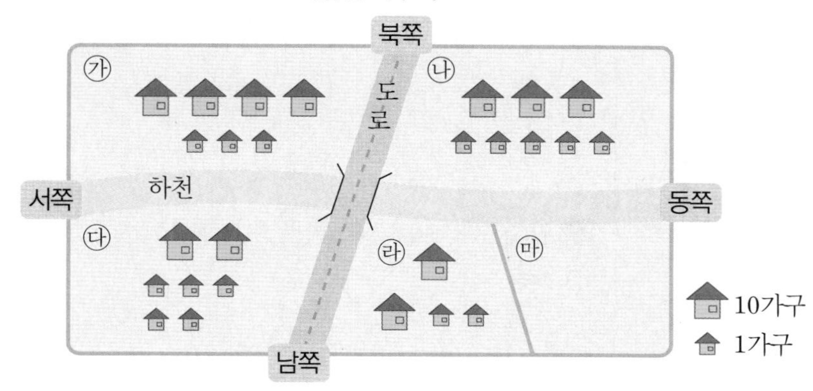

위치별로 자료 구분하기

14 ㉲ **마을의 가구 수는 몇 가구**인지 구해 보세요.

(　　　　　　)

레벨UP 공략 06

위치별로 나타낸 그림그래프의 항목의 수량을 구하려면?

기준이 되는 곳을 정하고 방향(동쪽, 서쪽, 남쪽, 북쪽)에 따라 자료를 구분합니다.

자료의 수를 같게 만들기

15 도로를 기준으로 서쪽과 동쪽의 가구 수가 같아지려면 **어느 쪽에 있는 마을에서 몇 가구가 반대쪽에 있는 마을로 이사를 가면** 될까요?

(　　　　,　　　　)

그림그래프의 항목의 수를 이용하여 점수 구하기

16 창의융합

승규네 모둠 학생들이 각각 수수께끼 20문제를 푼 후 맞힌 문제를 조사하여 나타낸 그림그래프입니다. 맞힌 문제는 한 문제에 10점씩 더하고, 틀린 문제는 5점씩 빼려고 합니다. **문제를 가장 많이 맞힌 사람과 가장 적게 맞힌 사람의 점수의 차는 몇 점**인지 구해 보세요.

맞힌 문제 수

이름	승규	미진	재환	아영
맞힌 문제 수	🔍🔍 🔎🔎🔎🔎	🔍 🔎🔎	🔍🔍 🔎🔎🔎	🔍🔎🔎 🔎🔎

🔍 5문제
🔎 1문제

(　　　　　　)

해결 순서

❶ 문제를 가장 많이 맞힌 사람의 점수 구하기
❷ 문제를 가장 적게 맞힌 사람의 점수 구하기
❸ 위 ❶과 ❷의 점수의 차 구하기

6 단원

심화 해결하기

■ **레벨UP공략법**을 활용한 **고난도 문제**를 스스로 해결하고 발전합니다.

01 어느 편의점의 월별 우산 판매량을 조사하여 나타낸 그림그래프입니다. **네 달 동안 팔린 우산은 모두 몇 개**인가요?

월별 우산 판매량

월	판매량
5월	◎ ○ ○ ○ ○ ○
6월	◎ ◎ ◎ ○
7월	◎ ◎ ◎ ◎ ○ ○ ○
8월	◎ ◎ ○ ○ ○ ○ ○

◎ 10개
○ 1개

(　　　　　　　　)

[02~03] 현수네 학교 3학년 학생들의 취미를 조사하여 나타낸 그림그래프입니다. 수영이 취미인 학생 수는 미술이 취미인 학생 수의 3배일 때 물음에 답하세요.

취미별 학생 수

취미	학생 수
피아노	◎ ◎ ◎ ◎ ○ ○ ○ ○ ○ ○
수영	
미술	◎ ◎ ○
태권도	◎ ◎ ◎ ◎ ◎ ◎ ◎ ○ ○

◎ 10명
○ 1명

02 **수영이 취미인 학생은 몇 명**인가요?

(　　　　　　　　)

03 **가장 많은 학생들이 가진 취미와 두 번째로 많은 학생들이 가진 취미의 학생 수의 차는 몇 명**인가요?

(　　　　　　　　)

서술형

04 어느 지역의 마을별 인구를 조사하여 나타낸 그림그래프입니다. 다음 중 설명이 **잘못된 것을 찾아 기호를 쓰고, 바르게 고쳐 써 보세요.**

마을별 인구

마을	인구
바다	
무지개	
햇빛	
모래	

100명
10명

㉠ 햇빛 마을의 인구는 무지개 마을의 인구보다 20명 더 많습니다.
㉡ 바다 마을의 인구는 모래 마을의 인구의 2배입니다.
㉢ 네 마을의 인구는 모두 1780명입니다.

답 ______________________

바르게 고친 내용 ______________________

05 태균이네 모둠 학생들의 한 달 동안 읽은 책의 수를 조사하여 나타낸 그림그래프입니다. 책을 5권 읽을 때마다 칭찬 붙임딱지를 한 장씩 받는다고 할 때 **칭찬 붙임딱지를 가장 많이 받은 사람은 누구이고, 몇 장을 받았는지** 구해 보세요.

한 달 동안 읽은 책의 수

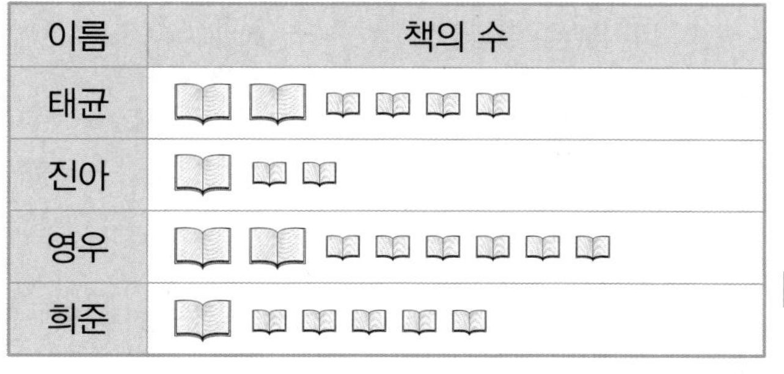

(,   )

6 단원

심화 해결하기

06 아인이네 학교 3학년 학생 중에서 휴대 전화를 가지고 있는 학생 수를 반별로 조사하여 나타낸 표와 그림그래프입니다. **표와 그림그래프를 각각 완성**해 보세요.

휴대 전화를 가지고 있는 학생 수

반	1반	2반	3반	4반	합계
학생 수(명)				24	78

휴대 전화를 가지고 있는 학생 수

반	학생 수
1반	
2반	
3반	
4반	

10명
1명

서술형

07 창의융합

고인돌은 청동기 시대에 거대한 돌을 이용하여 만든 무덤입니다. 다음은 각 지역의 고인돌의 수를 그림그래프로 나타낸 것입니다. 화순 지역 고인돌의 수가 고창 지역 고인돌의 수보다 149기 더 많을 때 **세 지역의 고인돌 수의 합은 몇 기**인지 풀이 과정을 쓰고, 답을 구해 보세요.

└ 고인돌을 세는 단위

지역별 고인돌의 수

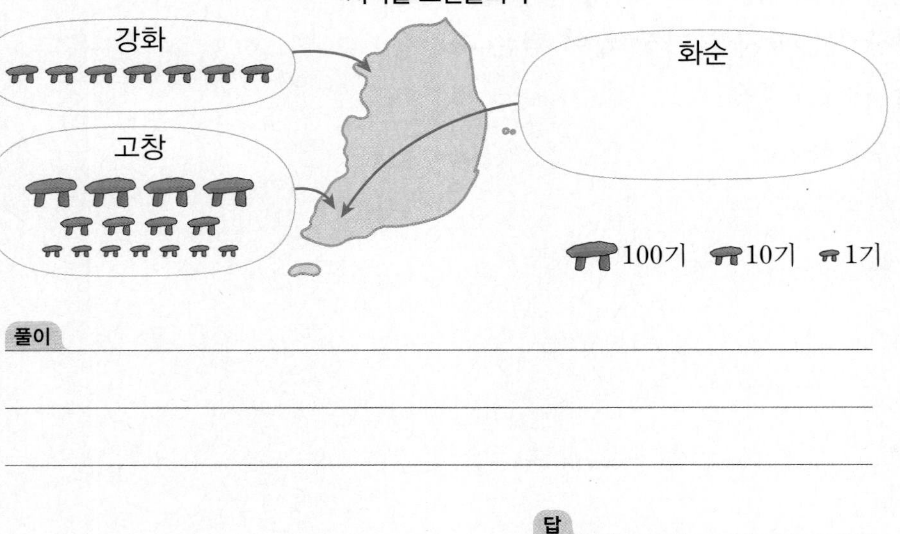

풀이

답

08 신유형 사람은 열량을 이용하여 체온을 유지하고 음식을 소화시키는 활동을 할 수 있습니다. 민규가 두 가지 간식을 골라 100 g씩 먹어 200 kcal는 넘고 300 kcal는 넘지 않게 열량을 섭취하려고 합니다. 간식별 100 g당 열량을 나타낸 그림그래프를 보고 **민규가 먹을 수 있는 간식 두 가지**를 찾아 써 보세요.

kcal: 킬로칼로리

간식별 100 g당 열량

간식	열량
쿠키	△△△△△△△
고구마	(큰)△ (큰)△ △△△△△
샌드위치	(큰)△ (큰)△ △△
바나나	△△△△△△△△△

(큰)△ 100 kcal
△ 10 kcal

(　　　　　　　　　)

[09~10] 승현이네 반 학생들이 배우고 싶은 악기를 조사하였습니다. 조사한 자료의 일부분이 찢어져 보이지 않습니다. 바이올린을 배우고 싶은 학생 수와 하모니카를 배우고 싶은 학생 수가 같을 때, 물음에 답하세요.

배우고 싶은 악기

바이올린	플루트	우쿨렐레	우쿨렐레	하모니카
플루트	하모니카	하모니카	플루트	
바이올린	바이올린	우쿨렐레	바이올린	
하모니카	플루트	바이올린	플루트	
바이올린	플루트	우쿨렐레		

09 **표를 완성**해 보세요.

배우고 싶은 악기별 학생 수

악기	바이올린	플루트	우쿨렐레	하모니카	합계
학생 수(명)		8			25

10 **플루트를 배우고 싶은 학생은 우쿨렐레를 배우고 싶은 학생보다 몇 명 더 많은지** 구해 보세요.

(　　　　　　　　　)

6 단원

심화 해결하기

[11~12] 상점별 컴퓨터 판매량이 다음과 같을 때 물음에 답하세요.

- 가 상점의 판매량은 51대입니다.
- 가 상점의 판매량은 나 상점의 판매량의 3배입니다.
- 다 상점의 판매량은 나 상점의 판매량보다 8대 더 많습니다.

11 위의 조건을 모두 만족하도록 **그림그래프를 완성**해 보세요.

상점별 컴퓨터 판매량

상점	판매량
가	
나	
다	

◎ 10대
○ 1대

12 위 **11**의 그림그래프를 **◎는 10대, △는 5대, ○는 1대로 나타내려고 합니다. 그림그래프를 완성**해 보세요.

상점별 컴퓨터 판매량

상점	판매량
가	
나	
다	

13 창의융합 목장별 양의 수를 조사하여 나타낸 그림그래프입니다. 도로의 동쪽에 있는 양의 수는 서쪽에 있는 양의 수보다 12마리 더 많고, ㉯ 목장의 양의 수는 ㉱ 목장의 양의 수의 $\frac{2}{5}$입니다. **㉯ 목장의 양은 몇 마리**인가요?

목장별 양의 수

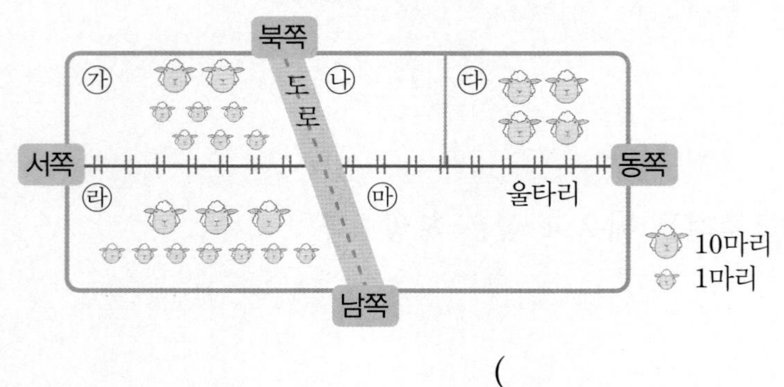

(   )

14 서우네 아파트 단지에서 동별 모은 빈 병의 무게를 조사하여 나타낸 그림그래프입니다. 101동에서 모은 빈 병의 무게가 15 kg 200 g일 때 **서우네 아파트 단지에서 모은 빈 병은 모두 몇 kg 몇 g**인지 구해 보세요.

동별 모은 빈 병의 무게

동	빈 병의 무게
101동	
102동	
103동	
104동	

□ kg
200 g

(　　　　　　　　)

15 마을별 쌀 생산량을 조사하여 나타낸 그림그래프입니다. 한 가마니는 4포대와 같고, 다 마을의 생산량은 가 마을의 생산량의 $\frac{6}{7}$입니다. **쌀 생산량이 가장 적은 마을은 어디이고, 쌀 생산량은 몇 포대**인지 구해 보세요.

마을별 쌀 생산량

마을	생산량
가	
나	
다	
라	

한 가마니
한 포대

(　　　　　　,　　　　　　)

최상위 도전하기

■ **경시 수준**의 **최상위 문제**에 도전하여 사고력을 키웁니다.

1 어느 빵집의 요일별 쿠키 판매량을 조사하여 나타낸 그림그래프입니다. 쿠키 한 개를 450원에 팔았다면 **쿠키가 가장 많이 팔린 요일과 가장 적게 팔린 요일의 팔린 쿠키 값의 차는 얼마**인지 구해 보세요.

요일별 쿠키 판매량

요일	판매량
월요일	
화요일	
수요일	
목요일	

10개
1개

(　　　　　　　　　　)

2 정훈이네 반 학생들이 좋아하는 색깔을 조사하여 나타낸 표입니다. 표의 색깔 중에서 한 가지 색깔을 좋아한다고 답한 학생이 7명, 두 가지 색깔을 좋아한다고 답한 학생이 4명, 세 가지 색깔을 좋아한다고 답한 학생이 5명, 네 가지 색깔을 좋아한다고 답한 학생이 3명입니다. **표를 완성**해 보세요.

좋아하는 색깔별 학생 수

색깔	노란색	초록색	파란색	보라색	합계
학생 수(명)	11	7	10		

3 지역별 병원의 수를 조사하여 나타낸 그림그래프입니다. 네 지역의 병원이 모두 285곳일 때 **다 지역의 병원은 몇 곳**인지 구해 보세요.

지역별 병원의 수

지역	병원의 수
가	
나	
다	
라	

㉠곳
㉡곳

(　　　　　　　　　　)

4

창의융합

어느 역도 대회의 경기 결과를 표로 나타낸 것입니다. 역도는 인상과 용상의 기록을 합하여 더 무거운 것을 든 사람 순서대로 순위를 정합니다. **인상과 용상의 기록의 합을 그림그래프로 나타내고, 이 대회에서 1위를 한 사람은 누구**인지 이름을 써 보세요.

선수별 들어 올린 무게

이름	민재	희찬	태경	승우	합계
인상(kg)	105	107	108	106	426
용상(kg)	132	133	131	135	531

선수별 들어 올린 무게

이름	무게
민재	
희찬	
태경	
승우	

◎ 100 kg
△ 10 kg
○ 1 kg

( )

1% 도전

5

어느 가게의 월별 케이크 생산량과 케이크 판매량을 조사하여 나타낸 그림그래프입니다. 네 달 동안 이 가게에서 만든 케이크 중에서 **팔고 남은 케이크 가장 많은 달은 언제이고, 팔고 남은 케이크는 몇 개**인지 구해 보세요. (단, 같은 달에 생산한 케이크만 판매합니다.)

(가) 월별 케이크 생산량

월	생산량
9월	○○△△
10월	○△△
11월	○○△△△
12월	○○○△

○ 200개 △ 50개

(나) 월별 케이크 판매량

월	판매량
9월	○○○△□□□□
10월	○△△△□□
11월	○○△△□□□□□□
12월	○○○△△△□□

○ 100개 △ 30개 □ 1개

(,)

6 단원

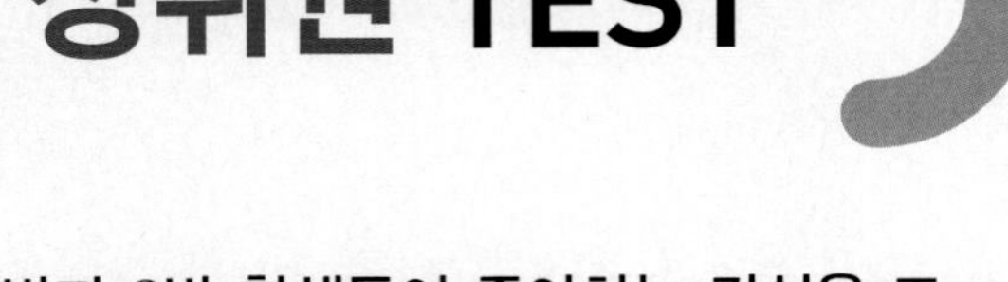

상위권 TEST

[01~02] 1반과 2반 학생들이 좋아하는 간식을 조사하여 나타낸 자료입니다. 물음에 답하세요.

좋아하는 간식

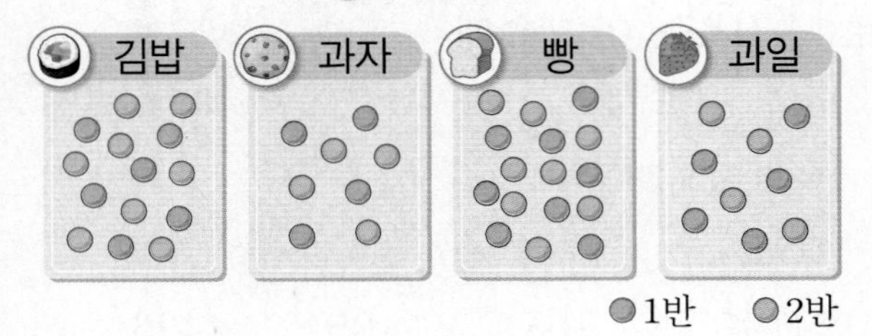

01 자료를 보고 표로 나타내어 보세요.

좋아하는 간식별 학생 수

간식	김밥	과자	빵	과일	합계
1반 학생 수(명)					
2반 학생 수(명)					

02 1반과 2반 학생들에게 간식을 한 가지만 나누어 주려고 합니다. 어떤 간식을 나누어 주면 좋을까요?

( )

03 동주가 가지고 있는 색깔별 색종이 수를 조사하여 나타낸 그림그래프입니다. 동주가 가지고 있는 색종이는 모두 몇 장인가요?

색깔별 색종이 수

색깔	색종이 수
노란색	
빨간색	
보라색	

10장
1장

( )

04 은혜네 학교 3학년의 반별 학생 수를 조사하여 나타낸 표와 그림그래프입니다. 표와 그림그래프를 완성해 보세요.

반별 학생 수

반	1반	2반	3반	4반	합계
학생 수(명)	25		28		

반별 학생 수

반	학생 수
1반	
2반	
3반	
4반	

10명
1명

[05~06] 과수원별 포도 생산량을 조사하여 나타낸 그림그래프입니다. 물음에 답하세요.

과수원별 포도 생산량

과수원	생산량
새싹	
행복	
싱싱	
새콤	

100상자
10상자

05 싱싱 과수원의 포도 생산량은 새싹 과수원의 포도 생산량의 몇 배인가요?

( )

06 행복 과수원과 새콤 과수원에서 생산한 포도를 트럭 4대에 똑같이 나누어 실으려고 합니다. 트럭 한 대에 포도를 몇 상자씩 실으면 될까요?

( )

맞힌 개수	0~5개	6~7개	8~9개	10~11개
평가	실수가 많군!	보통이야!	잘했어!	최고야!

정답 및 풀이 > 39쪽

[07~08] 스키 캠프에 참가한 학생 수를 학년별로 조사하여 나타낸 그림그래프입니다. 스키 캠프에 참가한 학생은 모두 180명이고, 6학년은 4학년보다 13명 더 많습니다. 물음에 답하세요.

학년별 스키 캠프에 참가한 학생 수

학년	학생 수
3학년	◯◯◯○○
4학년	
5학년	◯◯◯◯◯○○○
6학년	

◯ 10명
○ 1명

07 스키 캠프에 참가한 6학년은 몇 명인가요?

( )

08 가장 많은 학생들이 참가한 학년과 가장 적은 학생들이 참가한 학년의 학생 수의 차는 몇 명인가요?

( )

09 농장별 하루 동안 판매한 치즈의 수를 조사하여 나타낸 표입니다. 표를 보고 그림그래프로 나타내어 보세요.

농장별 판매한 치즈의 수

농장	신선	드림	세계	합계
치즈의 수(개)	380	260	400	1040

농장별 판매한 치즈의 수

농장	치즈의 수
신선	
드림	
세계	

◎ 100개
△ 50개
○ 10개

★ 최상위

10 마을별 인구를 조사하여 나타낸 그림그래프입니다. 가 마을의 인구는 라 마을보다 70명 더 많고, 네 마을의 인구의 합은 1200명입니다. 강의 북쪽과 남쪽 중 어느 쪽 인구가 몇 명 더 많은지 구해 보세요.

마을별 인구

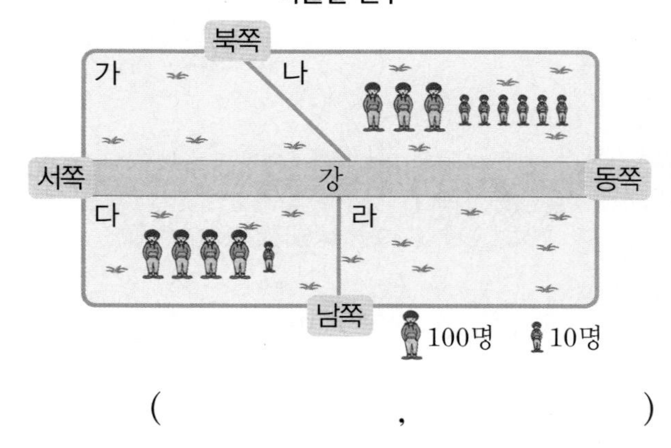

(,)

★ 최상위

11 민석이네 모둠 학생들이 한 달 동안 모은 우표의 수를 조사하여 나타낸 그림그래프입니다. 네 사람의 우표가 모두 570장일 때 진환이가 모은 우표는 몇 장인지 구해 보세요.

한 달 동안 모은 우표의 수

이름	우표의 수
민석	
선미	
진환	
우희	

㉠장
㉡장

( )

6 단원

쉬어가기 사자성어

결초보은

結 草 報 恩

맺을 결 풀 초 갚을 보 은혜 은

바로 뜻 풀을 엮어서 은혜를 갚는다는 뜻.

깊은 뜻 죽어서도 잊지 않고 은혜를 갚는다는 말이에요.

이럴 때 쓰는 말이야!

옛날에 흥부와 놀부 형제가 살았어요. 형 놀부는 지독한 심술꾸러기였고, 동생 흥부는 마음씨가 비단결 같았어요.

어느 날 제비가 흥부네 집 지붕에서 마당에 떨어져 다리가 부러졌어요. 흥부는 제비의 부러진 다리를 정성껏 치료해 주었고, 건강해진 제비는 가을이 되어 남쪽으로 날아갔어요.

다시 흥부네 집에 찾아 온 제비는 박씨 하나를 주고 갔어요. 흥부는 제비가 물어다 준 박씨를 심었더니 지붕 가득 박이 열렸어요.

온 가족이 힘을 모아 커다란 박을 쪼개었더니 그 안에서 온갖 보물이 쏟아져 나왔어요!

제비는 자신의 다리를 고쳐준 흥부에게 □□□□하여 박씨를 물어다 준 것이랍니다.

잠깐! Quiz

Q □□□□에 들어갈 말은?

A 왼쪽 한자와 오른쪽 음을 알맞은 것끼리 선으로 이어 봅니다.

結 •	• 초
草 •	• 보
報 •	• 은
恩 •	• 결

사고력을 키워 상위권을 공략하는

큐브 수학 심화

경시대비북

◆ 경시대회 예상 문제 | 실전! 경시대회 모의고사

3·2

동아출판

경시대회 예상 문제

- 수학경시대회에서 자주 출제되는 문제들을 단원별로 2회씩 제공하였습니다.
- 진도북의 한 단원이 끝난 후 〈응용 단원 평가〉로 활용할 수 있습니다.

경시대회 모의고사

수학경시대회에서 출제될 수 있는 실전 문제, 신유형 문제, 사고력 문제, 고난도 문제입니다.
시험 시간에 맞게 평가를 실시하여 실전 경시대회에 대비합니다.

차례 및 성취 분석표

3·2

| **우수**인 경우는 진도북의 **〈응용 공략하기〉** 문제를 다시 한 번 풀어 보세요.
| **재도전**인 경우는 진도북의 **〈응용 개념〉**, **〈레벨UP공략법〉**을 다시 공부하세요.

1회 경시대회 예상 문제

1. 곱셈

맞힌 개수

1 빈칸에 알맞은 수를 써넣으세요.

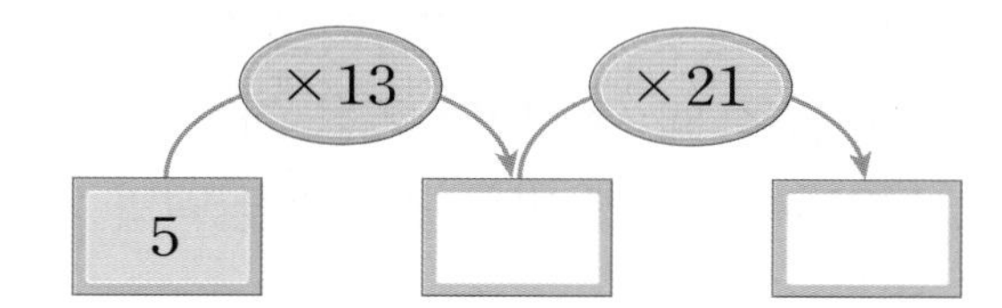

2 ㉠과 ㉡의 합을 구해 보세요.

㉠ 231×3　　㉡ 152×4

(　　　　　　　)

서술형

3 계산에서 잘못된 부분을 찾아 바르게 계산하고, 이유를 써 보세요.

$$\begin{array}{r} 64 \\ \times\ 12 \\ \hline 128 \\ 64 \\ \hline 192 \end{array}$$

→

이유

4 다음이 나타내는 수를 구해 보세요.

40을 60번 더한 수

(　　　　　　　)

5 도로의 한쪽에 처음부터 끝까지 452 cm 간격으로 가로수 10그루를 심었습니다. 이 도로의 길이는 몇 cm일까요? (단, 가로수의 두께는 생각하지 않습니다.)

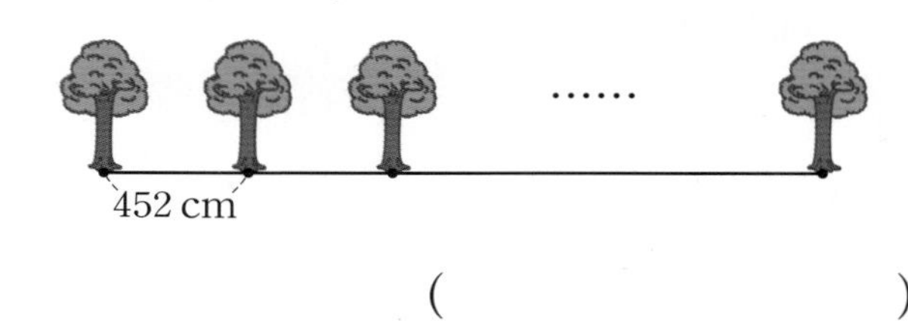

(　　　　　　　)

6 한 상자에 124개씩 들어 있는 방울토마토가 3상자 있었습니다. 이 중에서 25개를 먹었다면 남은 방울토마토는 몇 개일까요?

(　　　　　　　)

1회 예상 문제

7 수 카드 [3], [8]을 한 번씩만 사용하여 계산 결과가 더 큰 곱셈식을 만들려고 합니다. ㉠, ㉡에 알맞은 수를 각각 구해 보세요.

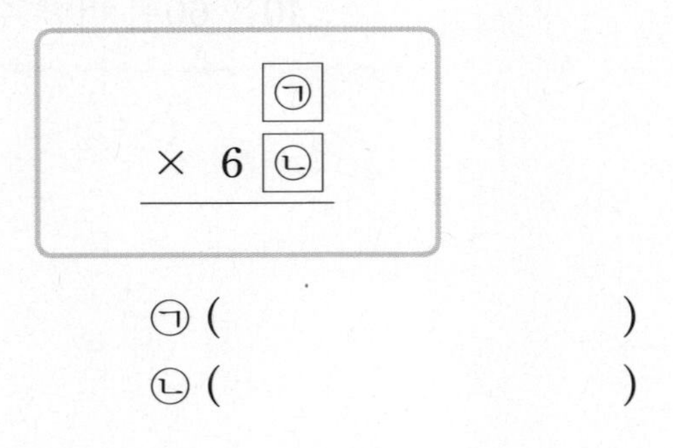

㉠ (　　　　　　　　)
㉡ (　　　　　　　　)

8 어떤 수에 14를 곱해야 할 것을 잘못하여 더했더니 86이 되었습니다. 바르게 계산한 값을 구해 보세요.

(　　　　　　　　)

서술형

9 ㉮와 ㉯ 문구점에 있는 지우개의 수입니다. 지우개가 더 많이 있는 문구점은 어느 문구점인지 풀이 과정을 쓰고, 답을 구해 보세요.

㉮ 문구점	219개씩 3상자
㉯ 문구점	107개씩 6상자

풀이

답

10 창의융합 다음은 어느 기간에 미국 돈 1달러를 우리나라 돈으로 바꾸었을 때의 금액입니다. 이 기간 중 어느 날에 미국 돈 35달러를 우리나라 돈으로 바꾸었을 때 우리나라 돈을 가장 많이 받은 경우와 가장 적게 받은 경우의 금액의 차는 얼마일까요?

3일	4일	5일	6일
1088원	1078원	1082원	1090원

(　　　　　　　　)

11 길이가 17 cm인 색 테이프 20장을 그림과 같이 3 cm씩 겹치게 이어 붙였습니다. 이어 붙인 색 테이프의 전체 길이는 몇 cm일까요?

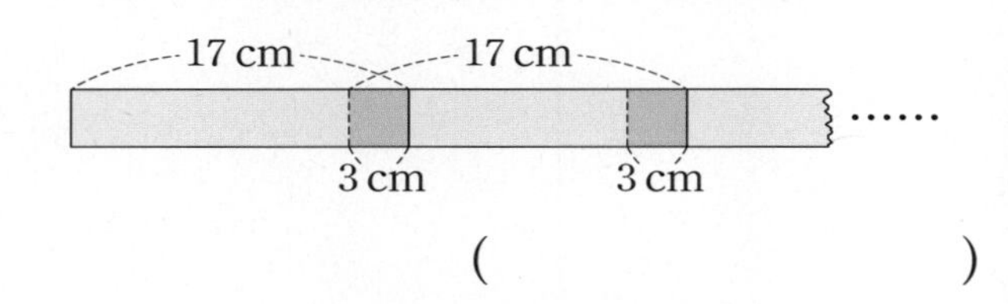

(　　　　　　　　)

12 ㉠과 ㉡은 서로 다른 한 자리 수입니다. ㉠과 ㉡에 알맞은 수를 각각 구해 보세요. (단, ㉠<㉡)

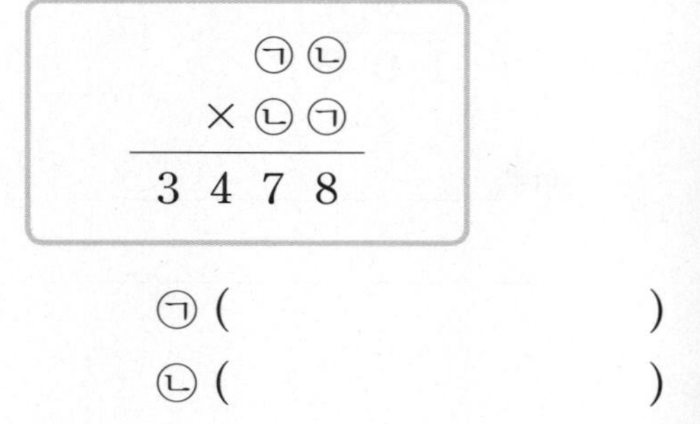

㉠ (　　　　　　　　)
㉡ (　　　　　　　　)

2회 경시대회 예상 문제

1. 곱셈

맞힌 개수

1 가장 큰 수와 가장 작은 수의 곱을 구해 보세요.

2	279	342	15

(　　　　　　　　)

2 ㉮와 ㉯가 나타내는 두 자리 수의 곱을 구해 보세요.

㉮ 10이 2개, 1이 8개인 수
㉯ 10이 1개, 1이 3개인 수

(　　　　　　　　)

3 □ 안에 알맞은 수를 써넣으세요.

$$\begin{array}{r} 7\ 5\ \square \\ \times \quad\quad 3 \\ \hline 2\ 2\ 7\ 4 \end{array}$$

4 계산 결과가 3000보다 큰 것을 모두 찾아 기호를 써 보세요.

㉠ 48×60	㉡ 39×80
㉢ 84×30	㉣ 50×70

(　　　　　　　　)

서술형

5 지훈이는 아몬드를 하루에 5개씩 3주 동안 먹었습니다. 지훈이가 먹은 아몬드는 모두 몇 개인지 풀이 과정을 쓰고, 답을 구해 보세요.

풀이

답

6 창의융합 서울에서 목포까지의 거리는 서울에서 수원을 지나 서산까지 거리의 3배입니다. 그림을 보고 서울에서 목포까지의 거리는 몇 km인지 구해 보세요.

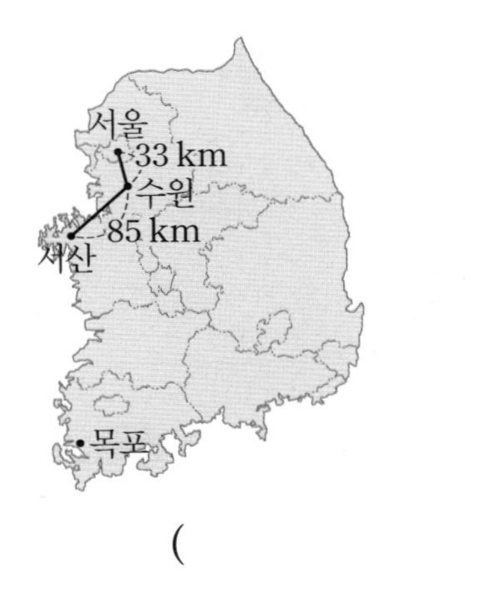

(　　　　　　　　)

2회 예상 문제

7 한 봉지에 12개씩 들어 있는 사탕을 한 상자에 23봉지씩 담았습니다. 3상자에 담은 사탕은 모두 몇 개일까요?

( )

8 □ 안에 들어갈 수 있는 수 중에서 가장 큰 수는 얼마일까요?

$7 \times 54 > \square \times 46$

( )

서술형

9 정민이와 선호는 다음과 같이 동화책을 읽었습니다. 정민이와 선호 중에서 책을 더 많이 읽은 사람은 누구인지 풀이 과정을 쓰고, 답을 구해 보세요.

정민: 21쪽씩 30일 동안

선호: 32쪽씩 20일 동안

풀이

답

10 신선 농장에 있는 동물의 수입니다. 이 농장에 있는 동물의 다리는 모두 몇 개일까요?

동물	오리	돼지
수(마리)	213	108

( )

11 자전거 공장에서 자전거를 1시간 동안 ㉮ 기계는 64대, ㉯ 기계는 58대 만듭니다. ㉮ 기계는 12시간 동안, ㉯ 기계는 13시간 동안 쉬지 않고 자전거를 만들었다면 어느 기계가 몇 대 더 많이 만들었을까요?

(,)

12 4장의 수 카드를 한 번씩만 사용하여 (세 자리 수)×(한 자리 수)의 곱셈식을 만들었습니다. 만든 곱셈식의 곱이 가장 클 때와 가장 작을 때의 두 곱의 차를 구해 보세요.

2 5 3 7

( )

3회 경시대회 예상 문제

2. 나눗셈

맞힌 개수

1 나머지가 5가 될 수 없는 식을 찾아 기호를 써 보세요.

㉠ □÷7　㉡ □÷6
㉢ □÷5　㉣ □÷9

(　　　　　　　　)

2 두 나눗셈의 나머지의 합을 구해 보세요.

49÷4　　78÷7

(　　　　　　　　)

서술형

3 계산에서 잘못된 부분을 찾아 바르게 계산하고, 이유를 써 보세요.

$$\begin{array}{r} 2\ 4 \\ 3\,\overline{)\,7\ 6} \\ 6 \\ \hline 1\ 6 \\ 1\ 2 \\ \hline 4 \end{array}$$

→ □

이유

4 3으로 나누어떨어지는 수를 모두 찾아 써 보세요.

47　51　64　93

(　　　　　　　　)

5 나눗셈의 몫이 가장 큰 것을 찾아 기호를 써 보세요.

㉠ 80÷4　㉡ 60÷5
㉢ 50÷2　㉣ 90÷6

(　　　　　　　　)

6 빨간 색종이 23장과 파란 색종이 37장을 4명에게 똑같이 나누어 주려고 합니다. 한 사람에게 몇 장씩 줄 수 있을까요?

(　　　　　　　　)

7 창의융합 농구에서 자유투는 1점, 일반 슛은 2점, 3점 슛 라인 밖에서 공을 넣으면 3점이 주어집니다. 다음은 Ⓐ, Ⓑ 두 팀이 각각 넣은 3점 슛의 점수입니다. 두 팀의 3점 슛의 골 수는 각각 몇 개인지 구해 보세요.

Ⓐ 팀	Ⓑ 팀
45점	39점

Ⓐ 팀 (　　　　)
Ⓑ 팀 (　　　　)

8 길이가 335 m인 도로의 양쪽에 5 m 간격으로 가로등을 설치하려고 합니다. 도로의 처음과 끝에도 가로등을 설치한다면 필요한 가로등은 모두 몇 개일까요? (단, 가로등의 두께는 생각하지 않습니다.)

(　　　　)

서술형

9 어떤 수에 9를 곱해야 할 것을 잘못하여 9로 나누었더니 몫이 27, 나머지가 4였습니다. 바르게 계산하면 얼마인지 풀이 과정을 쓰고, 답을 구해 보세요.

풀이

답

10 나눗셈식에서 ㉠+㉡+㉢+㉣+㉤의 값을 구해 보세요.

```
      1 0 ㉡
㉠ ) 8 7 ㉢
     8
       7 5
       ㉣㉤
         3
```

(　　　　)

11 체육 시간에 학생 75명이 부르는 수만큼씩 모여 짝을 짓는 놀이를 했습니다. 첫 번째에는 6명씩, 두 번째에는 첫 번째에 짝을 지었던 학생들 중에서 5명씩 짝을 지었습니다. 두 번째에서 짝을 짓지 못하고 남은 학생은 몇 명일까요?

(　　　　)

12 3장의 수 카드 중에서 2장을 골라 한 번씩만 사용하여 만든 두 자리 수를 남은 수로 나누었습니다. 나올 수 있는 가장 큰 몫과 가장 작은 몫을 구하여 (가장 큰 몫)÷(가장 작은 몫)의 값을 구해 보세요.

2　4　8

(　　　　)

4회 경시대회 예상 문제

2. 나눗셈

맞힌 개수

1 □ 안에 알맞은 수를 써넣으세요.

60 → ÷2 → ÷3 → □

2 몫이 다른 하나를 찾아 기호를 써 보세요.

㉠ $24 \div 2$	㉡ $48 \div 4$
㉢ $50 \div 5$	㉣ $36 \div 3$

(　　　　　　)

3 색 띠 6 cm로 리본을 1개 만들 수 있습니다. 색 띠 72 cm로는 리본을 몇 개 만들 수 있을까요?

(　　　　　　)

4 문제를 바르게 설명한 사람이 누구인지 찾아 이름을 써 보세요.

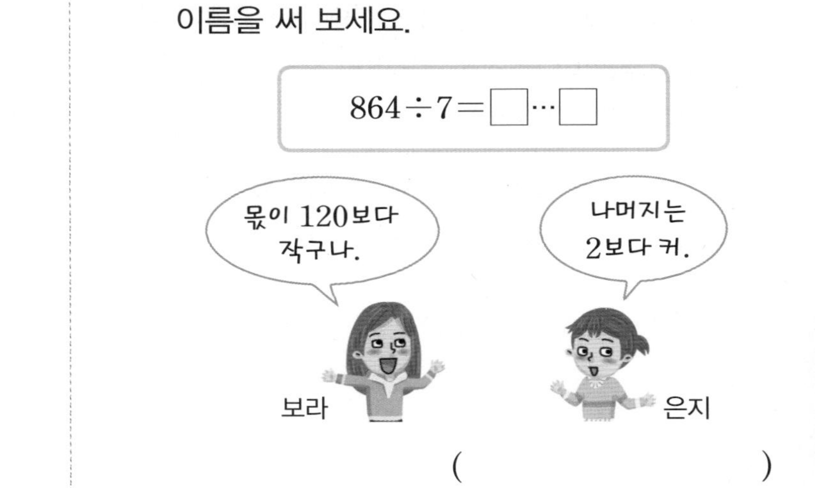

$864 \div 7 = □ \cdots □$
몫이 120보다 작구나.
나머지는 2보다 커.
보라
은지

(　　　　　　)

5 □ 안에 알맞은 수가 가장 큰 것을 찾아 기호를 써 보세요.

㉠ $96 \div 3 = □$
㉡ $2 \times □ = 68$
㉢ $92 \div 4 = □$

(　　　　　　)

서술형

6 여학생 38명과 남학생 42명이 있습니다. 학생들이 한 줄에 5명씩 서면 모두 몇 줄이 되는지 풀이 과정을 쓰고, 답을 구해 보세요.

풀이

답

4회 경시대회 예상 문제

7 창의융합 정월대보름에는 부럼을 깨서 먹는 풍습이 있습니다. 부럼으로 깨 먹을 땅콩을 어머니와 아버지께서 다음과 같이 사 오셨습니다. 6명이 남김없이 똑같이 나누어 먹으려면 땅콩은 적어도 몇 개 더 필요할까요?

(부럼: 땅콩, 호두 등 껍질이 단단한 견과류)

어머니	아버지
20개	32개

(　　　　　　)

8 서현이와 민준이는 길이가 같은 철사를 하나씩 가지고 있었습니다. 서현이가 가지고 있던 철사를 7 cm씩 잘랐더니 13도막이 되고 1 cm가 남았습니다. 민준이는 철사를 8 cm씩 자른다면 몇 도막이 되고, 몇 cm가 남을까요?

(　　　　　　,　　　　　　)

9 서술형 □ 안에 들어갈 수 있는 두 자리 수는 모두 몇 개인지 풀이 과정을 쓰고, 답을 구해 보세요.

$340 \div 4 < \square < 445 \div 5$

풀이

답

10 조건을 모두 만족하는 세 자리 수를 구해 보세요.

- 107보다 크고 111보다 작습니다.
- 9로 나누었을 때 나머지가 2입니다.

(　　　　　　)

11 다음 나눗셈의 나머지는 2입니다. □ 안에 들어갈 수 있는 한 자리 수를 모두 구해 보세요.

$7\square \div 5$

(　　　　　　)

12 한 변이 30 cm인 정사각형의 네 변에 2 cm 간격으로 점을 찍으려고 합니다. 네 꼭짓점에 모두 점을 찍을 때 정사각형의 네 변에 찍는 점은 모두 몇 개일까요?

(　　　　　　)

5회 경시대회 예상 문제

3. 원

맞힌 개수

1 원의 반지름을 나타내는 선분을 모두 찾아 써 보세요.

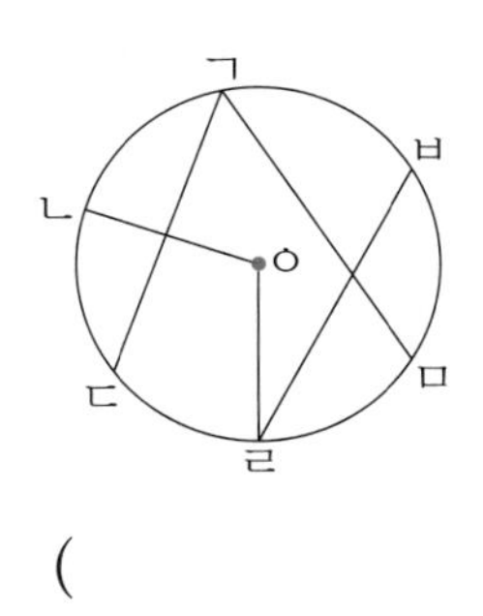

( )

2 다음과 같은 모양을 그리기 위해 컴퍼스의 침을 꽂아야 할 곳은 모두 몇 군데입니까?

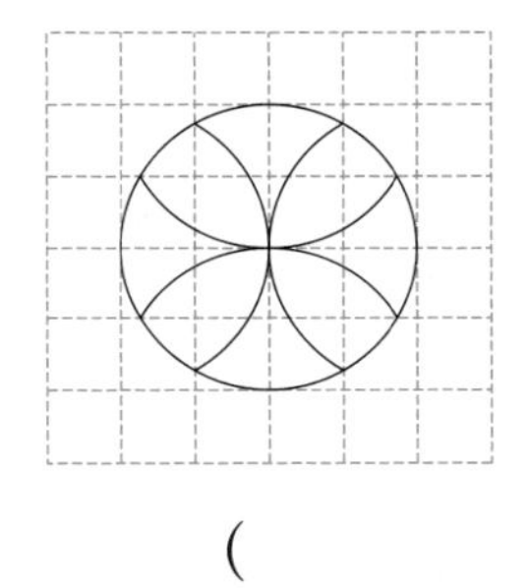

( )

서술형

3 어떤 규칙이 있는지 '원의 중심'과 '원의 반지름'을 넣어 설명해 보세요.

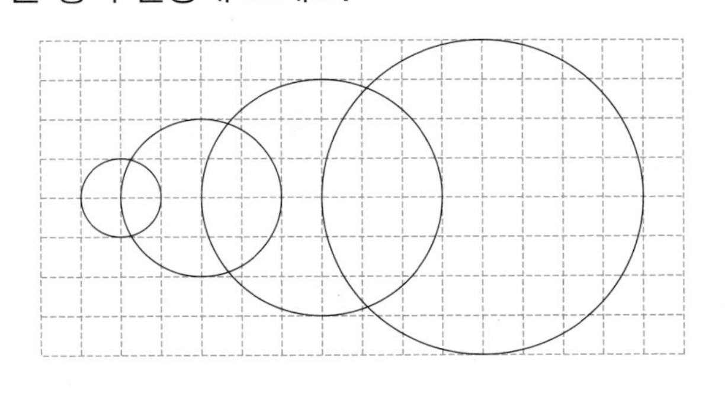

설명

4 정사각형 안에 가장 큰 원을 그렸습니다. 원의 반지름은 몇 cm일까요?

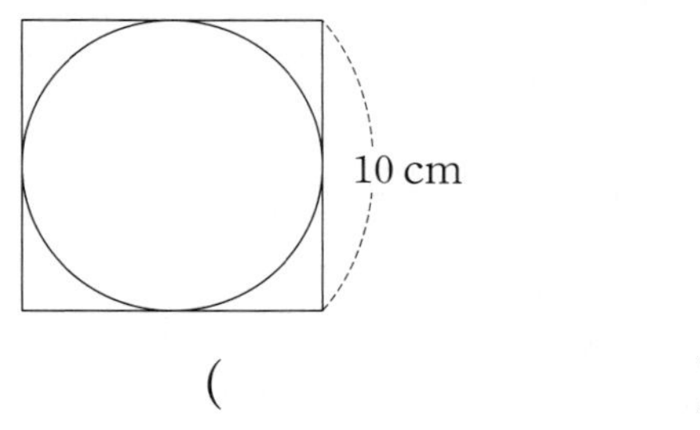

( )

5 정사각형 안에 주어진 점을 원의 중심으로 하여 반지름이 1 cm인 원을 그려 모양을 완성해 보세요.

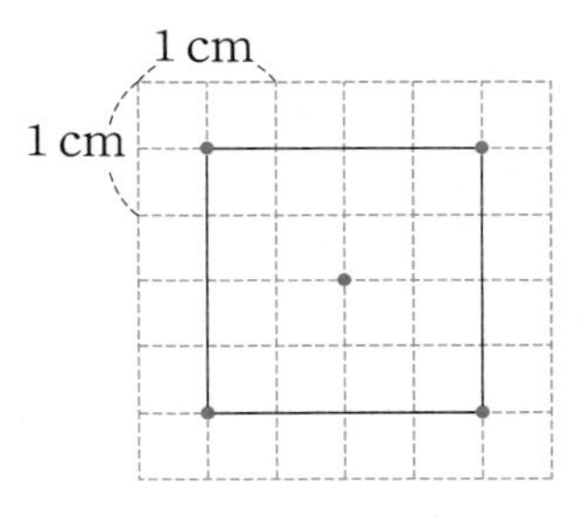

6 창의융합 채은이는 집에서 300 m 안에 있는 가게로 심부름을 가려고 합니다. 갈 수 있는 가게를 모두 찾아 기호를 써 보세요.

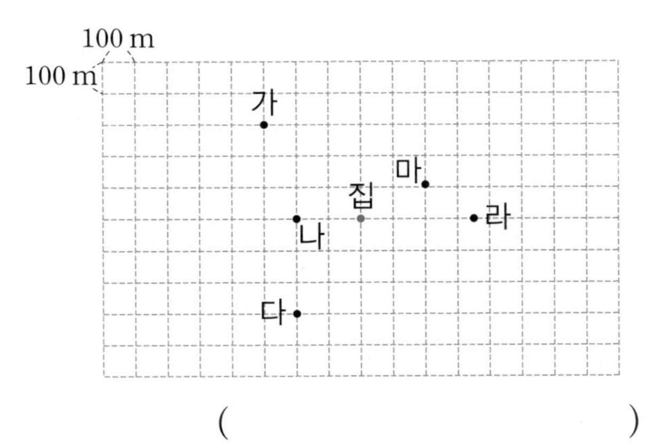

( )

5회 예상 문제

7 지름이 18 cm인 원 4개를 그림과 같이 서로 중심이 지나도록 겹쳐 놓았습니다. 선분 ㄱㄴ의 길이는 몇 cm일까요?

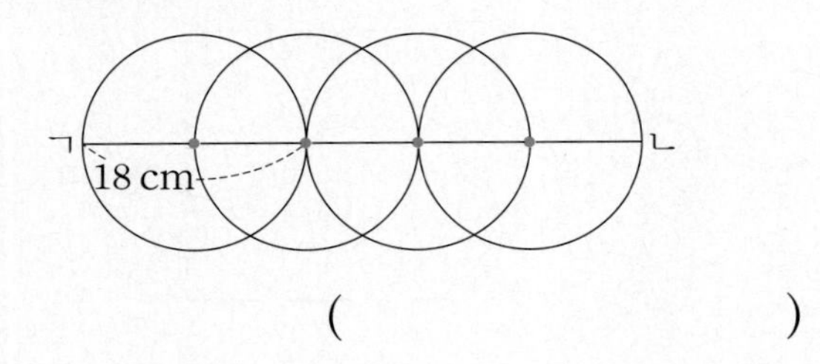

(　　　　　　　　　　　)

8 각 점은 원의 중심일 때 선분 ㄱㄴ의 길이는 몇 cm일까요?

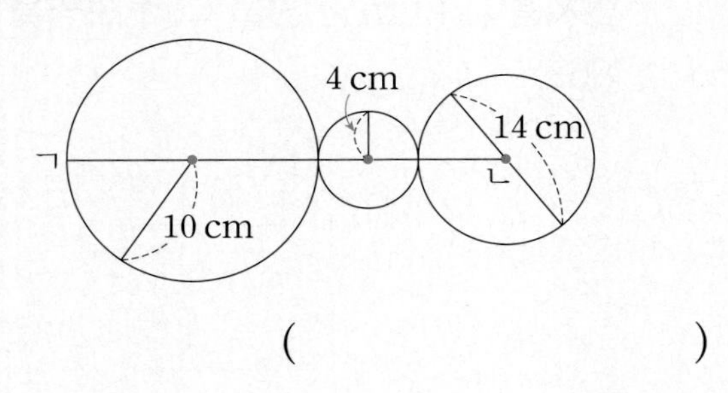

(　　　　　　　　　　　)

서술형

9 세 원 ㉠, ㉡, ㉢의 크기를 비교하여 큰 것부터 차례로 기호를 쓰려고 합니다. 풀이 과정을 쓰고, 답을 구해 보세요.

- (원 ㉠의 반지름)$=5$ cm
- (원 ㉡의 반지름)$+$(원 ㉠의 지름)$=16$ cm
- (원 ㉢의 지름)$=$(원 ㉡의 반지름)$+2$ cm

풀이

답

10 각 점은 원의 중심이고 작은 두 원의 크기는 같습니다. 큰 원의 지름의 길이는 작은 원의 지름의 길이의 2배일 때 삼각형 ㄱㄴㄷ의 세 변의 길이의 합은 몇 cm일까요?

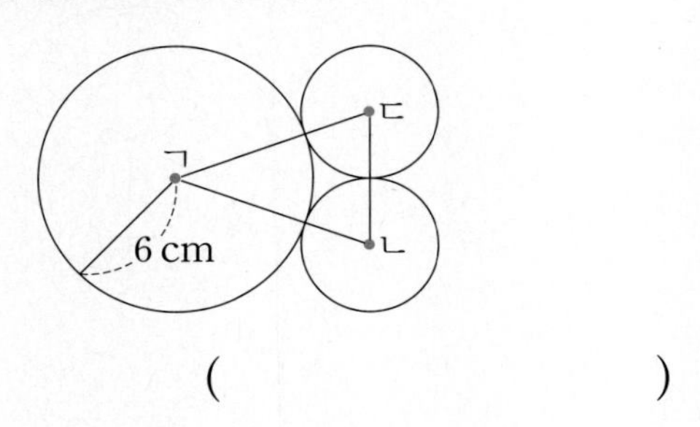

(　　　　　　　　　　　)

11 각 점은 원의 중심이고 선분 ㄱㄴ의 길이가 56 cm일 때 큰 원의 반지름과 작은 원의 반지름의 차는 몇 cm일까요?

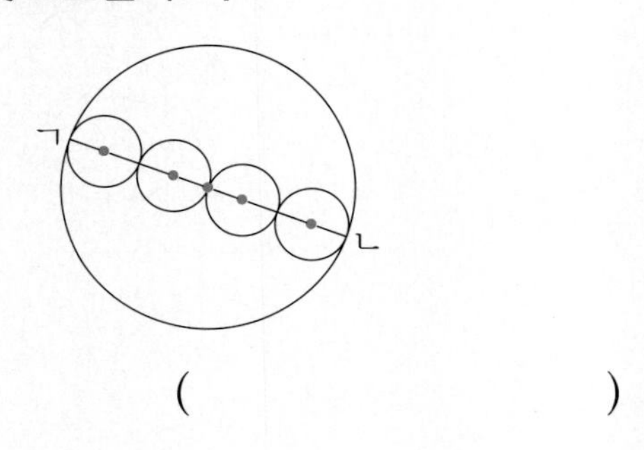

(　　　　　　　　　　　)

12 직사각형 안에 크기가 같은 큰 원 2개와 크기가 같은 작은 원 2개를 맞닿게 이어 그린 것입니다. 각 점은 원의 중심일 때 선분 ㅁㅇ의 길이는 몇 cm일까요?

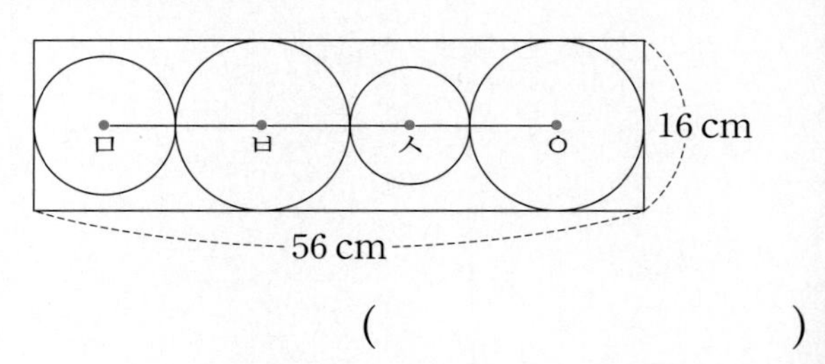

(　　　　　　　　　　　)

6회 경시대회 예상 문제

3. 원

맞힌 개수

1 컴퍼스를 이용하여 지름이 14 cm인 원을 그리려면 컴퍼스의 침과 연필심 사이의 거리를 몇 cm로 해야 할까요?

( )

2 규칙에 따라 원을 그렸습니다. 가장 작은 원의 반지름이 1 cm일 때 가장 큰 원의 반지름은 몇 cm일까요?

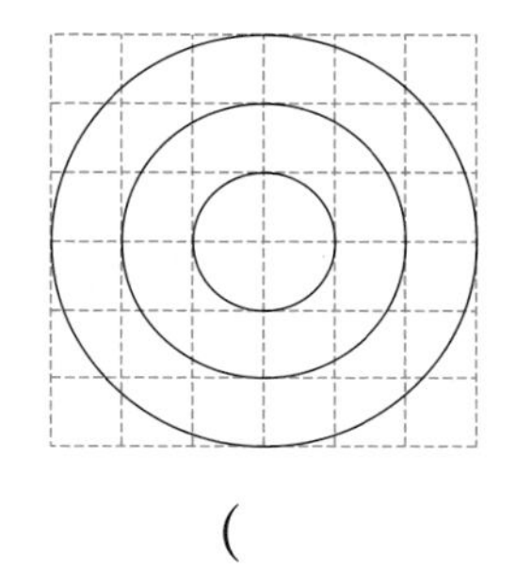

( )

3 규칙에 따라 원을 1개 더 그려 보세요.

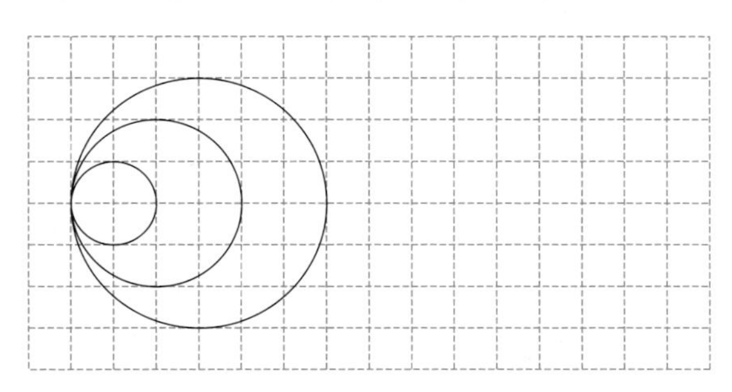

4 가와 나에서 찾을 수 있는 원의 중심의 개수의 합은 몇 개일까요?

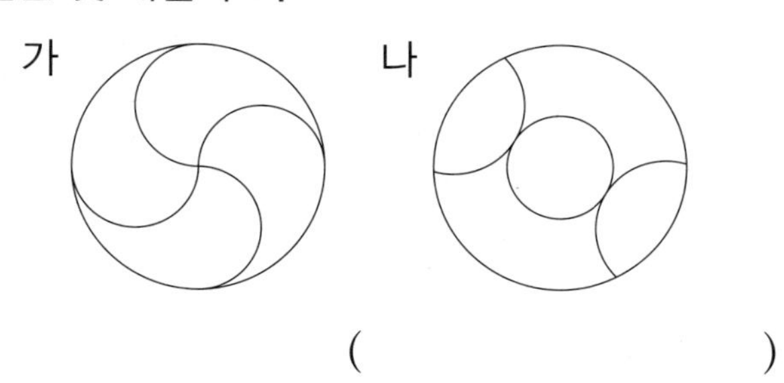

( )

서술형

5 오른쪽 그림은 원의 중심이 같은 3개의 원입니다. 3개의 원 중에서 가장 작은 원의 지름은 몇 cm인지 풀이 과정을 쓰고, 답을 구해 보세요.

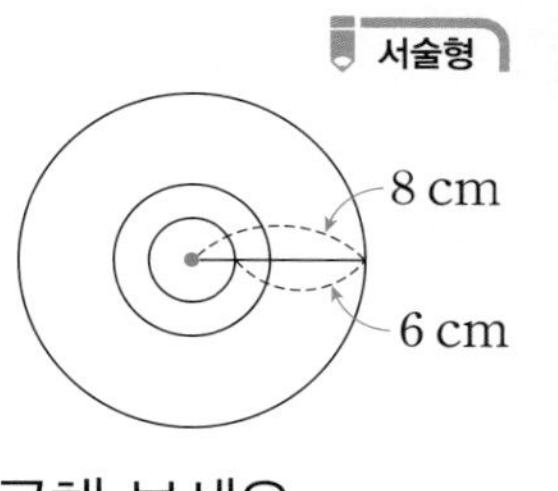

풀이

답

6 창의융합 우리나라 타악기 중 꽹과리, 소고, 징은 몸체가 원 모양입니다. 이 악기들의 몸체를 따라 그렸을 때 원의 지름의 길이 또는 반지름의 길이를 나타낸 것입니다. 원의 크기가 작은 것부터 차례로 악기의 이름을 써 보세요.

꽹과리	소고	징
지름: 21 cm	지름: 20 cm	반지름: 18 cm

( )

경시대회 예상 문제

7 누름 못과 그림과 같은 띠 종이를 이용하여 원을 그리려고 합니다. 띠 종이의 구멍 중 한 곳에는 누름 못을, 다른 한 곳에는 연필심을 꽂아 원을 그릴 때 크기가 서로 다른 원은 모두 몇 가지 그릴 수 있을까요?

ㄱ ㄴ ㄷ

( )

8 가로가 21 cm, 세로가 3 cm인 직사각형 안에 그릴 수 있는 가장 큰 원을 겹치지 않게 그리려고 합니다. 원을 몇 개까지 그릴 수 있을까요?

( )

서술형

9 점 ㅇ은 원의 중심입니다. 직사각형의 네 변의 길이의 합이 48 cm일 때 원의 반지름은 몇 cm인지 풀이 과정을 쓰고, 답을 구해 보세요.

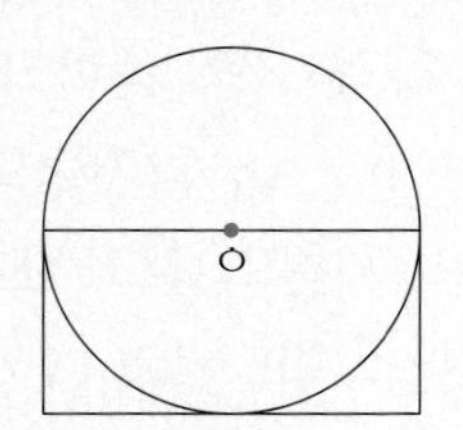

풀이

답

10 지름이 9 cm인 원 5개를 그림과 같이 맞닿게 그린 후 둘레를 선분으로 그었습니다. 원을 둘러싼 빨간색 선의 길이는 몇 cm일까요?

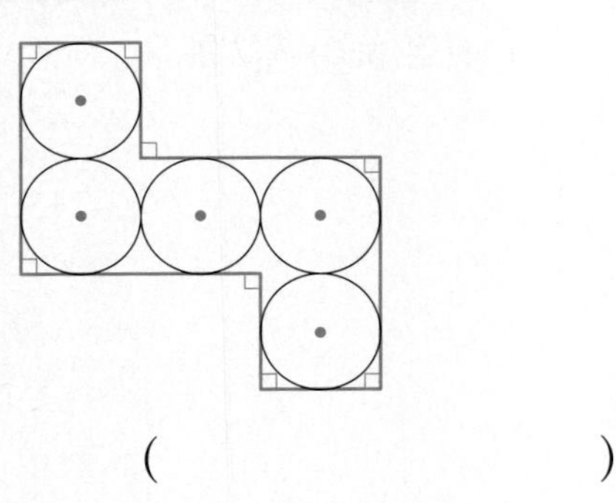

( )

11 각 점은 원의 중심이고 삼각형 ㄱㄴㄷ의 세 변의 길이의 합이 28 cm일 때 선분 ㄹㅁ의 길이는 몇 cm일까요?

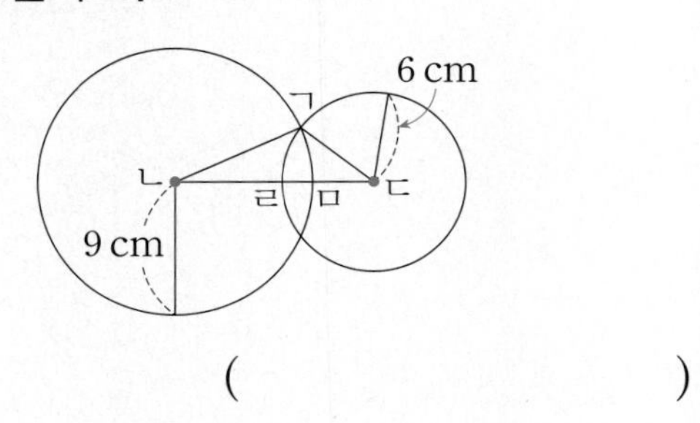

( )

12 큰 원 안에 크기가 같은 작은 원 3개를 그렸습니다. 각 점은 원의 중심이고 큰 원의 반지름이 17 cm일 때 작은 원의 반지름은 몇 cm일까요?

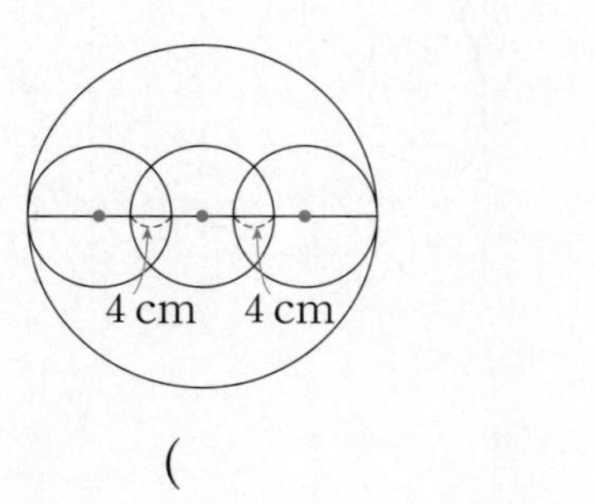

( )

7회 경시대회 예상 문제

4. 분수

맞힌 개수

1 분모가 5인 진분수를 모두 써 보세요.

( )

2 ㉮와 ㉯가 나타내는 수의 합을 구해 보세요.

㉮ 35의 $\frac{2}{7}$	㉯ 72의 $\frac{1}{8}$

( )

3 바구니 안에 야구공이 20개 있습니다. 바구니 안에 있는 야구공의 $\frac{2}{5}$는 몇 개일까요?

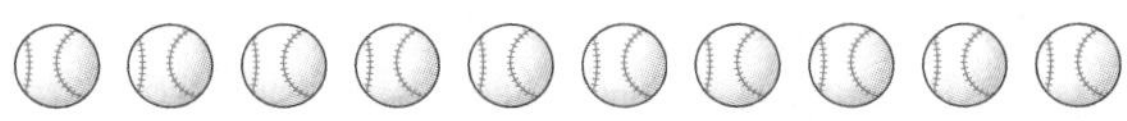

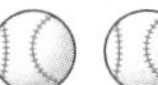

( )

4 정혁이가 말하는 가분수 중에서 가장 작은 수를 써 보세요.

( )

5 창의융합 바나나망고주스를 만드는 방법입니다. 대분수를 찾아 가분수로 나타내어 보세요.

① 바나나 $\frac{3}{4}$개와 망고 $\frac{3}{2}$개를 껍질을 까고, 잘게 자릅니다.

② 믹서기에 바나나, 망고와 요구르트 $2\frac{1}{4}$개를 넣고 함께 갈아줍니다.

( )

6 서술형 ㉠과 ㉡의 합은 얼마인지 풀이 과정을 쓰고, 답을 구해 보세요.

- 7은 ㉠의 $\frac{1}{3}$입니다.
- ㉡은 27의 $\frac{2}{9}$입니다.

풀이

답

7회 경시대회 예상 문제

7 두 분수의 크기를 비교하여 더 큰 분수를 위의 빈칸에 써넣으세요.

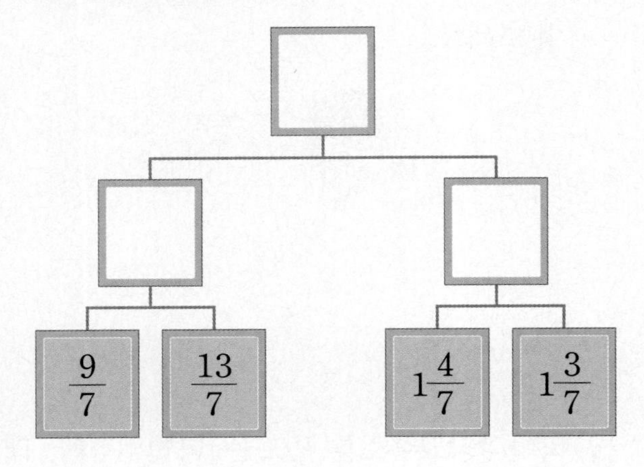

서술형

8 성민이는 집에서 할머니 댁까지 가는 데 버스를 $1\frac{7}{15}$시간, 기차를 $\frac{21}{15}$시간, 승용차를 $1\frac{4}{15}$시간 동안 탔습니다. 성민이가 가장 오랫동안 탄 교통수단은 어느 것인지 풀이 과정을 쓰고, 답을 구해 보세요.

풀이

답

9 어떤 끈의 길이의 $\frac{5}{6}$는 60 cm입니다. 이 끈의 길이의 $\frac{1}{3}$은 몇 cm일까요?

(　　　　　　)

10 4장의 수 카드 중에서 3장을 뽑아 한 번씩만 사용하여 만들 수 있는 대분수는 모두 몇 개일까요?

(　　　　　　)

11 떨어진 높이의 $\frac{3}{4}$만큼 튀어 오르는 공이 있습니다. 이 공을 64 m의 높이에서 떨어뜨렸다면 두 번째로 튀어 오른 공의 높이는 몇 m일까요?

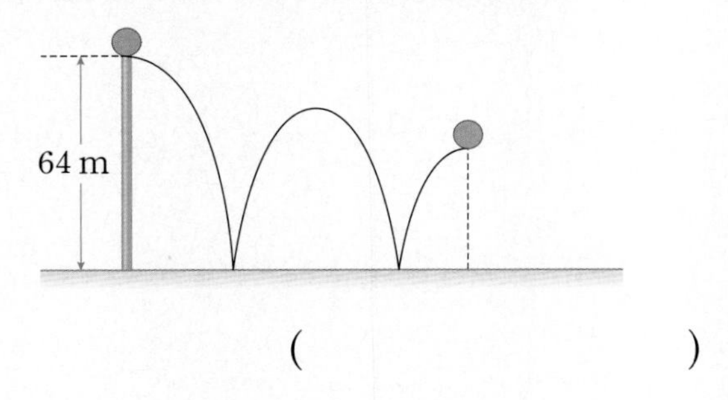

(　　　　　　)

12 어느 빵집에서 오전에 만든 빵의 $\frac{3}{5}$만큼을 오전에 팔았습니다. 오후에는 오후에 새로 만든 빵 50개와 오전에 팔고 남은 빵을 모두 팔았습니다. 오전과 오후에 판 빵의 수가 같을 때 오전에 만든 빵은 몇 개일까요?

(　　　　　　)

8회 경시대회 예상 문제

4. 분수

맞힌 개수

1 ㉠과 ㉡에 알맞은 분수를 각각 구해 보세요.

- 21을 3씩 묶으면 9는 21의 ㉠입니다.
- 21을 7씩 묶으면 14는 21의 ㉡입니다.

㉠ (　　　　　　　)
㉡ (　　　　　　　)

2 □ 안에 알맞은 가분수를 써넣으세요.

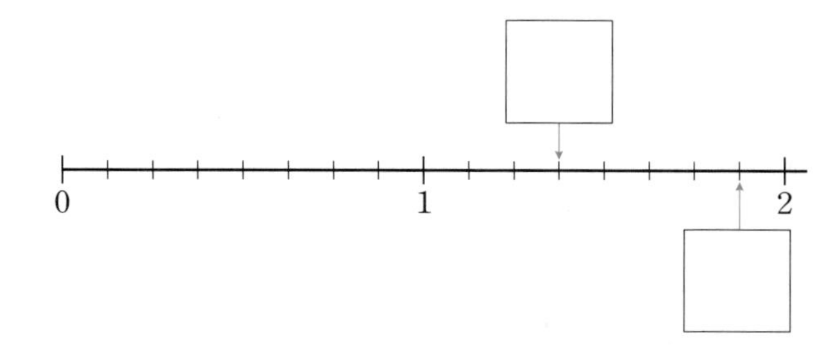

서술형

3 가분수는 진분수보다 몇 개 더 많은지 풀이 과정을 쓰고, 답을 구해 보세요.

$\frac{8}{3}$　$\frac{3}{4}$　$1\frac{2}{5}$　$\frac{9}{9}$
$\frac{7}{12}$　$\frac{6}{6}$　$\frac{11}{7}$　$\frac{5}{2}$

풀이

답

4 바르게 나타낸 것을 찾아 기호를 써 보세요.

㉠ 12 m의 $\frac{5}{6}$는 10 m입니다.
㉡ 30 m의 $\frac{1}{3}$은 15 m입니다.
㉢ 36 m의 $\frac{3}{4}$은 12 m입니다.

(　　　　　　　)

5 정우, 은지, 경수가 가진 끈의 길이를 나타낸 것입니다. 가장 짧은 끈을 가진 사람의 이름을 써 보세요.

정우	은지	경수
$\frac{18}{9}$ m	$2\frac{1}{9}$ m	$\frac{20}{9}$ m

(　　　　　　　)

6 사탕이 25개 있었는데 그중의 $\frac{3}{5}$을 먹었습니다. 먹고 남은 사탕은 몇 개일까요?

(　　　　　　　)

8회 예상 문제

7 □ 안에 들어갈 수 있는 자연수는 모두 몇 개일까요?

$$6\frac{4}{5} < \frac{\square}{5} < 7\frac{2}{5}$$

( )

8 지선이는 종이띠 14 m를 가지고 있었는데 전체의 $\frac{1}{2}$은 현아에게 주고 전체의 $\frac{1}{7}$은 성호에게 주었습니다. 남은 종이띠의 길이는 몇 m일까요?

( )

9 창의융합 태극기를 정해진 규격에 맞게 그리려면 세로는 가로의 $\frac{2}{3}$이고 태극 문양의 지름은 세로의 $\frac{1}{2}$이어야 합니다. 가로가 39 cm인 태극기의 태극 문양의 지름은 몇 cm일까요?

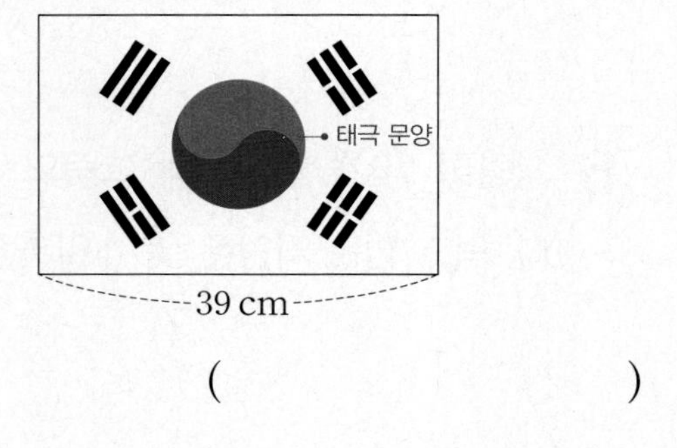

( )

서술형

10 5장의 수 카드 중 3장을 골라 한 번씩만 사용하여 분모가 7인 가장 큰 대분수를 만들려고 합니다. 만든 대분수를 가분수로 나타내면 얼마인지 풀이 과정을 쓰고, 답을 구해 보세요.

1	2	3	5	7

풀이

답

11 분자와 분모의 합이 17이고 차가 5인 가분수를 구하여 대분수로 나타내어 보세요.

( )

12 일정한 빠르기로 타는 양초가 있습니다. 이 양초에 불을 붙이고 21분이 지난 후 양초의 길이를 재어 보니 처음 양초 길이의 $\frac{4}{7}$가 남았습니다. 남은 양초가 모두 타려면 앞으로 몇 분이 더 걸릴까요?

( )

9회 경시대회 예상 문제

5. 들이와 무게

맞힌 개수

1 무게의 단위를 알맞게 나타낸 것을 찾아 기호를 써 보세요.

㉠ 8400 g=84 kg
㉡ 1 kg 700 g=1700 g
㉢ 4 t=400 kg

( )

2 수조에 가득 담긴 물을 들이가 1 L인 비커 4개에 다음과 같이 반씩 담았습니다. 이 수조의 들이는 약 몇 L일까요?

( )

서술형

3 선우는 토마토와 사과의 무게를 다음과 같이 비교했습니다. 선우가 무게를 옳게 비교했는지 네, 아니요로 쓰고, 그렇게 생각한 이유를 써 보세요.

토마토 1개와 사과 1개의 무게는 서로 같습니다. 왜냐하면 토마토와 사과의 무게가 각각 동전 35개의 무게와 같기 때문입니다.

답

이유

4 단위를 잘못 사용한 문장을 모두 찾아 기호를 써 보세요.

㉠ 주사기의 들이는 약 3 mL입니다.
㉡ 주전자의 들이는 약 1250 L입니다.
㉢ 컵의 들이는 약 150 L입니다.
㉣ 음료수 캔의 들이는 약 250 mL입니다.

( )

5 ㉮와 ㉯ 그릇에 물을 가득 채운 후 모양과 크기가 같은 컵에 각각 가득 옮겨 담았더니 다음과 같았습니다. ㉯ 그릇의 들이는 ㉮ 그릇의 들이의 몇 배일까요?

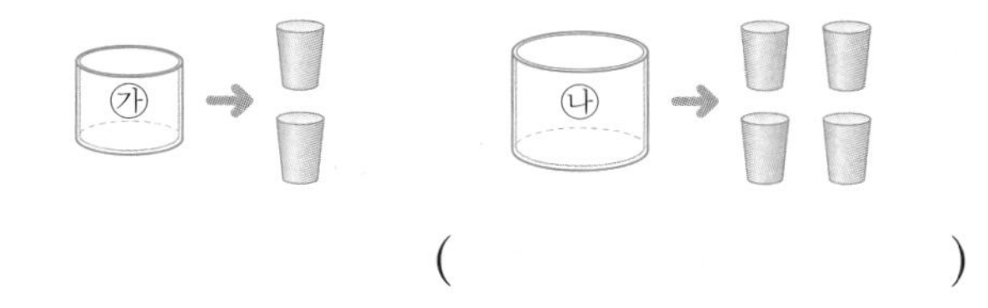

( )

6 현우의 몸무게를 기준으로 1 t의 무게를 어림해 보려고 합니다. 현우의 몸무게가 30 kg일 때, 1 t은 현우 몸무게의 약 몇 배쯤 되는지 구해 보세요.

( )

7 물 1 L 300 mL가 들어 있는 물통에 물 1 L 500 mL를 더 담은 후 600 mL를 마셨습니다. 지금 물통에 들어 있는 물은 몇 L 몇 mL일까요?

( )

8 물통과 주전자에 물을 가득 채우려면 ㉮ 컵과 ㉯ 컵으로 다음과 같이 각각 가득 채워 부어야 합니다. 바르게 이야기한 사람의 이름을 써 보세요.

	㉮ 컵	㉯ 컵
물통	2개	3개
주전자	6개	9개

- 보라: 주전자보다 물통에 물을 더 많이 담을 수 있어.
- 경수: ㉮와 ㉯ 컵 중 들이가 적은 컵은 ㉮ 컵이야.
- 민철: 주전자의 들이는 물통의 들이의 3배야.

(   )

서술형

9 무게를 재는 단위에는 근, 관이 있습니다. 고기 한 근은 600 g, 채소 한 관은 3 kg 750 g입니다. 다음 소고기와 당근의 무게의 합은 몇 kg 몇 g인지 풀이 과정을 쓰고, 답을 구해 보세요.

소고기	당근
4근 반	1관

풀이

답

10 들이가 다음과 같은 ㉮와 ㉯ 그릇을 모두 사용하여 들이가 3 L인 양동이에 물을 가득 채우려고 합니다. ㉯ 그릇에 물을 가득 담아 3번 부은 후 ㉮ 그릇에 물을 가득 담아 적어도 몇 번 부어야 양동이에 물이 가득 찰까요?

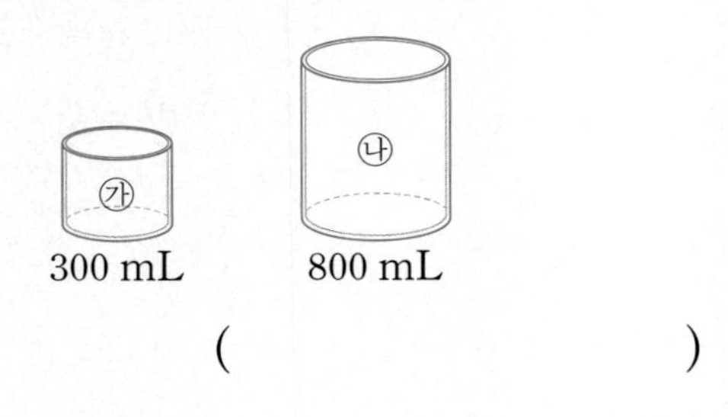

(   )

11 풀 2개와 지우개 3개의 무게가 같고 지우개 6개와 공책 1권의 무게가 같습니다. 공책 1권의 무게가 120 g일 때 풀 1개의 무게는 몇 g일까요? (단, 같은 물건끼리 무게가 같습니다.)

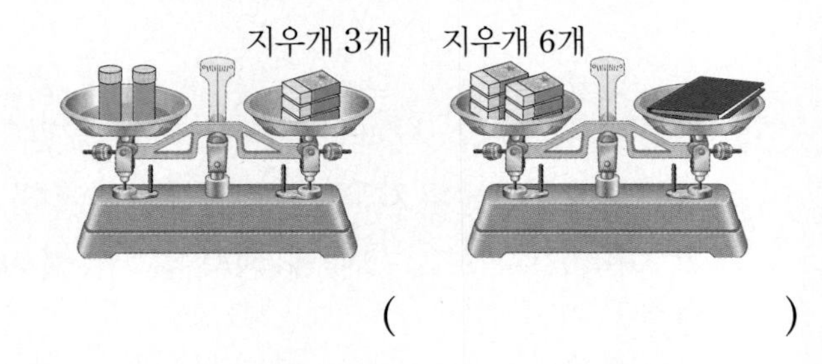

(   )

12 체중계가 고장이 나서 실제 몸무게보다 200 g 더 무겁게 나옵니다. 병주가 이 체중계로 몸무게를 재었더니 28 kg 500 g이었습니다. 동생은 병주보다 6 kg 200 g 더 가볍고, 형은 병주보다 2 kg 400 g 더 무겁습니다. 동생과 형의 몸무게의 합은 몇 kg 몇 g일까요?

(   )

10회 경시대회 예상 문제

5. 들이와 무게

맞힌 개수

1 들이가 적은 것부터 차례로 기호를 써 보세요.

㉠ 5 L
㉡ 4 L 620 mL
㉢ 4 L 98 mL

( )

2 보기에 주어진 물건을 선택하여 □ 안에 알맞게 써넣으세요.

보기
트럭 축구공 수박

(1) □의 무게는 약 6 kg입니다.

(2) □의 무게는 약 450 g입니다.

(3) □의 무게는 약 5 t입니다.

3 수조에 물을 가득 채우려면 각각의 컵으로 다음과 같이 가득 채워 부어야 합니다. 들이가 가장 많은 컵은 어느 것일까요?

컵	종이컵	머그잔	유리잔
부은 횟수(번)	6	5	4

( )

서술형

4 성훈이네 가족은 과수원에서 감을 땄습니다. 아버지는 3 kg 400 g을 땄고 성훈이는 아버지보다 1120 g 더 적게 땄습니다. 성훈이가 딴 감은 몇 kg 몇 g인지 풀이 과정을 쓰고, 답을 구해 보세요.

풀이

답

5 2 kg인 책가방의 무게를 더 가깝게 어림한 사람의 이름을 써 보세요.

지민	은경
약 2 kg 100 g	약 1 kg 800 g

( )

6 창의융합 색의 삼원색인 빨간색, 파란색, 노란색의 페인트를 섞어서 검은색 페인트를 만들었습니다. 검은색 페인트의 양은 몇 L 몇 mL일까요?

1 L 500 mL

2 L 300 mL

1 L 900 mL

( )

7 같은 기호의 공은 같은 무게를 나타낼 때 공 가와 나의 무게의 합은 바둑돌 31개의 무게와 같고, 공 가, 나, 다의 무게의 합은 바둑돌 48개의 무게와 같습니다. 바둑돌 1개의 무게가 4 g일 때 공 다의 무게는 몇 g일까요?

(   )

8 ㉮ 병의 들이는 ㉯ 병의 들이의 2배입니다. ㉮와 ㉯ 병에 물을 가득 담아 빈 수조에 각각 한 번씩 부었더니 수조에 물이 가득 찼습니다. 수조의 들이가 21 L일 때 ㉮ 병의 들이는 몇 L일까요?

(   )

서술형

9 500 mL들이 그릇과 800 mL들이 그릇을 사용하여 300 mL의 물을 담는 방법을 설명해 보세요.

설명 ______________________________

____

____

10 ㉠과 ㉡에 알맞은 수의 합을 구해 보세요.

	㉠ L	700 mL
+	8 L	㉡ mL
	14 L	350 mL

(   )

11 해수가 다음 강아지와 고양이를 안고 저울에 올라갔더니 무게가 41 kg 850 g이었습니다. 해수의 몸무게는 몇 kg 몇 g일까요?

강아지	고양이
3450 g	2800 g

(   )

12 무게가 같은 참외 몇 개를 바구니에 담아 무게를 재었더니 2 kg 360 g이었습니다. 참외 3개의 무게가 780 g이고, 빈 바구니의 무게가 540 g일 때 바구니 안에 있는 참외는 모두 몇 개인지 구해 보세요.

(   )

11회 경시대회 예상 문제

6. 자료의 정리

맞힌 개수

1 미주네 반 학생들이 좋아하는 운동을 조사하여 표로 나타내었습니다. 좋아하는 학생 수가 많은 운동부터 순서대로 써 보세요.

좋아하는 운동별 학생 수

운동	축구	농구	배구	야구	합계
학생 수(명)	7	8	6	9	30

(　　　　　　　　　　)

[2~3] 선미네 반 학생들이 좋아하는 과일을 조사하였습니다. 자료를 보고 물음에 답하세요.

좋아하는 과일

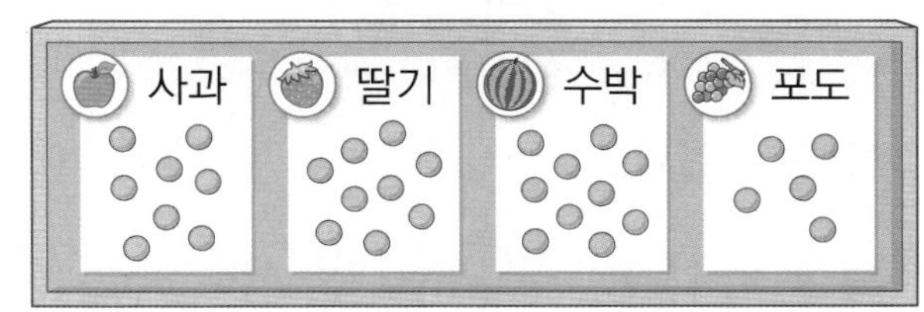

2 조사한 자료를 보고 표로 나타내어 보세요.

좋아하는 과일별 학생 수

과일	사과	딸기	수박	포도	합계
학생 수(명)					

3 수박을 좋아하는 학생 수는 포도를 좋아하는 학생 수의 몇 배일까요?

(　　　　　　　　　　)

서술형

4 농장별 밤 생산량을 조사하였습니다. 표를 보고 알 수 있는 내용을 2가지 써 보세요.

농장별 밤 생산량

농장	가	나	다	라	합계
생산량(kg)	160	120	210	180	670

내용

[5~6] 지난 일주일 동안 학생들이 도서관에서 빌려 간 책의 수를 그림그래프로 나타내었습니다. 물음에 답하세요.

빌려 간 종류별 책의 수

종류	책의 수
소설책	■■■
동화책	■■▪▪▪
위인전	▪▪▪▪
만화책	■▪▪▪▪▪▪

■ 10권　▪ 1권

5 가장 많이 빌려 간 책의 종류와 가장 적게 빌려 간 책의 종류를 차례로 써 보세요.

(　　　　　,　　　　　)

6 빌려 간 동화책 수와 위인전 수의 차는 몇 권인가요?

(　　　　　　　　　　)

7 마을별 기르고 있는 돼지의 수를 그림그래프로 나타내었습니다. 전체 돼지의 수가 980마리일 때 그림그래프를 완성해 보세요.

마을별 돼지의 수

마을	돼지의 수
신선	
하늘	●●•••••
푸름	●●●

● 100마리　• 10마리

[8~9] 보람 아파트 동별 학생 수를 조사하여 표로 나타내었습니다. 102동에 사는 학생 수는 104동에 사는 학생 수의 2배입니다. 물음에 답하세요.

동별 학생 수

동	101동	102동	103동	104동	합계
학생 수(명)	28			18	109

8 표를 완성해 보세요.

9 완성된 표를 보고 그림그래프로 나타내어 보세요.

동별 학생 수

동	학생 수
101동	◎◎△○○○
102동	
103동	
104동	

◎ 10명
△ 5명
○ 1명

10 창의융합
추석은 음력 8월 15일로 '한가위'라고도 합니다. 이날 어느 마을 사람들이 한 민속놀이를 조사하여 표와 그림그래프로 나타내었습니다. 표와 그림그래프를 완성해 보세요.

민속놀이별 사람 수

민속놀이	제기차기	강강술래	윷놀이	합계
사람 수(명)	24			71

민속놀이별 사람 수

민속놀이	사람 수
제기차기	
강강술래	☺☺☺☺ (10명 3개, 1명 1개)
윷놀이	

(큰 얼굴) 10명
(작은 얼굴) 1명

[11~12] 지태네 학교 3학년 학생 112명이 방학 때 가고 싶어 하는 장소를 조사하여 그림그래프로 나타내었습니다. 물음에 답하세요.

장소별 학생 수

장소	학생 수
바다	(10명 3개, 1명 5개)
목장	
계곡	
산	

(큰 그림) 10명
(작은 그림) 1명

11 서술형
목장에 가고 싶어 하는 학생 수는 바다에 가고 싶어 하는 학생 수의 $\frac{2}{5}$입니다. 목장에 가고 싶어 하는 학생은 몇 명인지 풀이 과정을 쓰고, 답을 구해 보세요.

풀이

답

12 산에 가고 싶어 하는 학생은 계곡에 가고 싶어 하는 학생보다 11명 더 많습니다. 가장 많은 학생들이 가고 싶어 하는 장소와 가장 적은 학생들이 가고 싶어 하는 장소의 학생 수의 차는 몇 명인지 구해 보세요.

( )

12회 경시대회 예상 문제

6. 자료의 정리

맞힌 개수

[1～2] 은수네 반 학생들이 좋아하는 과목을 조사하여 그림그래프로 나타내었습니다. 물음에 답하세요.

좋아하는 과목별 학생 수

과목	학생 수
국어	
수학	
영어	
과학	

5명
1명

1 가장 많은 학생들이 좋아하는 과목은 어느 것인가요?

( )

2 은수네 반 학생은 모두 몇 명인지 구해 보세요.

( )

3 어느 마을의 목장에서 일주일 동안 생산한 우유의 양을 조사하여 표로 나타내었습니다. 조사한 표를 보고 그림그래프를 완성해 보세요.

목장별 우유 생산량

목장	가	나	다	라	합계
생산량 (kg)	42	34	21	35	132

목장별 우유 생산량

목장	우유 생산량
가	▣▣▣▣□□
나	▣▣▣□□□□
다	
라	

▣ 10 kg
□ 1 kg

[4～5] 정미네 반 학생들이 좋아하는 간식을 조사하였습니다. 물음에 답하세요.

좋아하는 간식

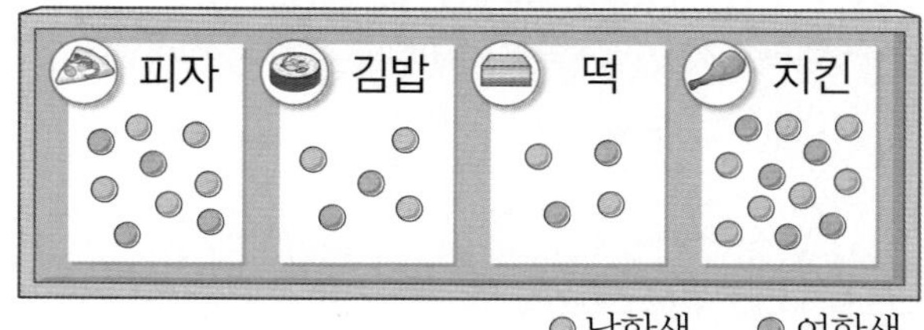

4 자료를 보고 표로 나타내어 보세요.

좋아하는 간식별 학생 수

간식	피자	김밥	떡	치킨	합계
남학생 수(명)					
여학생 수(명)					

서술형

5 피자를 좋아하는 학생 수와 치킨을 좋아하는 학생 수의 차는 몇 명인지 풀이 과정을 쓰고, 답을 구해 보세요.

풀이

답

6 어느 가게의 월별 사과 판매량을 조사하여 표로 나타내었습니다. 6월의 판매량이 3월의 판매량보다 5상자 더 많을 때 표를 완성해 보세요.

월별 사과 판매량

월	3월	4월	5월	6월	합계
판매량(상자)	9		12		45

[7 ~ 8] 민규네 반 학생들이 모둠별로 하루 동안 마신 물의 양을 조사하여 그림그래프로 나타내었습니다. 물음에 답하세요.

모둠별 마신 물의 양

모둠	물의 양
A	1 L 컵 8개
B	10 L 컵 1개, 1 L 컵 2개
C	1 L 컵 7개
D	10 L 컵 1개, 1 L 컵 3개

(큰 컵: 10 L, 작은 컵: 1 L)

7 A 모둠과 B 모둠의 마신 물의 양의 차는 몇 L인가요?

(　　　　　)

8 가장 많은 물을 마신 모둠과 가장 적은 물을 마신 모둠의 물의 양의 차는 몇 L인가요?

(　　　　　)

서술형

9 기호네 반과 선주네 반은 학예회 때 함께 공연하기 위해 학생들이 하고 싶은 공연을 조사하였습니다. 기호네 반과 선주네 반은 어떤 공연을 하면 좋을지 쓰고, 그 이유를 써 보세요.

하고 싶은 공연별 학생 수

공연	합창	춤	연극	합주	합계
기호네 반 학생 수(명)	11	5	3	9	28
선주네 반 학생 수(명)	8	4	5	12	29

답

이유

[10 ~ 11] 보라네 모둠 학생들이 모은 카드 수를 조사하여 그림그래프로 나타내었습니다. 모은 카드 수는 모두 87장이고 종호가 모은 카드 수는 지수가 모은 카드 수의 2배입니다. 물음에 답하세요.

학생별 모은 카드 수

학생	카드 수
보라	◎◎△○
종호	
지수	
민준	◎△○○○○

◎ 10장, △ 5장, ○ 1장

10 종호가 모은 카드는 몇 장일까요?

(　　　　　)

11 그림그래프를 완성해 보세요.

12 창의융합 현악기는 줄을 타거나 켜서 소리를 내는 악기입니다. 병주네 반 학생 30명이 다룰 줄 아는 현악기를 조사하여 그림그래프로 나타내었습니다. ㉠과 ㉡에 알맞은 수를 각각 구해 보세요.

악기별 학생 수

악기	학생 수
가야금	☺
우쿨렐레	☺(큰) ☺
바이올린	☺(큰) ☺(큰) ☺
기타	☺(큰) ☺☺

큰 ☺ ㉠ 명　작은 ☺ ㉡ 명

㉠ (　　　　　), ㉡ (　　　　　)

1회 실전! 경시대회 모의고사

1. 곱셈
~ 6. 자료의 정리

점수

★ 배점: 한 문항당 5점 / 시험 시간: 50분

1 □ 안에 알맞은 수를 써넣으세요.

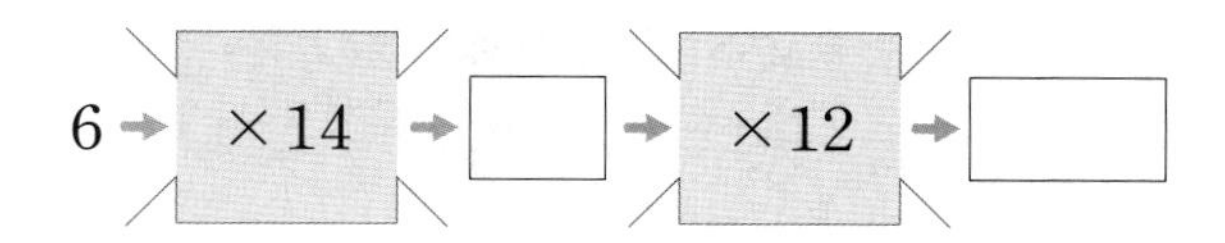

2 나머지가 가장 작은 나눗셈식을 찾아 기호를 써 보세요.

㉠ $47 \div 4$ ㉡ $62 \div 5$ ㉢ $92 \div 8$

( )

3 창의융합 레슬링은 두 선수가 맞붙어 상대방의 양 어깨를 동시에 땅에 닿게 하거나 기술로 점수를 얻어 승부를 가리는 경기입니다. 다음 레슬링 경기장에서 노란색 원의 지름은 몇 m일까요?

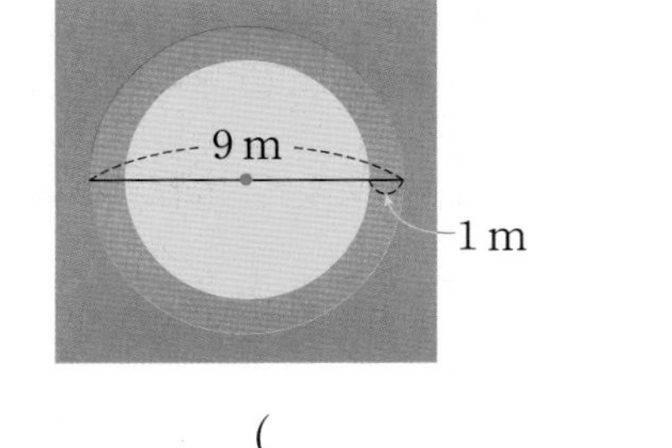

( )

4 양동이에 가득 담긴 물을 들이가 1 L인 비커 6개에 다음과 같이 반씩 담았습니다. 이 양동이의 들이는 약 몇 L일까요?

( )

5 상자에 팽이가 28개 들어 있습니다. 상자에 들어 있는 팽이의 $\frac{3}{7}$은 몇 개일까요?

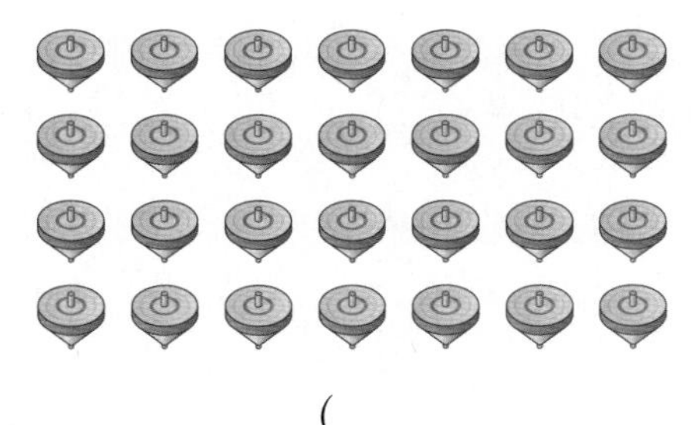

( )

1회 모의고사

서술형

6 준서네 가족은 밭에서 감자를 캤습니다. 어머니는 4 kg 500 g을 캐고 준서는 어머니보다 1230 g 더 적게 캤습니다. 준서가 캔 감자는 몇 kg 몇 g인지 풀이 과정을 쓰고, 답을 구해 보세요.

풀이

답

7 희태네 반 학생들이 좋아하는 채소를 조사하였습니다. 자료를 보고 표로 나타내어 보세요.

좋아하는 채소

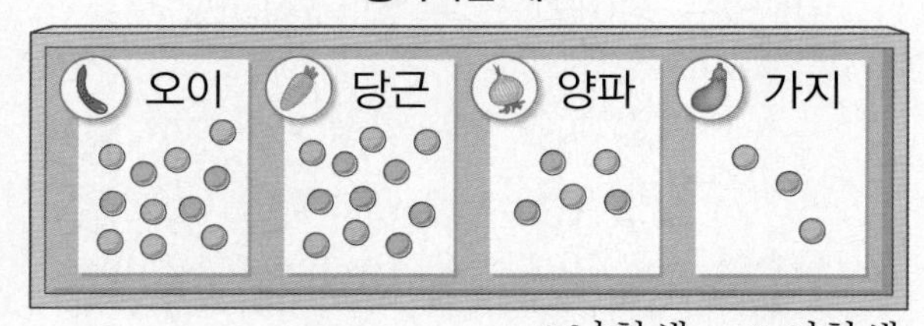

좋아하는 채소별 학생 수

채소	오이	당근	양파	가지	합계
남학생 수(명)					
여학생 수(명)					

8 빨간색 구슬이 49개, 파란색 구슬이 59개 있습니다. 한 줄에 9개씩 꿰어 목걸이를 만들려고 합니다. 목걸이는 모두 몇 개가 될까요?

(　　　　　　　　)

9 □ 안에 들어갈 수 있는 자연수를 모두 써 보세요.

$$3\frac{5}{9}<\frac{\square}{9}<4\frac{1}{9}$$

(　　　　　　　　)

10 가로가 32 cm, 세로가 4 cm인 직사각형 안에 가장 큰 원을 겹치지 않게 그리려고 합니다. 원을 몇 개까지 그릴 수 있을까요?

(　　　　　　　　)

11 창의융합 열량은 몸속에서 발생하는 에너지의 양입니다. 줄넘기를 1분 동안 했을 때의 열량은 9 kcal, 훌라후프를 1분 동안 했을 때의 열량은 6 kcal입니다. 다음과 같은 열량이 발생했을 때 줄넘기와 훌라후프는 모두 몇 분 동안 했는지 구해 보세요.

줄넘기	훌라후프
90 kcal	84 kcal

( )

서술형

12 한 봉지에 13개씩 들어 있는 초콜릿을 한 상자에 27봉지씩 담았습니다. 4상자에 담은 초콜릿은 모두 몇 개인지 풀이 과정을 쓰고, 답을 구해 보세요.

풀이

답

13 들이가 300 mL인 컵 가와 들이가 400 mL인 컵 나가 있습니다. 컵 가에 물을 가득 채워 4번 부으면 수조가 가득 찹니다. 이 수조가 가득 차려면 컵 나에 물을 가득 채워 적어도 몇 번 부어야 할까요?

( )

14 조건을 모두 만족하는 두 자리 수를 구해 보세요.

- 73과 77 사이의 수입니다.
- 4로 나누어떨어집니다.

( )

15 체육 대회에 운동 종목별 참가한 학생 수를 그림그래프로 나타내었습니다. 전체 학생 수가 102명일 때 그림그래프를 완성해 보세요.

종목별 참가한 학생 수

종목	학생 수
피구	
축구	◎◎◎○○
배구	◎◎△
발야구	◎△○○

◎ 10명
△ 5명
○ 1명

16 목장별 젖소의 수를 그림그래프로 나타내었습니다. 네 목장의 젖소의 수가 모두 52마리이고 미소 목장의 젖소의 수가 순수 목장의 젖소의 수의 2배일 때 미소 목장의 젖소의 수를 구해 보세요.

목장	사랑	하늘	미소	순수
젖소의 수				

10마리 1마리

( )

서술형

17 어떤 막대의 길이의 $\frac{3}{4}$은 63 cm입니다. 이 막대의 길이의 $\frac{1}{7}$은 몇 cm인지 풀이 과정을 쓰고, 답을 구해 보세요.

풀이

답

18 줄넘기를 정규는 매일 24번씩, 성모는 매일 29번씩 합니다. 5월 한 달 동안 정규와 성모가 한 줄넘기는 모두 몇 번일까요?

( )

19 각 점은 원의 중심이고 삼각형 ㄱㄴㄷ의 세 변의 길이의 합은 37 cm입니다. 선분 ㄹㅁ의 길이는 몇 cm일까요?

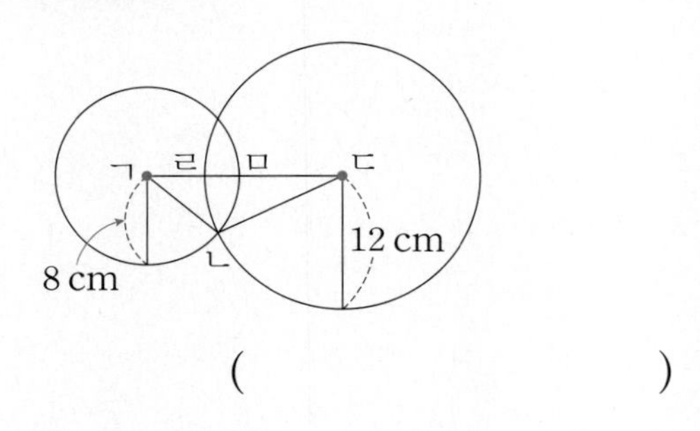

( )

20 길이가 15 cm인 색 테이프 10장을 그림과 같이 같은 길이만큼 겹치게 이어 붙였더니 전체 길이가 132 cm였습니다. 몇 cm씩 겹치게 이어 붙였는지 구해 보세요.

15 cm 15 cm ……

( )

2회 실전! 경시대회 모의고사

1. 곱셈
~ 6. 자료의 정리

점수

★배점: 한 문항당 5점 / 시험 시간: 50분

1 공원별 심은 나무 수를 그림그래프로 나타내었습니다. 가장 많은 나무를 심은 곳은 어느 공원인가요?

공원별 심은 나무 수

공원	나무 수
하늘	
바람	
소리	
푸름	

100그루
10그루

( )

2 두 나눗셈의 몫의 합을 구해 보세요.

$84 \div 4$ $72 \div 3$

( )

3 □ 안에 알맞은 가분수를 써넣으세요.

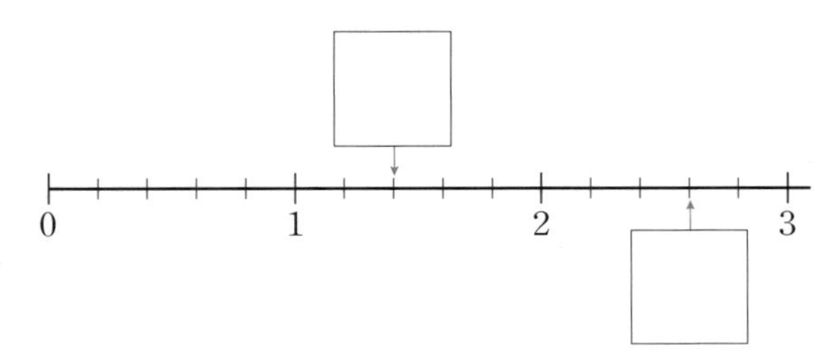

4 규칙에 따라 원을 1개 더 그려 보세요.

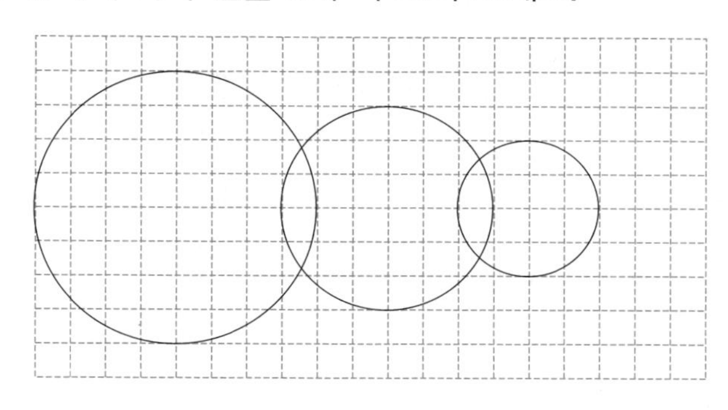

서술형

5 정현이네 마을 사람들이 봉사 활동을 가려고 합니다. 45인승 버스 16대에 나누어 탔을 때 버스마다 4자리씩 비어 있다면 버스에 탄 정현이네 마을 사람들은 모두 몇 명인지 풀이 과정을 쓰고, 답을 구해 보세요.

풀이

답

6 원의 크기를 비교하여 크기가 작은 것부터 차례로 기호를 써 보세요.

> ㉠ 반지름이 7 cm인 원
> ㉡ 지름이 16 cm인 원
> ㉢ 반지름이 6 cm인 원
> ㉣ 지름이 18 cm인 원

( )

7 창의융합 다음을 읽고 2되는 약 몇 L 몇 mL인지 구해 보세요.

> "되로 주고 말로 받는다."는 속담에서 '되'와 '말'은 우리 조상들이 사용했던 들이의 단위로 1되는 약 1 L 800 mL, 1말은 약 18 L입니다.

( )

8 두 수의 곱이 가장 큰 경우의 곱을 구해 보세요.

> 50 30 90 70

( )

9 연필 81자루를 6상자에 남김없이 똑같이 나누어 담으려고 합니다. 연필은 적어도 몇 자루 더 필요한지 구해 보세요.

( )

10 직사각형 안에 크기가 같은 원 4개를 그림과 같이 겹치지 않게 이어 붙여 그렸습니다. 직사각형의 네 변의 길이의 합이 60 cm일 때 원의 반지름은 몇 cm일까요?

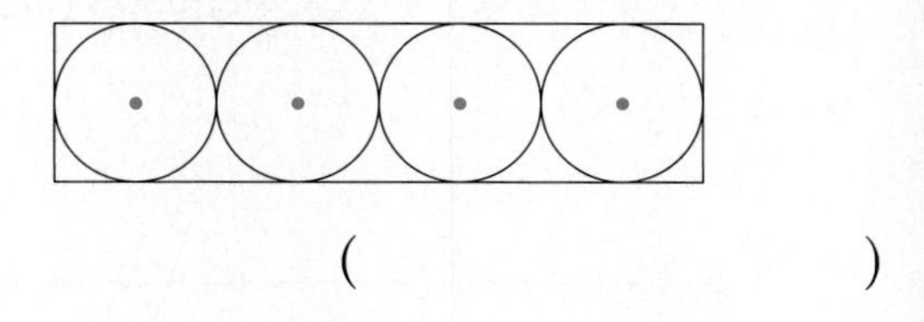

( )

11 서술형

선규네 반의 전체 학생은 28명입니다. 안경을 쓴 학생이 전체의 $\frac{3}{7}$일 때 안경을 쓰지 않은 학생은 몇 명인지 풀이 과정을 쓰고, 답을 구해 보세요.

풀이

답

12 대접과 냄비에 물을 가득 채우려면 ㉮ 컵과 ㉯ 컵으로 다음과 같이 각각 가득 채워 부어야 합니다. 바르게 이야기한 사람의 이름을 써 보세요.

	㉮ 컵	㉯ 컵
대접	5번	2번
냄비	10번	4번

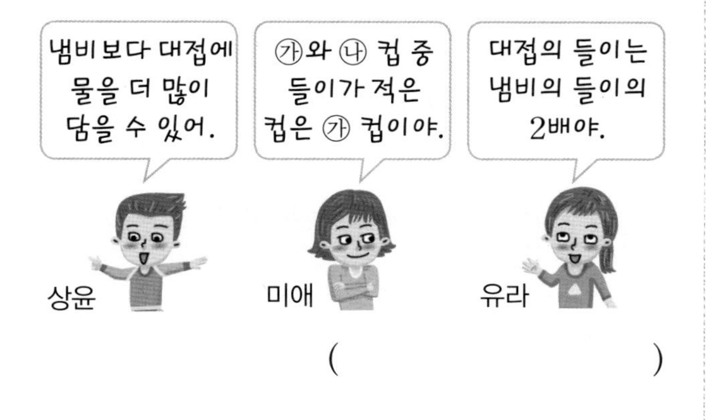

냄비보다 대접에 물을 더 많이 담을 수 있어.
㉮와 ㉯ 컵 중 들이가 적은 컵은 ㉮ 컵이야.
대접의 들이는 냄비의 들이의 2배야.
상윤
미애
유라

( )

13 나눗셈식에서 □ 안에 알맞은 수를 써넣으세요.

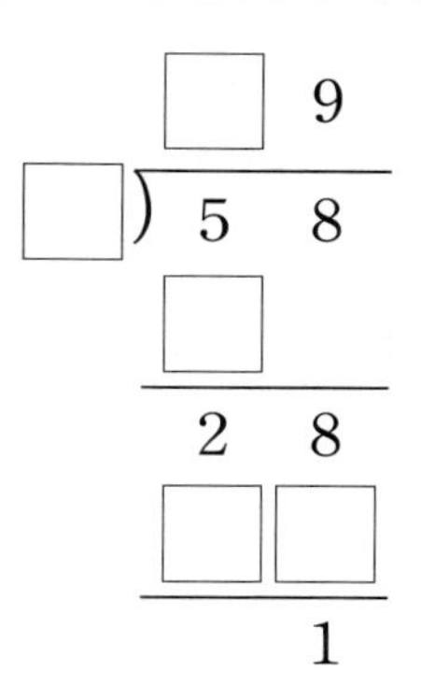

14 분자와 분모의 합이 18이고 차가 4인 진분수를 구해 보세요.

( )

15 정사각형 안에 그릴 수 있는 가장 큰 원을 그렸습니다. 삼각형 ㄱㄴㄷ의 세 변의 길이의 합이 14 cm일 때 정사각형의 네 변의 길이의 합은 몇 cm인지 구해 보세요.

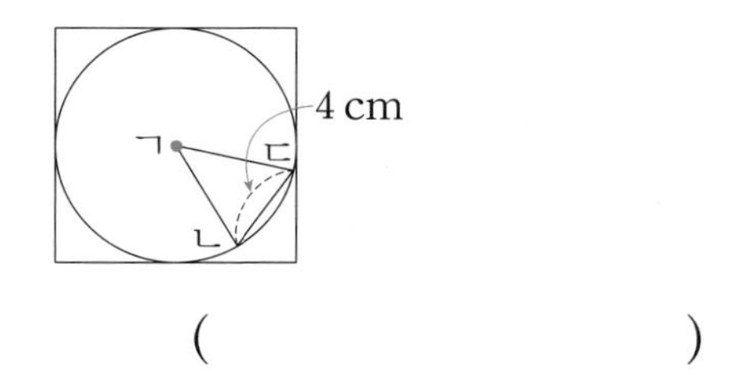

( )

2회 모의고사

서술형

16 무게가 같은 책 3권이 들어 있는 가방의 무게를 재어 보니 2 kg 900 g이었습니다. 이 가방에서 책 1권을 꺼낸 후 다시 무게를 재어 보니 2 kg 300 g이었습니다. 빈 가방의 무게는 몇 kg 몇 g인지 풀이 과정을 쓰고, 답을 구해 보세요.

풀이

답

17 어느 마을의 과수원에서 수확한 귤의 양을 조사하여 표와 그림그래프로 나타내었습니다. 표와 그림그래프를 완성해 보세요.

과수원별 귤 수확량

과수원	가	나	다	라	합계
수확량(kg)		26			153

과수원별 귤 수확량

과수원	귤 수확량
가	
나	
다	
라	

10 kg 1 kg

18 창의융합 민정이의 지난달 휴대 전화 요금 내역입니다. 일반 문자 요금은 1건에 22원, 파일 첨부 문자 요금은 1건에 110원입니다. 민정이가 사용한 문자 요금은 모두 얼마일까요?

내역	사용량
일반 문자	16건
파일 첨부 문자	5건

( )

19 수 카드 [3], [6], [9]를 한 번씩만 사용하여 다음 나눗셈식을 만들었습니다. 나누어떨어지지 않는 나눗셈식은 모두 몇 가지일까요?

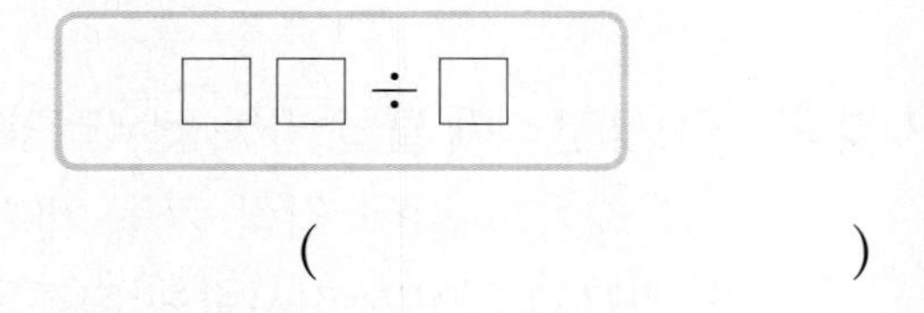

( )

20 샛별 문구점의 날짜별 도화지 판매량을 그림그래프로 나타내었습니다. 1일에 팔린 도화지가 16장일 때 1일부터 4일까지 팔린 도화지는 모두 몇 장인지 구해 보세요.

도화지 판매량

날짜	판매량
1일	
2일	
3일	
4일	

□장
1장

( )

정답 및 풀이 > 54쪽

3회 실전! 경시대회 모의고사

1. 곱셈
～ 6. 자료의 정리

점수

★배점: 한 문항당 5점 / 시험 시간: 50분

1 원의 지름을 나타내는 선분을 모두 찾아 써 보세요.

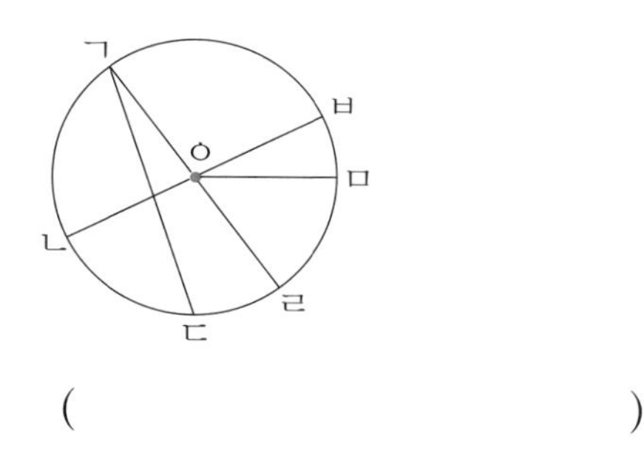

( )

2 무게가 1 t보다 무거운 것을 모두 찾아 기호를 써 보세요.

㉠ 냉장고 1대	㉡ 하마 1마리
㉢ 자동차 1대	㉣ 수박 10개

( )

3 연희는 $\frac{8}{5}$시간 동안 운동을 했습니다. 연희가 운동을 한 시간을 대분수로 나타내면 몇 시간인지 구해 보세요.

( )

4 창의융합 신문 기사를 보고 영양 농장에서 조류독감 AI에 감염된 닭의 다리는 모두 몇 개인지 구해 보세요.

○○일보

조류독감 AI 비상

조류독감 AI는 닭, 오리 등에 의해 발생하는 전염병입니다.
영양 농장에서 조류독감 AI에 감염된 닭은 76마리입니다.

( )

서술형

5 곶감이 한 상자에 28개씩 들어 있습니다. 3상자에 들어 있는 곶감을 하루에 4개씩 먹을 때 며칠 동안 먹을 수 있는지 풀이 과정을 쓰고, 답을 구해 보세요.

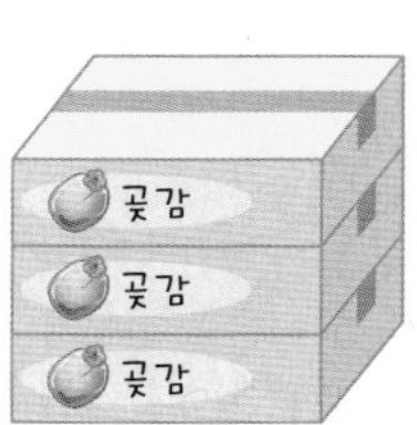

풀이

답

6 $3\frac{2}{6}$보다 크고 $\frac{28}{6}$보다 작은 분수를 모두 찾아 써 보세요.

$\frac{17}{6}$ $3\frac{1}{6}$ $\frac{21}{6}$ $4\frac{1}{6}$ $\frac{31}{6}$ $4\frac{5}{6}$

( )

7 두 모양을 그리기 위하여 컴퍼스의 침을 꽂아야 하는 곳은 모두 몇 군데일까요?

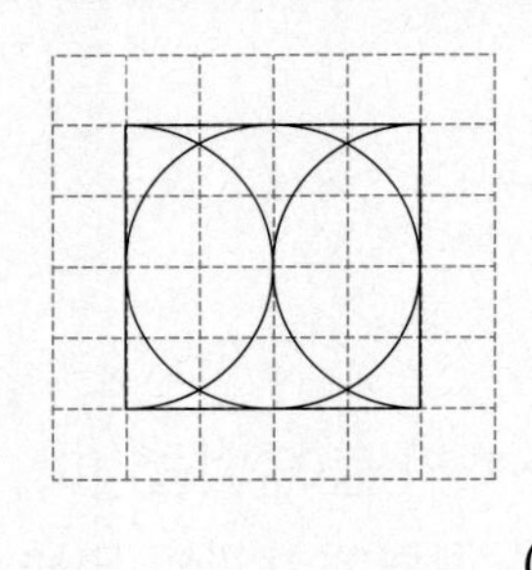
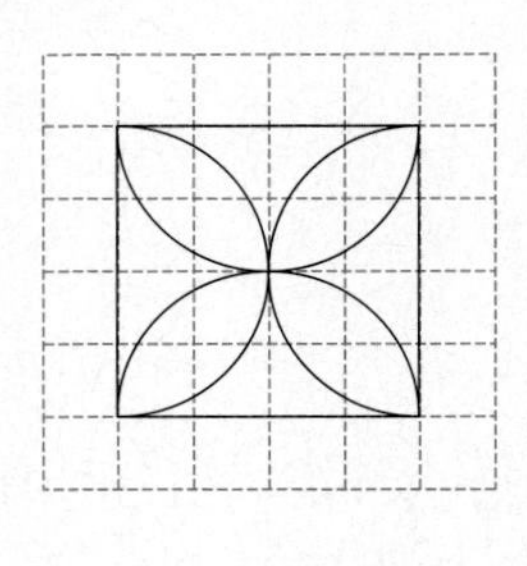

( )

8 둘레가 128 m인 원 모양의 연못이 있습니다. 이 연못의 둘레에 막대 8개를 일정한 간격으로 세우려고 합니다. 막대와 막대 사이의 간격 한 군데는 몇 m로 해야 하는지 구해 보세요. (단, 막대의 두께는 생각하지 않습니다.)

( )

[9～10] 민철이네 반 학생들이 도서관에서 빌려간 책의 수를 그림그래프로 나타내었습니다. 5월에 빌려간 책의 수는 6월에 빌려간 책의 수의 $\frac{4}{5}$일 때 물음에 답하세요.

빌려 간 책의 수

월	책의 수
3월	(큰 그림 3개)
4월	(큰 그림 3개, 작은 그림 4개)
5월	
6월	(큰 그림 4개)

큰 그림: 10권, 작은 그림: 1권

9 5월에 빌려간 책의 수는 몇 권인가요?

( )

10 3월부터 6월까지 빌려간 책은 모두 몇 권인지 구해 보세요.

( )

11 가로가 35 cm, 세로가 8 cm인 직사각형 안에 가장 큰 원을 겹치지 않게 그리려고 합니다. 원을 몇 개까지 그릴 수 있을까요?

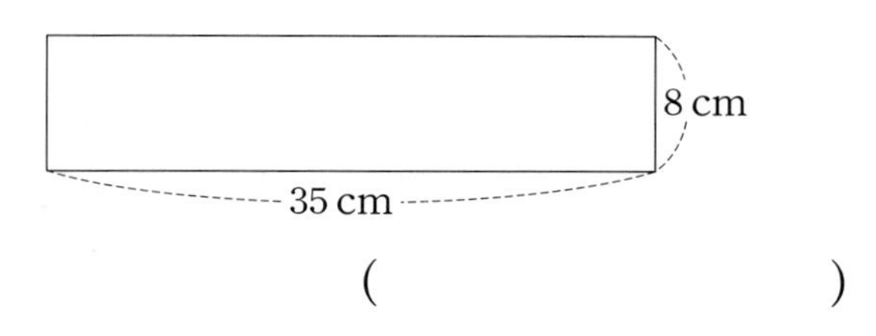

( )

12 가게별 하루 동안 팔린 도넛의 수를 그림그래프로 나타내었습니다. 도넛이 가장 많이 팔린 가게와 가장 적게 팔린 가게의 팔린 도넛 수의 차는 몇 개일까요?

가게별 팔린 도넛의 수

가게	도넛의 수
가	◎◎○○○○○
나	◎◎◎
다	◎◎◎○○
라	◎◎○○○○

◎ 10개
○ 1개

( )

13 창의 융합 배구공, 축구공, 농구공의 무게를 어림하고 직접 잰 것입니다. 직접 잰 무게에 가장 가깝게 어림한 공은 무엇일까요?

	어림한 무게	직접 잰 무게
배구공	290 g	260 g
축구공	410 g	450 g
농구공	545 g	510 g

( )

14 □ 안에 공통으로 들어갈 한 자리 수를 구해 보세요.

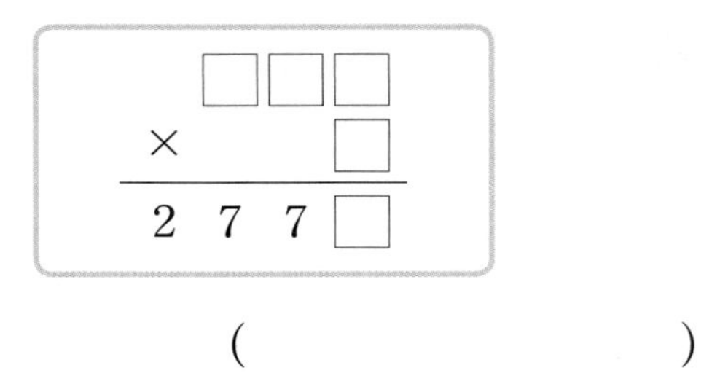

( )

서술형

15 물이 가 물통에 3 L 700 mL, 나 물통에 2 L 300 mL 들어 있습니다. 두 물통에 담긴 물의 양을 같게 만들려면 가 물통에서 나 물통으로 물을 몇 mL 옮겨야 하는지 풀이 과정을 쓰고, 답을 구해 보세요.

풀이

답

서술형

16 지선이는 1시간 동안 수학, 영어, 국어를 모두 공부하였습니다. 1시간의 $\frac{1}{2}$은 수학을, 1시간의 $\frac{1}{4}$은 영어를, 나머지 시간은 국어를 공부하였습니다. 국어를 공부한 시간은 몇 분인지 풀이 과정을 쓰고, 답을 구해 보세요.

풀이

답

17 2부터 9까지의 자연수 중에서 □ 안에 들어갈 수 있는 수는 모두 몇 개인지 구해 보세요.

$297 \times \square < 35 \times 42$

(　　　　　　　　)

18 가장 큰 원 안에 크기가 다른 원 2개를 겹치지 않게 이어 붙여서 그렸습니다. 각 점은 원의 중심일 때 가장 큰 원의 지름은 몇 cm일까요?

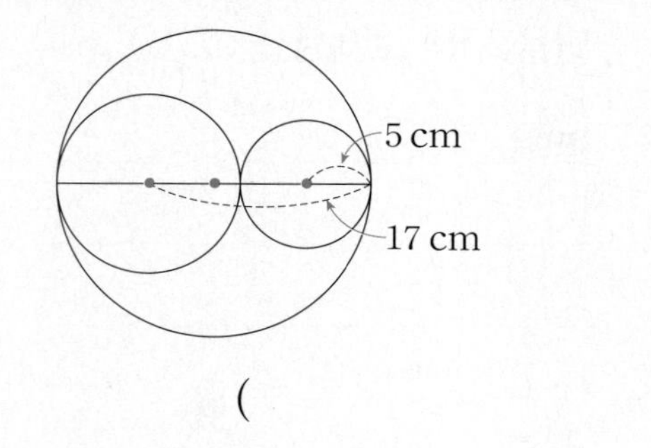

(　　　　　　　　)

19 수화네 모둠 학생들이 좋아하는 과일을 조사한 자료의 일부분이 찢어져 보이지 않습니다. 딸기와 사과를 좋아하는 학생 수가 같을 때 표를 완성해 보세요.

좋아하는 과일

수박	딸기	수박	딸기	포도
딸기	딸기	사과	사과	
딸기	사과	포도	수박	사과

좋아하는 과일별 학생 수

과일	수박	딸기	포도	사과	합계
학생 수(명)	5				18

20 칠판에 한 변이 60 cm인 정사각형을 그리고 정사각형의 모든 변에 3 cm 간격으로 빨간 점을 찍은 다음, 빨간 점 사이에 파란 점을 한 개씩 찍으려고 합니다. 정사각형의 네 꼭짓점에 모두 빨간 점을 찍을 때 점은 모두 몇 개 찍게 될까요?

(　　　　　　　　)

4회 실전! 경시대회 모의고사

1. 곱셈
~ 6. 자료의 정리

점수

★ 배점: 한 문항당 5점 / 시험 시간: 50분

1 진분수와 가분수는 각각 몇 개인지 구해 보세요.

$\frac{6}{8}$ $\frac{4}{4}$ $\frac{5}{3}$ $\frac{9}{13}$ $\frac{15}{17}$

진분수 (   )
가분수 (   )

[2～3] 도민이네 반 학생들이 좋아하는 과목을 조사하였습니다. 물음에 답하세요.

좋아하는 과목

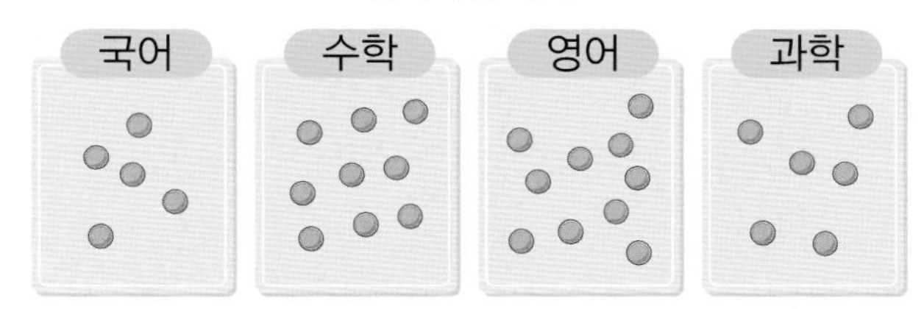

2 조사한 자료를 보고 표로 나타내어 보세요.

좋아하는 과목별 학생 수

과목	국어	수학	영어	과학	합계
학생 수(명)					

3 영어를 좋아하는 학생 수는 국어를 좋아하는 학생 수의 몇 배인가요?

(   )

4 컴퍼스를 사용하여 그림과 같은 원을 그리려고 합니다. 컴퍼스를 몇 cm가 되도록 벌려야 하는지 구해 보세요.

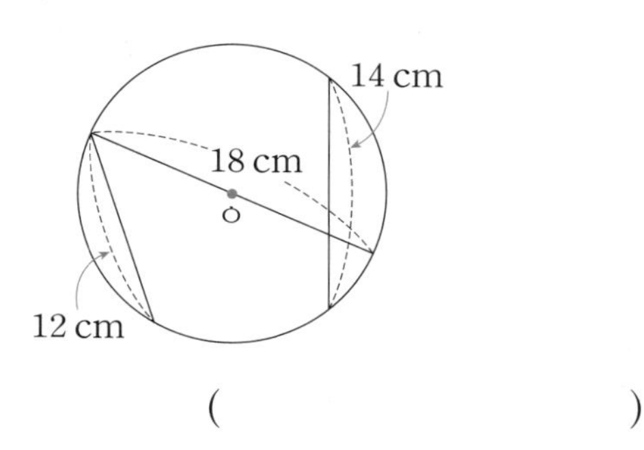

(   )

서술형

5 인철이가 220원짜리 지우개 5개와 60원짜리 도화지 14장을 샀습니다. 지우개 5개와 도화지 14장의 값은 모두 얼마인지 풀이 과정을 쓰고, 답을 구해 보세요.

풀이

답

6 □ 안에 들어갈 수 있는 두 자리 수는 모두 몇 개일까요?

$$96 \div 6 < \square < 76 \div 4$$

(　　　　　　　　　　)

7 색종이 70장을 4모둠에 똑같이 나누어 주려고 하였더니 몇 장이 모자랐습니다. 색종이를 남김 없이 똑같이 나누어 주려면 색종이는 적어도 몇 장 더 필요할까요?

(　　　　　　　　　　)

8 그림과 같이 두 원의 중심과 두 원이 만나는 점을 선분으로 연결하여 사각형을 만들었습니다. 사각형 ㄱㄴㄷㄹ의 네 변의 길이의 합은 몇 cm일까요?

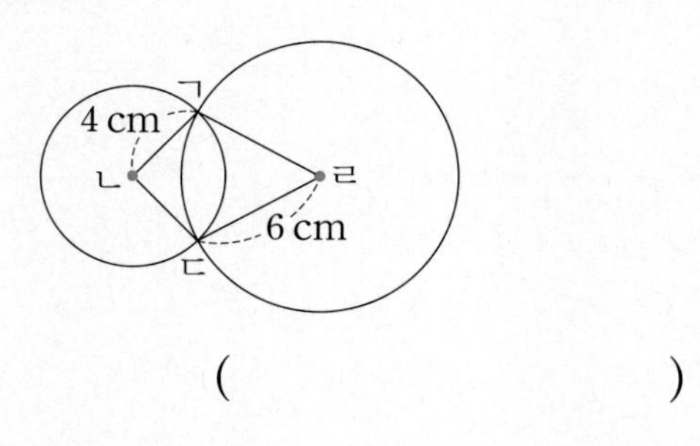

(　　　　　　　　　　)

9 다음은 어머니가 장바구니에 담은 물건의 무게입니다. 어머니가 장바구니에 담은 물건의 무게는 모두 몇 kg 몇 g인지 구해 보세요.

물건	무게
무	1 kg 600 g
갈비	2500 g
당근	800 g

(　　　　　　　　　　)

10 창의 융합

10원짜리, 50원짜리, 100원짜리 동전의 크기를 나타낸 것입니다. 가장 큰 동전과 가장 작은 동전의 지름의 합은 몇 mm인지 구해 보세요.

반지름 9 mm	지름 21.6 mm	지름 24 mm

(　　　　　　　　　　)

11 수 카드 [2], [5], [7]이 있습니다. 이 중에서 2장을 한 번씩만 사용하여 만들 수 있는 가분수를 3개 쓰고, 각각 대분수로 나타내어 보세요.

(→)
(→)
(→)

12 물통에 1초 동안 물이 300 mL씩 나오는 수도를 틀었더니 동시에 물통의 아래쪽 구멍으로 1초 동안 물이 78 mL씩 빠져나갔습니다. 물통에 9초 동안 받은 물은 몇 L 몇 mL인지 구해 보세요. (단, 물통의 물은 넘치지 않습니다.)

( )

13 수직선에서 선분 ㄱㄷ의 길이는 선분 ㄱㄹ의 길이의 $\frac{3}{5}$일 때 선분 ㄱㄴ의 길이는 몇 cm일까요?

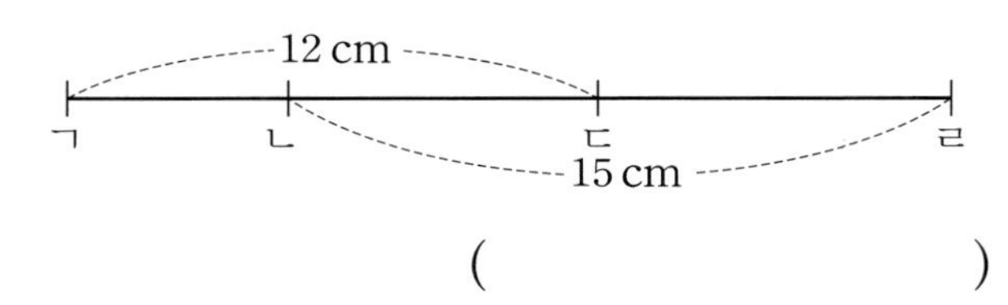

( )

14 창의융합 보물을 찾기 위한 힌트 쪽지입니다. 보물은 출발점에서 동, 서, 남, 북 중 어느 쪽으로 몇 걸음 떨어진 곳에 있을까요?

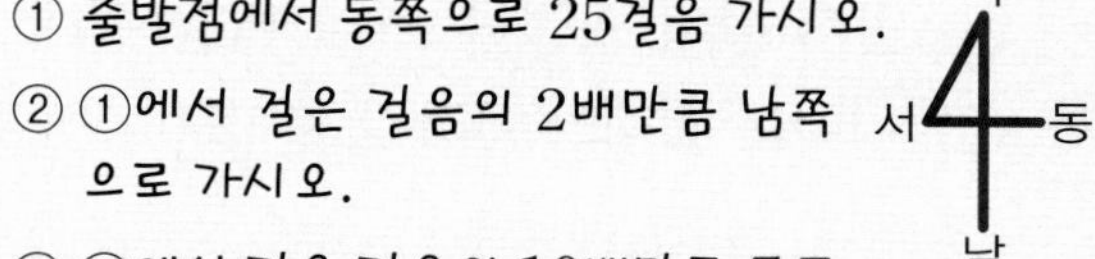

① 출발점에서 동쪽으로 25걸음 가시오.
② ①에서 걸은 걸음의 2배만큼 남쪽으로 가시오.
③ ②에서 걸은 걸음의 10배만큼 동쪽으로 가시오.
④ ②에서 걸은 걸음만큼 북쪽으로 가면 보물이 있습니다.
북
서
동
남

(,)

서술형

15 그림과 같은 직사각형 모양의 벽에 한 변이 6 cm인 정사각형 모양의 타일을 겹치지 않게 빈틈없이 이어 붙이려고 합니다. 필요한 타일은 모두 몇 장인지 풀이 과정을 쓰고, 답을 구해 보세요.

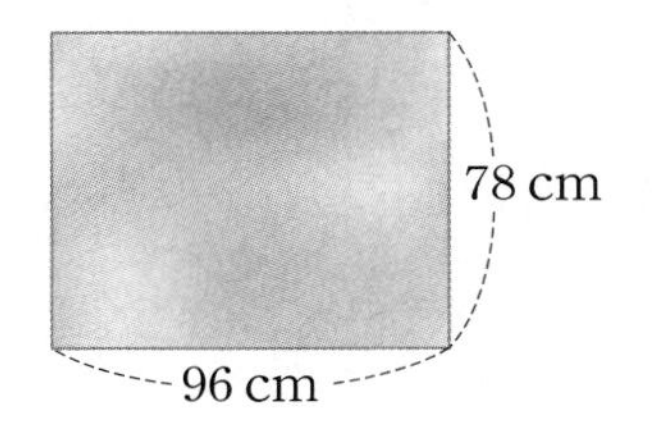

풀이

답

서술형

16 일직선 모양의 나무를 하루 동안 34 cm씩 올라가고 5 cm씩 미끄러져 내려가는 벌레가 있습니다. 이 벌레가 바닥에서 나무를 올라가기 시작한 지 2주 후 벌레의 바닥에서의 높이는 몇 cm인지 풀이 과정을 쓰고, 답을 구해 보세요. (단, 나무는 벌레가 올라간 길이보다 더 깁니다.)

풀이

답

17 크레파스 4개와 구슬 5개의 무게가 같고 구슬 10개와 수첩 1개의 무게가 같습니다. 수첩 1개의 무게가 112 g일 때 크레파스 1개의 무게는 몇 g일까요? (단, 각각은 종류별로 1개의 무게가 같습니다.)

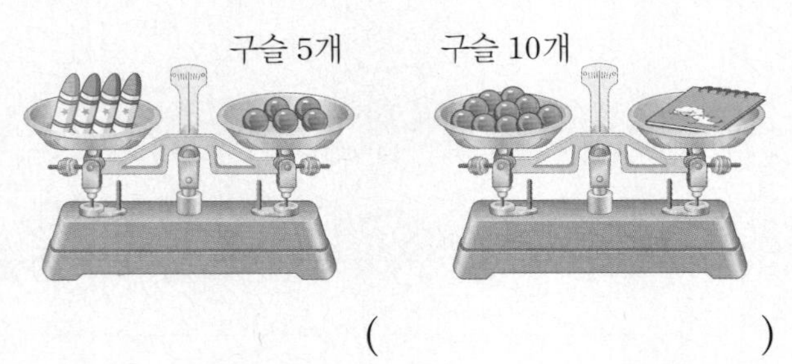

(　　　　　　　　)

18 모둠별 학생 수를 그림그래프로 나타내었습니다. 네 모둠의 학생들에게 한 명당 연필을 3자루씩 나누어 주려고 합니다. 마트에서 연필을 한 묶음에 8자루씩 묶음으로만 판매한다면 연필을 적어도 몇 묶음 사야 할까요?

모둠별 학생 수

모둠	학생 수
가	😀 ☺ ☺ ☺
나	☺ ☺ ☺ ☺ ☺ ☺ ☺ ☺
다	😀 ☺ ☺
라	☺ ☺ ☺ ☺ ☺ ☺ ☺ ☺ ☺

😀 10명
☺ 1명

(　　　　　　　　)

19 조건을 모두 만족하는 ㉠과 ㉡을 각각 구해 보세요.

- ㉠과 ㉡은 서로 다른 한 자리 수입니다.
- ㉠ > 7이고 1 < ㉡ < 4입니다.
- 두 자리 수 ㉠㉡을 4로 나누면 나머지가 1입니다.

㉠ (　　　　　　　　)
㉡ (　　　　　　　　)

20 일정한 빠르기로 서로 맞물려 돌아가는 두 톱니바퀴 ㉮와 ㉯가 있습니다. ㉮ 톱니바퀴가 한 번 돌아갈 때 ㉯ 톱니바퀴는 5번 돌아갑니다. ㉮ 톱니바퀴가 4분 동안 12번 돌아갈 때 ㉯ 톱니바퀴는 1시간 20분 동안 몇 번 돌아가는지 구해 보세요.

(　　　　　　　　)

큐브 수학 심화

경시대비북 3·2

초등학교 학년 반 번 이름

엄마 매니저의 큐브수학 STORY

초등수학 문제집 추천

닉네임
사*

3년째 큐브수학 개념으로 엄마표 수학 완성!

4학년부터 개념은 큐브수학으로 시작했는데요. 설명이 쉽게 되어 있어서 접근하기가 좋더라고요. 기초개념만 제대로 잡히면 그다음 단계로 올라가는 건 어렵지 않아요. 처음부터 너무 어려우면 부담스러워 피하기도 하는데 아이가 쉽게 잘 풀어나가는게 효과가 아주 좋았어요. **기초 잡기에는 큐브수학 개념이 제일 만족스러웠어요.**

닉네임
그**

쉽고 재미있게 개념도 탄탄하게!

큐브수학 개념을 계속해서 선택한 이유는 **기초 수학을 체계적으로 풀어가면서 수학 실력을 쌓을 수 있기 때문이에요.** 무료 스마트러닝 개념 동영상 강의도 쉽고 재미나서 혼자서도 충실하게 잘 듣더라고요! 수학 익힘 문제, 더 확장된 문제들까지 다양하게 풀어 볼 수 있어서 좋았어요. 큐브수학만큼 만족도가 큰 문제집은 없는 것 같네요.

닉네임
매****

무료 동영상 강의로 빈틈 없는 홈스쿨링

엄마표 수학을 진행하고 있기 때문에 아이가 잘 따라올 수 있는 수준의 문제집을 고르려고 해요. **특히 홈스쿨링으로 예습을 할 때 가장 좋은 건 동영상 강의예요.** QR코드를 찍으면 바로 동영상을 볼 수 있고, 선생님이 제가 알려주는 것보다 더 알기 쉽게 알려주세요. 부족한 학습은 동영상을 통해 채워줄 수 있어서 정말 좋아요. 혼자서도 언제 어느 때나 강의를 들을 수 있다는 점이 최고!

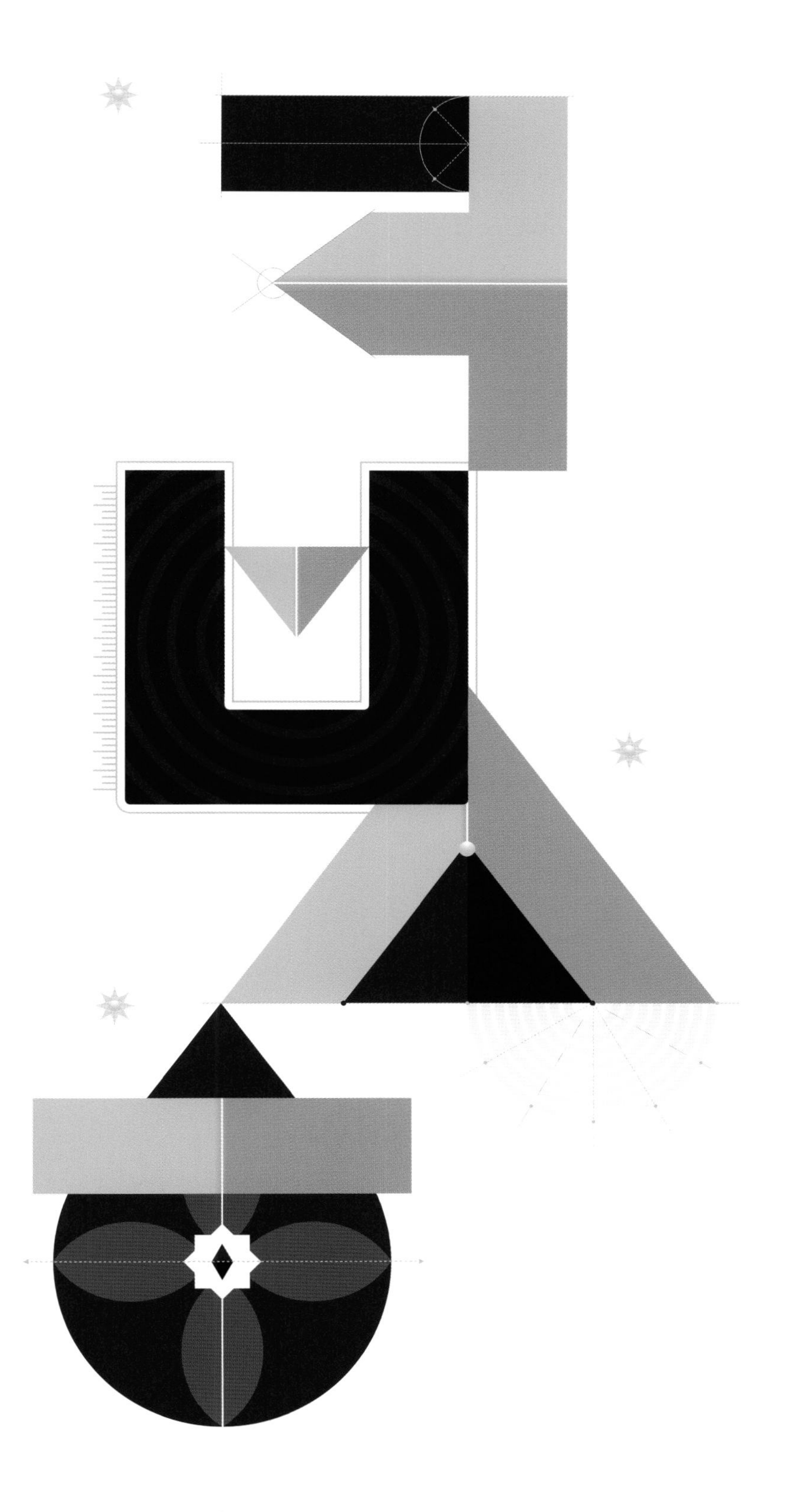

사고력을 키워 상위권을 공략하는

큐브 수학 심화

정답 및 풀이

모바일

쉽고 편리한 빠른 정답

3·2

동아출판

정답 및 풀이

차례

3·2

| **모바일 빠른 정답** |

QR코드를 찍으면 **정답 및 풀이**를 쉽고 빠르게 확인할 수 있습니다.

진도북 정답 및 풀이

1 곱셈

개념 넓히기 007쪽

1 (위에서부터) 672, 393

2 >

3
$$\begin{array}{r} 2\ 4 \\ \times\ 1\ 3 \\ \hline 7\ 2 \\ 2\ 4\ 0 \\ \hline 3\ 1\ 2 \end{array}$$

4 9×17=153 / 153개

STEP 1 응용 공략하기 008~013쪽

01 648, 972
02 2067
03 564
04 14
05 44 cm
06 예 ❶ (딱지 3장의 값)=350×3=1050(원) ▸4점
❷ (받아야 할 거스름돈)
=1500−1050=450(원) ▸1점 / 450원
07 30
08 ㉣
09 352 m
10 868
11 예 ❶ 어떤 수를 □라 하면 70×□=4200, □=60입니다. ▸3점
❷ 60의 50배 ➜ 60×50=3000 ▸2점 / 3000
12 7302원
13 130 km
14 2, 6
15 예 ❶ (염소의 다리 수의 합)=4×115=115×4
=460(개)
(닭의 다리 수의 합)=720−460=260(개) ▸2점
❷ 닭의 수를 □마리라 하면
2×□=□×2=260입니다.
➜ 130×2=260이므로 □=130입니다. ▸3점
/ 130마리
16 247 cm
17 6734, 833
18 12분 20초

01 수 모형이 나타내는 수는 324입니다.
• 324의 2배: 324×2=**648**
• 324의 3배: 324×3=**972**

02 • 소영: 10이 3개이면 30
1이 23개이면 23
53
• 민규: 34보다 5 큰 수 → 34+5=39
➜ (소영이와 민규가 말한 두 수의 곱)
=53×39=**2067**

03 47>12>6>4이므로 가장 큰 수는 47이고, 두 번째로 큰 수는 12입니다.
➜ 47×12=**564**

04 8×35=280입니다.
□×20=280에서 14×20=280이므로 □=**14**입니다.

05 (삼각형의 세 변의 길이의 합)
=152×3=456(cm)
5 m=500 cm
➜ (남은 철사의 길이)
=500−456=**44(cm)**

06

채점 기준		
	❶ 딱지 3장의 값 구하기	4점
	❷ 받아야 할 거스름돈 구하기	1점

07 5×47=235, 6×47=282이므로
□=6, 7, 8, 9입니다.
➜ □ 안에 들어갈 수 있는 수를 모두 더하면
6+7+8+9=**30**입니다.

08 ㉠ 143×4=572 ➜ 572−500=72
㉡ 8×61=488 ➜ 500−488=12
㉢ 256×2=512 ➜ 512−500=12
㉣ 26×19=494 ➜ 500−494=6
따라서 곱이 500에 가장 가까운 것은 ㉣입니다.

09 (가로등과 가로등 사이의 간격의 수)
=12−1=11(군데)
➜ (도로의 길이)=32×11=**352(m)**
중요 (도로의 길이)=(간격 한 군데의 길이)×(간격의 수)

10 ㉰=38+24=62, ㉱=38−24=14
➜ 38★24=62×14=**868**

11

채점 기준		
	❶ 어떤 수 구하기	3점
	❷ 수아가 말하는 수 구하기	2점

12 • 호주 돈 7달러: $831\times7=5817$(원)
• 중국 돈 9위안: $165\times9=1485$(원)
➜ (민하가 받은 외국 돈)$=5817+1485=$**7302(원)**

13 (갈매기가 3시간 동안 간 거리)
$=150\times3=450$(km)
(독수리가 2시간 동안 간 거리)
$=160\times2=320$(km)
➜ (갈매기와 독수리가 간 거리의 차)
$=450-320=$**130(km)**

14 • 139×ⓛ에서 9×ⓛ의 일의 자리 숫자가 4인 경우는 ⓛ=**6**입니다.
• $139\times6=834$이므로
㉠78×3=834입니다.
➜ ㉠×3에 2를 더한 값이 8이므로
㉠×3=6, ㉠=**2**입니다.

	㉠	7	8
×			3
	□	3	4

15

채점 기준	❶ 닭의 다리 수의 합 구하기	2점
	❷ 닭의 수 구하기	3점

16 (색 테이프 15장의 길이의 합)$=23\times15=345$(cm)
(겹쳐진 부분의 길이의 합)$=7\times14=98$(cm)
➜ (이어 붙인 색 테이프의 전체 길이)
$=345-98=$**247(cm)**

17 수의 크기를 비교하면 $9>7>4>1$입니다.
• 곱이 가장 크려면 두 수의 십의 자리에는 9, 7이 와야 합니다.
$94\times71=6674$, $91\times74=6734$
➜ 가장 큰 곱: **6734**
• 곱이 가장 작으려면 두 수의 십의 자리에는 1, 4가 와야 합니다.
$17\times49=833$, $19\times47=893$
➜ 가장 작은 곱: **833**

18 (통나무를 16도막으로 자르는 횟수)$=16-1=15$(번)
(쉬는 횟수)$=15-1=14$(번)
(통나무를 15번 자르는 데 걸리는 시간)
$=40\times15=600$(초)
(쉬는 시간)$=10\times14=140$(초)
(통나무를 모두 자르는 데 걸리는 시간)
$=600+140=740$(초)
➜ 740초$=$720초$+$20초$=$**12분 20초**

STEP 2 심화 해결하기 014~019쪽

01 978 **02** ㉢
03 644개 **04** 2490
05 844개
06 예 ❶ (두발자전거의 바퀴 수)$=2\times38=76$(개)
(네발자전거의 바퀴 수)$=4\times24=96$(개) ▸4점
❷ (자전거의 바퀴 수의 합)
$=76+96=172$(개) ▸1점 / 172개
07 13 **08** 33개
09 384마리 **10** 816 cm
11 예 ❶ 어떤 수를 □라 하여 잘못 계산한 식을 세우면 $□-38=27$, $□=27+38=65$입니다. ▸2점
❷ 따라서 바르게 계산한 값은 $65\times38=2470$입니다. ▸3점
/ 2470
12 960번 **13** 18쪽, 19쪽
14 지호 **15** 576 cm
16 6, 4
17 예 ❶ 1시간$=$60분이고, $20\times3=60$(분)이므로 1시간은 20분의 3배입니다.
(1시간 동안 만들 수 있는 장난감의 수)
$=6\times3=18$(개)
(하루 동안 만들 수 있는 장난감의 수)
$=18\times8=144$(개) ▸3점
❷ (일주일 동안 만들 수 있는 장난감의 수)
$=144\times7=1008$(개) ▸2점 / 1008개
18 3712

01 ❶ ㉠과 ⓛ이 나타내는 수 각각 구하기
㉠ $30\times20=600$ ⓛ $9\times42=378$
❷ ㉠과 ⓛ이 나타내는 수의 합 구하기
㉠+ⓛ$=600+378=$**978**

02 ❶ □ 안에 알맞은 수 각각 구하기
㉠ $90\times40=3600$ ➜ □$=40$
ⓛ $60\times80=4800$ ➜ □$=60$
㉢ $30\times80=2400$ ➜ □$=80$
❷ □ 안에 알맞은 수가 가장 큰 것 구하기
따라서 $80>60>40$이므로 □ 안에 알맞은 수가 가장 큰 것은 ㉢입니다.

03 레벨UP 공략

문제에 다음과 같은 표현이 있을 때 식으로 나타내려면?

■의 ▲배
■와 ▲의 곱 → ■×▲
■씩 ▲개

❶ 경판 한 장의 한쪽 면에 새겨진 글자의 수 구하기

(경판 한 장의 한쪽 면에 새겨진 글자의 수)

$=14\times23=322$(개)

❷ 경판 한 장의 양쪽 면에 새겨진 글자의 수 구하기

(경판 한 장의 양쪽 면에 새겨진 글자의 수)

$=322\times2=$**644(개)**

04 ❶ □ 안에 알맞은 수 구하기

$112\times$□$=672$에서 $112\times6=672$이므로 □$=6$입니다.

❷ 상자에 415를 넣으면 얼마가 나오는지 구하기

따라서 상자에 415를 넣으면 $415\times6=$**2490**이 나옵니다.

05 ❶ 정사각형의 네 변에 찍는 점의 수의 합 구하기

(정사각형의 네 변에 찍는 점의 수의 합)

$=212\times4=848$(개)

❷ 찍게 되는 점의 수 구하기

이 중에서 네 꼭짓점에 있는 점은 2번씩 찍게 되므로 4개의 점이 겹쳐집니다.

→ (찍게 되는 점의 수)$=848-4=$**844(개)**

06

채점 기준		
채점 기준	❶ 두발자전거의 바퀴 수와 네발자전거의 바퀴 수 각각 구하기	4점
	❷ 자전거의 바퀴는 모두 몇 개인지 구하기	1점

07 레벨UP 공략

어떤 수에 가장 가까운 수를 구하려면?

■에 가장 가까운 수 = ■와의 차가 가장 작은 수

❶ 45×□의 값 구하기

• □$=13$일 때: $45\times13=585$, $600-585=15$

• □$=14$일 때: $45\times14=630$, $630-600=30$

❷ □ 안에 알맞은 두 자리 수 구하기

따라서 600과의 차가 가장 작을 때 곱이 600에 가장 가까우므로 □$=$**13**입니다.

주의 600에 가장 가까운 수는 600보다 작을 수도 있고 600보다 클 수도 있습니다.

08 ❶ 370×2, 129×6을 각각 계산하기

• $370\times2=740$ • $129\times6=774$

❷ □ 안에 들어갈 수 있는 세 자리 수는 모두 몇 개인지 구하기

따라서 $740<$□<774이므로 □ 안에 들어갈 수 있는 세 자리 수는 $774-740-1=$**33(개)**입니다.

참고 ■보다 크고 ●보다 작은 수의 개수: (●－■－1)개

09 ❶ 문제에 알맞은 식 만들기

유산균의 수는 6시간마다 2배씩 늘어나므로 (이전의 유산균의 수)×2를 계산하면 됩니다.

❷ 지금부터 하루가 지난 후의 유산균의 수 구하기

지금	6시간 후	12시간 후	18시간 후	24시간 후
24	48	96	192	384

(각각 ×2)

따라서 유산균은 **384마리**입니다.

10 ❶ 모양 한 개를 만드는 데 사용한 수수깡의 길이의 합 구하기

모양 한 개를 만드는 데 사용한 수수깡은 12개입니다.

(모양 한 개를 만드는 데 사용한 수수깡의 길이의 합)

$=17\times12=204$(cm)

❷ 모양 4개를 만드는 데 사용한 수수깡의 길이의 합 구하기

(모양 4개를 만드는 데 사용한 수수깡의 길이의 합)

$=204\times4=$**816(cm)**

11

채점 기준		
채점 기준	❶ 어떤 수 구하기	2점
	❷ 바르게 계산한 값 구하기	3점

12 ❶ 평상시 한 시간 동안 심장 박동 수 구하기

(평상시 한 시간 동안 심장 박동 수)

$=78\times60=4680$(번) (1시간＝60분)

❷ 운동 중 한 시간 동안 심장 박동 수 구하기

(운동 중 한 시간 동안 심장 박동 수)

$=94\times60=5640$(번)

❸ 위 ❶과 ❷의 심장 박동 수의 차 구하기

(운동 중과 평상시의 한 시간 동안 심장 박동 수의 차)

$=5640-4680=$**960(번)**

다른 풀이 (운동 중과 평상시의 1분 동안 심장 박동 수의 차)$=94-78=16$(번)

→ (운동 중과 평상시의 한 시간 동안 심장 박동 수의 차)

$=16\times60=$**960(번)**

참고 1분 동안 ■번 → 60분 동안 ▲번 (60배, 60배)

진도북 1단원

13 ❶ **연속된 두 수의 십의 자리 숫자 구하기**

곱이 342인 연속된 두 수를 찾습니다.

$10\times11=110$, $20\times21=420$에서

$110<342<420$이므로 연속된 두 자리 수의 십의 자리 숫자는 1입니다.

❷ **연속된 두 수의 곱의 일의 자리 숫자가 2인 경우 알아보기**

연속된 두 수의 곱의 일의 자리 숫자가 2인 경우는 $1\times2=2$, $3\times4=12$, $6\times7=42$, $8\times9=72$입니다.

❸ **펼쳐진 두 쪽수 구하기**

$11\times12=132$(×), $13\times14=182$(×)

$16\times17=272$(×), $18\times19=342$(○)

따라서 펼쳐진 두 쪽수는 **18쪽**, **19쪽**입니다.

14 레벨UP 공략

(몇십몇)×(몇십몇)의 가장 작은 곱을 구하려면?

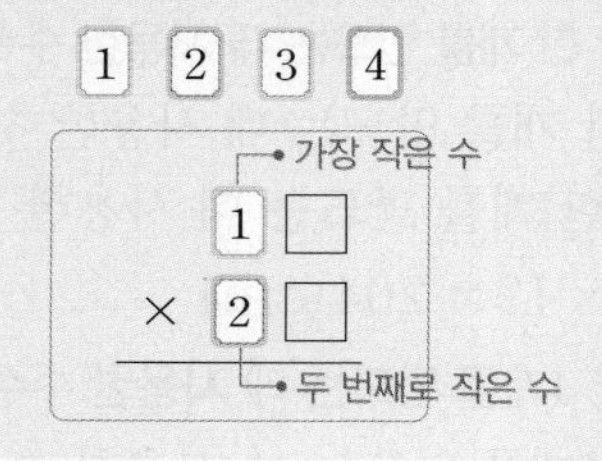

❶ **지호와 수지가 각각 만든 곱셈식의 가장 작은 곱 구하기**

- 지호: $26\times58=1508$, $28\times56=1568$
  → 가장 작은 곱: 1508
- 수지: $36\times47=1692$, $37\times46=1702$
  → 가장 작은 곱: 1692

❷ **곱이 더 작은 곱셈식을 만든 사람 구하기**

따라서 $1508<1692$이므로 곱이 더 작은 곱셈식을 만든 사람은 **지호**입니다.

15 ❶ **윤희가 그린 그림의 세로 구하기**

윤희가 그림 그림의 세로를 □ cm라 하면

(윤희가 그린 그림의 네 변의 길이의 합)

$=91+□+91+□=326$입니다.

$182+□+□=326$, $□+□=144$, $72+72=144$이므로 $□=72$입니다.

❷ **현재가 그린 그림의 네 변의 길이의 합 구하기**

(현재가 그린 그림의 한 변)

$=72\times2=144$ (cm)

→ (현재가 그린 그림의 네 변의 길이의 합)

$=144\times4=$**576 (cm)**

16 ❶ **일의 자리 숫자가 4인 경우 찾기**

♥×●의 일의 자리 숫자가 4인 경우(●>♥)

♥	1	2	3	4	6
●	4	7	8	6	9

❷ **●♥ × ♥●가 2944가 되는 경우 알아보기**

$41\times14=574$(×), $72\times27=1944$(×),

$83\times38=3154$(×), $64\times46=2944$(○),

$96\times69=6624$(×)

❸ **●와 ♥가 나타내는 수 각각 구하기**

따라서 **●=6**, **♥=4**입니다.

17

채점 기준		
	❶ 하루 동안 만들 수 있는 장난감의 수 구하기	3점
	❷ 일주일 동안 만들 수 있는 장난감의 수 구하기	2점

18 ❶ **조건을 만족하는 곱셈식 구하기**

어떤 두 자리 수를 ㉠㉡이라 하면 십의 자리 숫자와 일의 자리 숫자를 바꾼 수는 ㉡㉠입니다.

- 7×㉠의 일의 자리 숫자가 2가 되는 경우는 $7\times6=42$이므로 ㉠=6입니다.
- 7×㉡에 4를 더한 값이 32이므로 7×㉡=28, ㉡=4입니다.

```
    7
× ㉡ ㉠
-------
  3 2 2
```

❷ **어떤 두 자리 수와 58을 곱한 값 구하기**

따라서 어떤 두 자리 수는 64이므로

$64\times58=$**3712**입니다.

STEP 3 최상위 도전하기 020~021쪽

1	2880, 1464	**2**	4
3	막대사탕, 40원	**4**	2268 m
5	195 cm	**6**	2800번

1 ❶ **2일은 몇 분인지 구하기**

(2일의 시간의 합)$=24\times2=48$(시간)

$60\times48=2880$(분)

→ ㉠=**2880**

❷ **3월과 4월은 모두 몇 시간인지 구하기**

(3월의 날수)+(4월의 날수)$=31+30=61$(일)

$24\times61=1464$(시간)

→ ㉡=**1464**

2 ❶ **덧셈식에서 ■, ▲에 알맞은 수 각각 구하기**

덧셈식에서 ▲가 될 수 있는 수는 4 또는 9입니다.

• ▲=4인 경우: ■+3=6, ■=3

→ 8+■=8+3=11(×)

• ▲=9인 경우: 1+■+3=6, ■=2

→ 8+■=8+2=10(○)

❷ **곱셈식에서 ●, ★에 알맞은 수 각각 구하기**

곱셈식에서 ●×92=6★4이므로 ●가 될 수 있는 수는 2 또는 7입니다.

• ●=2인 경우: 2×92=184(×)

• ●=7인 경우: 7×92=644(○)

따라서 ★에 알맞은 수는 **4**입니다.

3 ❶ **막대사탕을 1시간 동안 팔아 얻은 이익 구하기**

(막대사탕 1개를 팔았을 때 얻은 이익)

=650−600=50(원)

→ (막대사탕을 1시간 동안 팔아 얻은 이익)

=50×19=950(원)

❷ **지팡이 사탕을 1시간 동안 팔아 얻은 이익 구하기**

(지팡이 사탕 1개를 팔았을 때 얻은 이익)

=950−820=130(원)

→ (지팡이 사탕을 1시간 동안 팔아 얻은 이익)

=130×7=910(원)

❸ **위 ❶과 ❷ 중에서 어느 것이 얼마 더 많은지 구하기**

따라서 950>910이므로 1시간 동안 팔아 얻은 이익은 **막대사탕**이 950−910=**40(원)** 더 많습니다.

4 ❶ **버스가 30초 동안 달린 거리 구하기**

버스가 1분 동안 912 m를 달리고 456+456=912이므로 30초 동안에는 456 m를 달립니다.

❷ **버스가 2분 30초 동안 달린 거리 구하기**

(버스가 2분 동안 달린 거리)=912×2=1824(m)

(버스가 2분 30초 동안 달린 거리)

=1824+456=2280(m)

❸ **터널의 길이 구하기**

(버스가 터널을 완전히 지나갈 때까지 달린 거리)

=(터널의 길이)+(버스의 길이)이므로

2280=(터널의 길이)+12,

(터널의 길이)=2280−12=**2268(m)**입니다.

5 ❶ **사진 12장의 길이의 합 구하기**

㉠의 길이는 가로가 19 cm인 사진을 한 줄로 길게 3 cm씩 겹쳐지도록 이어 붙이는 것과 같습니다.

(사진 12장의 길이의 합)=19×12=228(cm)

❷ **겹쳐진 부분의 길이의 합 구하기**

사진 12장을 붙일 때 겹쳐지는 부분은 모두 11곳입니다.

(겹쳐진 부분의 길이의 합)=3×11=33(cm)

❸ **㉠의 길이 구하기**

(㉠의 길이)=228−33=**195(cm)**

6

일정한 빠르기로 서로 맞물려 돌아가는 2개의 톱니바퀴 ㉮와 ㉯가 있습니다. ㉮ 톱니바퀴가 한 번 돌아갈 때 ㉯ 톱니바퀴는 5번 돌아갑니다. ㉮ 톱니바퀴가 2분 동안 16번 돌아갈 때 **㉯ 톱니바퀴는 1시간 10분 동안 몇 번 돌아가는지** 구해 보세요.

(㉯ 톱니바퀴가 돌아가는 횟수) =(㉮ 톱니바퀴가 돌아가는 횟수)×5

❶ **㉮ 톱니바퀴가 1분 동안 돌아가는 횟수 구하기**

(㉮ 톱니바퀴가 1분 동안 돌아가는 횟수)

=16÷2=8(번)입니다. (㉮ 톱니바퀴는 2분 동안 16번 돌아갑니다.)

❷ **㉯ 톱니바퀴가 1분 동안 돌아가는 횟수 구하기**

(㉯ 톱니바퀴가 1분 동안 돌아가는 횟수)

=8×5=40(번) (㉮ 톱니바퀴가 한 번 돌아갈 때 ㉯ 톱니바퀴는 5번 돌아갑니다.)

❸ **㉯ 톱니바퀴가 1시간 10분 동안 돌아가는 횟수 구하기**

1시간=60분 → 1시간 10분=60분+10분=70분

→ (㉯ 톱니바퀴가 1시간 10분 동안 돌아가는 횟수)

=40×70=**2800(번)**

상위권 TEST

022~023쪽

01	1844 cm	02	㉠
03	2600개	04	6
05	8	06	4상자
07	6768	08	158 cm
09	1610원	10	7128
11	1978	12	1395 m

01 ❶ **정사각형의 각 변의 길이 구하기**

정사각형은 네 변의 길이가 모두 같으므로 각 변의 길이는 모두 461 cm입니다.

❷ **정사각형의 네 변의 길이의 합 구하기**

(정사각형의 네 변의 길이의 합)

=461×4=**1844(cm)**

02 ❶ □ 안에 알맞은 수 각각 구하기

㉠ $60 \times 40 = 2400$ ➔ □$=60$

㉡ $90 \times 20 = 1800$ ➔ □$=20$

㉢ $40 \times 80 = 3200$ ➔ □$=40$

❷ □ 안에 알맞은 수가 가장 큰 것 구하기

따라서 □ 안에 알맞은 수가 가장 큰 것은 ㉠입니다.

03 ❶ 한쪽 벽면에 필요한 타일의 수 구하기

(한쪽 벽면에 필요한 타일의 수)

$=26 \times 25 = 650$(개)

❷ 필요한 전체 타일의 수 구하기

(필요한 전체 타일의 수)$=650 \times 4 =$ **2600(개)**

04 ❶ □ 안에 들어갈 수 있는 수 구하기

• □$=5$일 때: $53 \times 14 = 742 < 800$

• □$=6$일 때: $63 \times 14 = 882 > 800$

❷ □ 안에 들어갈 수 있는 가장 작은 수 구하기

따라서 □ 안에 들어갈 수 있는 가장 작은 수는 **6**입니다.

05 ❶ ㉠과 ㉡에 알맞은 수 각각 구하기

• ㉠$\times 8$의 일의 자리 숫자가 4이므로 ㉠$=3$ 또는 ㉠$=8$입니다. ㉠$=8$일 때 만족하는 ㉡은 없으므로 ㉠$=3$입니다.

$$\begin{array}{r} ㉠\ 8 \\ \times\ ㉡\ 8 \\ \hline 1\ 7\ 4 \end{array}$$

• $3 \times$㉡에 2를 더한 값이 17이므로 $3 \times$㉡$=15$, ㉡$=5$입니다.

❷ ㉠과 ㉡의 합 구하기

㉠$+$㉡$=3+5=8$

06 ❶ 전체 귤의 수 구하기

(전체 사과의 수)$=36 \times 12 = 432$(개)

(전체 귤의 수)$=904-432=472$(개)

❷ 귤은 모두 몇 상자인지 구하기

$118 \times$□$=472$이므로 □$=4$입니다.

따라서 귤은 모두 **4상자**입니다.

07 ❶ (세 자리 수)×(한 자리 수)의 곱이 가장 큰 경우 알아보기

곱이 가장 크려면 한 자리 수에 가장 큰 수를 놓고 나머지 수로 가장 큰 세 자리 수를 만들어야 합니다.

❷ 곱이 가장 큰 (세 자리 수)×(한 자리 수)의 곱 구하기

수의 크기를 비교하면 $9>7>5>2$이므로 곱이 가장 큰 (세 자리 수)×(한 자리 수)는 $752 \times 9 =$ **6768**입니다.

08 ❶ 종이 조각의 길이의 합 구하기

(종이 조각 16개의 길이의 합)$=8 \times 16 = 128$(cm)

❷ 떨어진 간격의 길이의 합 구하기

(떨어진 간격의 길이의 합)$=2 \times 15 = 30$(cm)

❸ ㉠의 길이 구하기

(㉠의 길이)$=128+30=$ **158(cm)**

09 ❶ 연필 3자루와 색 도화지 12장의 값의 합 구하기

(연필 3자루의 값)$=850 \times 3 = 2550$(원)

(색 도화지 12장의 값)$=70 \times 12 = 840$(원)

(연필 3자루와 색 도화지 12장의 값의 합)

$=2550+840=3390$(원)

❷ 정훈이가 받아야 할 거스름돈 구하기

(받아야 할 거스름돈)$=5000-3390=$ **1610(원)**

10 ❶ 어떤 수를 구하여 바르게 계산하기

어떤 수를 □라 하면 □$-24=9$, □$=9+24=33$

(바른 계산)$=33 \times 24 = 792$

❷ 바르게 계산한 값과 잘못 계산한 값의 곱 구하기

바르게 계산한 값과 잘못 계산한 값의 곱은 $792 \times 9 =$ **7128**입니다.

11 ❶ 두 자리 수 ㉮는 얼마인지 구하기

㉮를 ㉠㉡이라 하면 바꾼 수는 ㉡㉠입니다.

• $3 \times$㉠의 일의 자리 숫자가 4가 되는 경우는 $3 \times 8 = 24$이므로 ㉠$=8$입니다.

$$\begin{array}{r} 3 \\ \times\ ㉡\ ㉠ \\ \hline 2\ 0\ 4 \end{array}$$

• $3 \times$㉡에 2를 더한 값이 20이므로 $3 \times$㉡$=18$, ㉡$=6$입니다. ➔ ㉮$=86$

❷ ㉮$\times 23$의 값 구하기

따라서 ㉮$\times 23 = 86 \times 23 =$ **1978**입니다.

12 ❶ 기차가 30초 동안 달린 거리 구하기

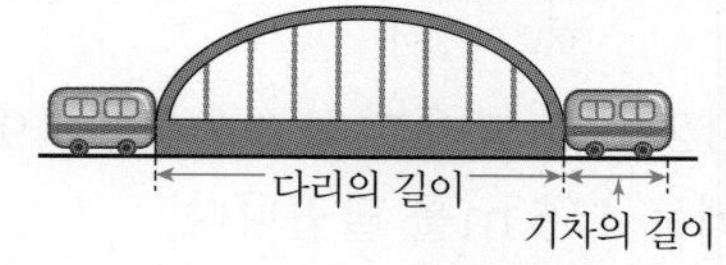

기차가 1분 동안 980 m를 달리고 $490+490=980$이므로 30초 동안에는 490 m를 달립니다.

❷ 기차가 1분 30초 동안 달린 거리 구하기

(기차가 1분 30초 동안 달린 거리)

$=980+490=1470$(m)

❸ 다리의 길이 구하기

(기차가 다리를 완전히 지나갈 때까지 달린 거리)

$=$(다리의 길이)$+$(기차의 길이)이므로

(다리의 길이)$=1470-75=$ **1395(m)**입니다.

② 나눗셈

개념 넓히기 027쪽

1 10 / 15 **2** <

3 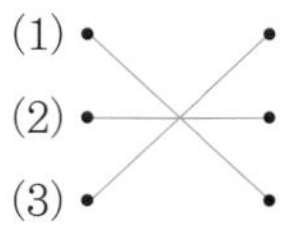

4 $78 \div 6 = 13$, 13접시

STEP 1 응용 공략하기 028~033쪽

01 77, 2 **02** ㉠

03 예 ❶ (자른 도막의 수)
$=5+1=6$(도막) ▸2점
❷ (한 도막의 길이)
$=378 \div 6 = 63$(cm) ▸3점
/ 63 cm

04 ㉢ **05** 0, 7

06 5권 **07** 12그루

08 38번 **09** 23도막, 3 cm

10 정우

11 예 ❶ (가로로 나누어지는 정사각형의 수)
$=84 \div 7 = 12$(개)
(세로로 나누어지는 정사각형의 수)
$=70 \div 7 = 10$(개) ▸3점
❷ (나누어지는 전체 정사각형의 수)
$=12 \times 10 = 120$(개) ▸2점
/ 120개

12 3, 8 **13** 55

14 67

15 예 ❶ 어떤 수를 □라 하면 $□ \div 8 = 12 \cdots 1$에서 $8 \times 12 = 96$, $96 + 1 = 97$이므로 $□ = 97$입니다. ▸2점
❷ 따라서 바르게 계산하면 $97 \div 5 = 19 \cdots 2$이므로 몫은 19이고 나머지는 2입니다. ▸3점
/ 19, 2

16 29 **17** 2명

18 168개

01 100이 3개이면 300
10이 8개이면 80
1이 7개이면 7
387
➜ $387 \div 5 = 77 \cdots 2$이므로 몫은 **77**이고 나머지는 **2**입니다.

02 ㉠ $□ \times 2 = 56$, $56 \div 2 = 28$ ➜ $□ = 28$
㉡ $81 \div 3 = 27$ ➜ $□ = 27$
㉢ $3 \times □ = 72$, $72 \div 3 = 24$ ➜ $□ = 24$
따라서 $28 > 27 > 24$이므로 □ 안에 알맞은 수가 가장 큰 것은 ㉠입니다.

03

채점 기준		
	❶ 자른 도막의 수 구하기	2점
	❷ 한 도막의 길이 구하기	3점

참고 (자른 도막의 수)=(자른 횟수)+1

04 ㉠ $684 \div 4$ → $6 > 4$ ➜ 몫이 세 자리 수
㉡ $913 \div 8$ → $9 > 8$ ➜ 몫이 세 자리 수
㉢ $752 \div 9$ → $7 < 9$ ➜ 몫이 두 자리 수
㉣ $566 \div 5$ → $5 = 5$ ➜ 몫이 세 자리 수
따라서 몫의 자릿수가 다른 하나는 ㉢입니다.
다른 풀이 ㉠ $684 \div 4 = 171$ ➜ 몫이 세 자리 수
㉡ $913 \div 8 = 114 \cdots 1$ ➜ 몫이 세 자리 수
㉢ $752 \div 9 = 83 \cdots 5$ ➜ 몫이 두 자리 수
㉣ $566 \div 5 = 113 \cdots 1$ ➜ 몫이 세 자리 수
따라서 몫의 자릿수가 다른 하나는 ㉢입니다.

05 몫을 ●라 하면 $7□ \div 7 = ●$이므로 $7 \times ● = 7□$입니다.
• ●=10일 때: $7 \times 10 = 70$ → □=0
• ●=11일 때: $7 \times 11 = 77$ → □=7
➜ □ 안에 들어갈 수 있는 수는 **0**, **7**입니다.

06 (전체 공책의 수)÷(학생 수)$=67 \div 6 = 11 \cdots 1$이므로 공책 67권을 한 명에게 11권씩 나누어 주고 1권이 남습니다.
➜ (더 필요한 공책의 수)
=(학생 수)−(남은 공책의 수)
$=6-1=$**5(권)**

07 (간격의 수)$=66 \div 6 = 11$(군데)
➜ (필요한 나무의 수)
$=11+1=$**12(그루)**

08 (전체 사탕의 수)$=125+173=298$(개)
$298\div8=37\cdots2$이므로 상자에서 37번 꺼내면 사탕 2개가 남습니다.
→ 사탕을 모두 꺼내려면 적어도 $37+1=$**38(번)**을 꺼내야 합니다.

09 끈의 전체 길이를 □cm라 하면 $□\div7=13\cdots4$입니다.
$□\div7=13\cdots4$에서 $7\times13=91$, $91+4=95$이므로 □$=95$입니다.
→ $95\div4=23\cdots3$이므로 **23도막**이 되고, **3 cm**가 남습니다.

10 • 수지: $85\div7=12\cdots1$이므로 남은 붙임딱지는 1장입니다.
• 정우: $74\div5=14\cdots4$이므로 남은 붙임딱지는 4장입니다.
→ $1<4$이므로 남은 붙임딱지가 더 많은 사람은 **정우**입니다.

11

채점 기준		
	❶ 가로와 세로로 나누어지는 정사각형의 개수 각각 구하기	3점
	❷ 나누어지는 정사각형은 모두 몇 개인지 구하기	2점

12

```
     ㉡ ㉣
5 ) 7  ㉠
    ㉢
    2  ㉠
    2  ㉤
       3
```

• $7-㉢=2$이므로 $7-2=㉢$, $㉢=5$
• $5\times㉡=5$, $㉡=1$
• $5\times㉣=2㉤$에서 $5\times㉣$의 십의 자리 숫자가 2인 경우는 $5\times4=20$, $5\times5=25$입니다.
㉣$=4$, ㉤$=0$일 때 $㉠-0=3$, ㉠$=3$입니다.
㉣$=5$, ㉤$=5$일 때 $㉠-5=3$, ㉠$=8$입니다.
→ ㉠에 들어갈 수 있는 수는 **3, 8**입니다.

13 나누어지는 수가 가장 크려면 나머지가 가장 커야 합니다.
♥는 $□\div4$의 나머지이므로 나머지가 될 수 있는 수는 0, 1, 2, 3이고, 이 중에서 가장 큰 수는 3입니다.
$□\div4=13\cdots3$에서 $4\times13=52$, $52+3=55$이므로 □$=55$입니다.
→ □ 안에 들어갈 수 있는 수 중에서 가장 큰 수는 **55**입니다.

참고 나머지는 나누는 수보다 작아야 합니다.

14 60보다 크고 70보다 작은 수 중에서 3으로 나누면 나머지가 1인 수는 $■\div3=●\cdots1$이므로 ■는 $3\times●$에 1을 더한 수입니다.
• ●$=20$일 때: $3\times20=60$, $60+1=61$
• ●$=21$일 때: $3\times21=63$, $63+1=64$
• ●$=22$일 때: $3\times22=66$, $66+1=67$
$61\div8=7\cdots5$, $64\div8=8$, $67\div8=8\cdots3$이므로 8로 나누면 나머지가 3인 수는 **67**입니다.

15

채점 기준		
	❶ 어떤 수 구하기	2점
	❷ 바르게 계산했을 때의 몫과 나머지 구하기	3점

16 몫이 가장 크려면 나누어지는 수를 가장 크게, 나누는 수를 가장 작게 해야 하므로 가장 큰 두 자리 수는 87, 가장 작은 한 자리 수는 3입니다.
→ $87\div3=29$이므로 나눗셈의 몫이 가장 크게 될 때의 몫은 **29**입니다.

참고 수 카드로 몫이 가장 큰 나눗셈식 (몇십몇)÷(몇)을 만들려면 수 카드의 수 중에서 (가장 큰 두 자리 수)÷(가장 작은 한 자리 수)를 만들어야 합니다.

17 • 첫 번째 놀이: 77명이 6명씩 모이면 $77\div6=12\cdots5$이므로 5명이 남습니다.
• 두 번째 놀이: 두 번째 놀이에 참여하는 학생은 $77-5=72$(명)입니다.
72명이 5명씩 모이면 $72\div5=14\cdots2$이므로 2명이 남습니다.
• 세 번째 놀이: 세 번째 놀이에 참여하는 학생은 $72-2=70$(명)입니다.
70명이 4명씩 모이면 $70\div4=17\cdots2$이므로 2명이 남습니다.
따라서 세 번째 놀이에서 짝을 짓지 못하고 남은 학생은 **2명**입니다.

18 (한 변 위에 찍는 점 사이의 간격 수)
$=126\div3=42$(군데)
(한 변 위에 찍는 점의 수)
$=42+1=43$(개)
(정사각형의 각 변에 찍는 점의 수의 합)
$=43\times4=172$(개)
이 중에서 네 꼭짓점에 있는 점은 2번씩 찍게 되므로 4개의 점의 겹쳐집니다.
→ (정사각형의 네 변 위에 찍는 점의 수의 합)
$=172-4=$**168(개)**

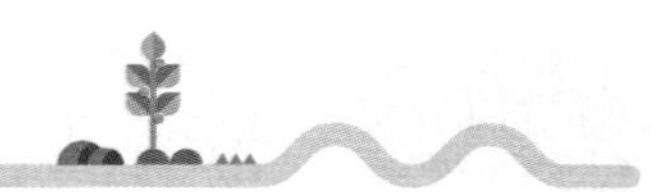

STEP 2 심화 해결하기 034~039쪽

01 19　02 16개
03 36 cm　04 8, 5, 7
05 토마토 씨앗, 5개
06 예 ❶ ㉡은 나머지인 5보다 커야 하므로 ㉡이 될 수 있는 가장 작은 수는 6입니다. → ㉡=6
㉠÷6=23…5에서 6×23=138, 138+5=143이므로 ㉠=143입니다. ▸3점
❷ 따라서 ㉠과 ㉡에 들어갈 수 있는 가장 작은 수의 합은 143+6=149입니다. ▸2점
/ 149
07 2　08 타조, 22 m
09 예 ❶ 어떤 수를 □라 하면 □÷4=21이므로 4×21=□, □=84입니다. ▸3점
❷ 따라서 84÷8=10…4이므로 어떤 수를 8로 나눈 나머지는 4입니다. ▸2점
/ 4
10 딱정벌레, 10마리　11 80 cm
12 23일　13 2
14 예 ❶ 8로 나누었을 때 가장 큰 나머지는 7입니다. ▸2점
❷ 75보다 크고 100보다 작은 수 중에서 8로 나누면 나머지가 7인 수는
8×9=72 → 72+7=79,
8×10=80 → 80+7=87,
8×11=88 → 88+7=95입니다.
따라서 조건을 만족하는 수는 79, 87, 95로 모두 3개입니다. ▸3점
/ 3개
15 3, 4, 7, 4, 6
16 15+16+17+18+19=85
17 12 cm　18 12 cm

01 ❶ 가장 큰 수와 가장 작은 수 각각 구하기
76>52>39>8>4이므로 가장 큰 수는 76, 가장 작은 수는 4입니다.
❷ 가장 큰 수를 가장 작은 수로 나눈 몫 구하기
(가장 큰 수)÷(가장 작은 수)
=76÷4=19
따라서 가장 큰 수를 가장 작은 수로 나눈 몫은 **19**입니다.

02 레벨UP 공략
원 모양의 길에서 필요한 의자의 수를 구하려면?

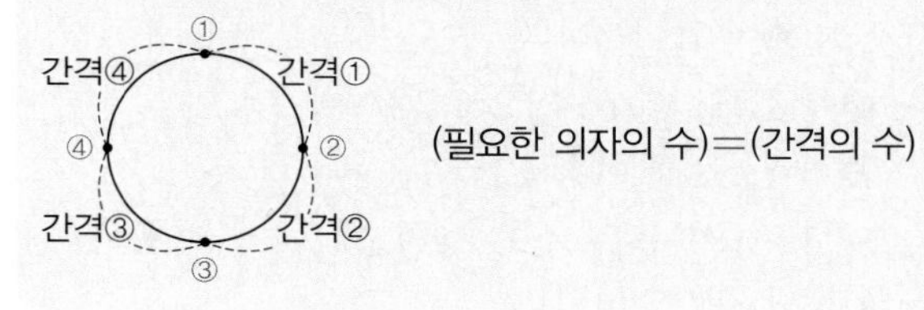

❶ 간격의 수 알아보기
원 모양이므로 필요한 의자의 수는 간격의 수와 같습니다.
(간격의 수)=48÷3=16(군데)
❷ 필요한 의자의 수 구하기
따라서 필요한 의자는 모두 **16개**입니다.

03 ❶ 전체 쌓은 층의 수 구하기
(전체 쌓은 층의 수)=54÷3=18(층)
❷ 젠가탑의 전체 높이 구하기
나무 블록 한 개의 높이는 2 cm입니다.
→ (젠가탑의 전체 높이)=2×18=**36(cm)**

04 ❶ 나눗셈식 만들기
47÷㉠이라 하면
- ㉠=5일 때: 47÷5=9…2(×)
- ㉠=7일 때: 47÷7=6…5(×)
- ㉠=8일 때: 47÷8=5…7(○)

❷ 나눗셈식 완성하기
따라서 수 카드를 한 번씩만 넣어 완성할 수 있는 나눗셈식은 47÷**8**=**5**…**7**입니다.

05 ❶ 나눗셈식 세우기
- 상추 씨앗: 189÷9=21이므로 한 줄에 21개씩입니다.
- 토마토 씨앗: 104÷4=26이므로 한 줄에 26개씩입니다.

❷ 한 줄에 심는 씨앗은 어느 것이 몇 개 더 많은지 구하기
따라서 한 줄에 심는 씨앗은 **토마토 씨앗**이 26−21=**5(개)** 더 많습니다.

06 레벨UP 공략
나누어지는 수를 구하려면?
□÷▲=●…★ → ▲×●=■ → ■+★=□

채점 기준		
	❶ ㉠과 ㉡에 들어갈 수 있는 가장 작은 수 각각 구하기	3점
	❷ 위 ❶에서 구한 두 수의 합 구하기	2점

진도북 2단원

07 ❶ □ 안에 들어갈 수 있는 수 각각 구하기
- 7□÷6의 몫을 ●라 하면 7□÷6=●이므로 6×●=7□입니다.
  ●=12일 때 6×12=72 → □=2,
  ●=13일 때 6×13=78 → □=8
- 5□÷4의 몫을 ▲라 하면 5□÷4=▲이므로 4×▲=5□입니다.
  ▲=13일 때 4×13=52 → □=2,
  ▲=14일 때 4×14=56 → □=6

❷ □ 안에 공통으로 들어갈 수 있는 수 구하기
따라서 □ 안에 공통으로 들어갈 수 있는 한 자리 수는 **2**입니다.

08 ❶ 1초 동안 달린 거리 각각 구하기
- (기린이 1초 동안 달린 거리)=60÷4=15(m)
- (타조가 1초 동안 달린 거리)=66÷3=22(m)
- (토끼가 1초 동안 달린 거리)=90÷5=18(m)

❷ 1초 동안 달린 거리가 가장 긴 동물과 달린 거리 구하기
→ 22>18>15이므로 1초 동안 달린 거리가 가장 긴 동물은 **타조**이고 달린 거리는 **22 m**입니다.

09

채점 기준		
	❶ 어떤 수 구하기	3점
	❷ 어떤 수를 8로 나눈 나머지 구하기	2점

10 ❶ 사마귀와 딱정벌레의 수 각각 구하기
(사마귀의 수)=28÷4=7(마리)
(사마귀의 다리 수)=7×6=42(개)
(딱정벌레의 다리 수)=144−42=102(개)
(딱정벌레의 수)=102÷6=17(마리)

❷ 어느 곤충이 몇 마리 더 많은지 구하기
따라서 17>7이므로 **딱정벌레**가 17−7=**10(마리)** 더 많습니다.

참고 • 곤충의 날개의 수: 2쌍 → 2×2=4(개)
• 곤충의 다리의 수: 3쌍 → 2×3=6(개)

11 ❶ 자른 직사각형의 가로 구하기
자른 직사각형의 가로를 □cm라 하면 세로는 (□+□)cm입니다.
□+□+□+□+□+□=60에서 □×6=60, □=60÷6=10입니다.

❷ 정사각형 모양 종이의 네 변의 길이의 합 구하기
(정사각형 모양 종이의 한 변)=10×2=20(cm)
→ (네 변의 길이의 합)=20×4=**80(cm)**

12 ❶ 하루에 푼 쪽수 구하기
(일주일 동안 푼 수학 문제집의 쪽수)
=148−113=35(쪽)
(하루에 푼 수학 문제집의 쪽수)=35÷7=5(쪽)

❷ 앞으로 적어도 며칠이 더 걸리는지 구하기
따라서 113÷5=22…3이므로 앞으로 적어도 22+1=**23(일)**이 더 걸립니다.

13 ❶ 수를 늘어놓은 규칙 찾기
5개의 수 1, 3, 2, 4, 1이 반복되는 규칙입니다.

❷ 98째에 놓이는 수 구하기
98÷5=19…3이므로 98째에 놓이는 수는 1, 3, 2, 4, 1이 19번 반복되어 놓인 후 셋째에 놓이는 **2**입니다.

14 레벨UP 공략

■÷㉠의 나머지가 될 수 있는 수는?
- 가장 큰 나머지: ㉠−1
- 가장 작은 나머지: 0

채점 기준		
	❶ 8로 나누었을 때 가장 큰 나머지 구하기	2점
	❷ 조건을 만족하는 수의 개수 구하기	3점

15 ❶ 수 카드로 만들 수 있는 나눗셈식 찾기
34÷7=4…6, 37÷4=9…1, 43÷7=6…1, 47÷3=15…2, 73÷4=18…1, 74÷3=24…2

❷ 나머지가 가장 크게 되는 나눗셈식 찾기
따라서 나머지가 가장 크게 되는 나눗셈식은 **34÷7=4…6**입니다.

16 ❶ 85를 보기와 같이 나타내는 방법 알아보기
85를 연속된 5개의 자연수의 합으로 나타내려면 85÷5=17이므로 17을 가운데 수로 하여 식을 만듭니다.

❷ 85를 연속된 5개의 자연수의 합으로 나타내기
15+16+17+18+19=85

17 ❶ 겹쳐진 부분의 길이의 합 구하기
(겹쳐진 부분의 수)=9−1=8(군데)
(겹쳐진 부분의 길이의 합)=3×8=24(cm)

❷ 색 테이프 9장의 길이의 합 구하기
색 테이프 9장의 길이의 합을 □cm라 하면 □−24=84, □=84+24=108입니다.

❸ 색 테이프 한 장의 길이 구하기
(색 테이프 한 장의 길이)=108÷9=**12(cm)**

18 ❶ **규칙을 찾아 넷째에 만든 가장 작은 정사각형은 가로, 세로로 몇 칸씩인지 구하기**

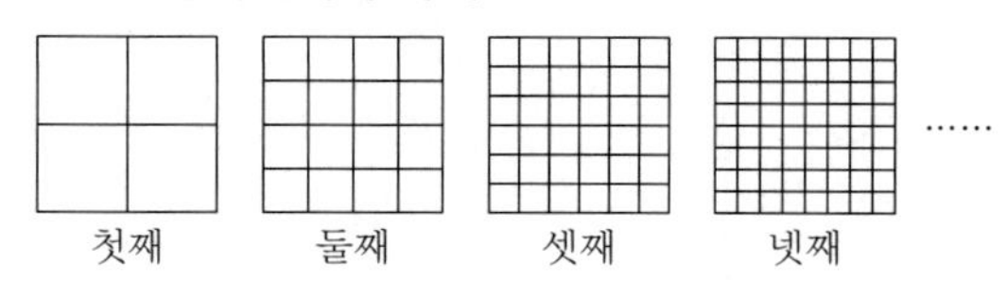

가장 작은 정사각형이 가로, 세로로 각각 2칸, 4칸, 6칸 ……씩 늘어나는 규칙입니다. 넷째에 만든 가장 작은 정사각형은 가로, 세로로 8칸씩입니다.

❷ **넷째에 만든 가장 작은 정사각형 한 개의 네 변의 길이의 합 구하기**

(큰 정사각형의 한 변)
$=96\div4=24$(cm)
(넷째에서 가장 작은 정사각형의 한 변)
$=24\div8=3$(cm)
따라서 넷째에 만든 가장 작은 정사각형 한 개의 네 변의 길이의 합은 $3\times4=$**12(cm)**입니다.

STEP 3 최상위 도전하기 040~041쪽

1	4개	2	6480원
3	12일	4	24
5	304개	6	5

1 ❶ **주어진 범위의 수 중에서 8로 나누어떨어지는 가장 작은 수 구하기**

$126\div8=15\cdots6$, $127\div8=15\cdots7$, $128\div8=16$이므로 125보다 크고 153보다 작은 세 자리 수 중에서 8로 나누어떨어지는 가장 작은 수는 128입니다.

❷ **주어진 범위의 수 중에서 8로 나누어떨어지는 수의 개수 구하기**

128은 8로 나누어떨어지므로
$128+8=136$, $128+8+8=144$,
$128+8+8+8=152$도 8로 나누어떨어집니다.
따라서 □ 안에 들어갈 수 있는 세 자리 수 중에서 8로 나누어떨어지는 수는 128, 136, 144, 152로 모두 **4개**입니다.

참고 ■가 ▲로 나누어떨어질 때 ■+▲, ■+▲+▲, ■+▲+▲+▲……도 ▲로 나누어떨어집니다.

2 ❶ **㉮, ㉯, ㉰ 종이봉투 한 장의 가격 각각 구하기**

(㉮ 종이봉투 한 장의 가격)
$=720\div6=120$(원)
(㉯ 종이봉투 한 장의 가격)
$=650\div5=130$(원)
(㉰ 종이봉투 한 장의 가격)
$=480\div2=240$(원)

❷ **한 장의 가격이 가장 저렴한 종이봉투 구하기**

$240>130>120$이므로 한 장의 가격이 가장 저렴한 종이봉투는 ㉮입니다.

❸ **위 ❷의 종이봉투 9묶음을 사는 데 필요한 금액 구하기**

(㉮ 종이봉투 9묶음을 사는 데 필요한 금액)
$=720\times9=$**6480(원)**

3 ❶ **4명이 18일 동안 한 일의 양 구하기**

한 명이 하루에 하는 일의 양을 1이라 하면
(4명이 18일 동안 한 일의 양)$=4\times18=72$입니다.

❷ **남은 일을 6명이 할 때 걸리는 날수 구하기**

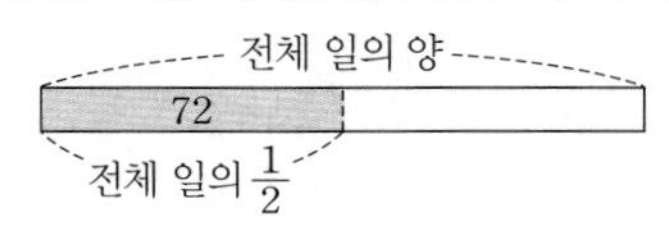

전체 일의 $\frac{1}{2}$이 72이므로 남은 일의 양은 72입니다.
따라서 남은 일을 6명이 하면 $72\div6=$**12(일)**이 걸립니다.

4 ❶ **수를 늘어놓은 규칙 찾기**

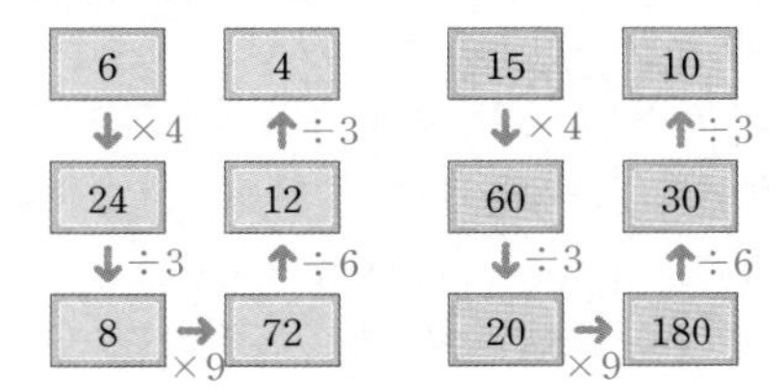

수를 늘어놓은 규칙은 다음과 같습니다.
- $6\times4=24$ → $24\div3=8$ → $8\times9=72$ → $72\div6=12$ → $12\div3=4$
- $15\times4=60$ → $60\div3=20$ → $20\times9=180$ → $180\div6=30$ → $30\div3=10$

❷ **㉠에 알맞은 수 구하기**

× → ÷, ÷ → ×로 바꾸어 거꾸로 계산하여 ㉠에 알맞은 수를 구합니다.
$16\times3=48$ → $48\times6=288$ → $288\div9=32$
→ $32\times3=96$ → $96\div4=24$
➜ ㉠에 알맞은 수는 **24**입니다.

진도북 2단원

5 ❶ **정사각형의 네 변에 세우는 깃발 수의 합 구하기**
(정사각형의 한 변에 세우는 깃발 사이의 간격 수)
$=76\div2=38$(군데)
(정사각형의 한 변에 세우는 깃발의 수)
$=38+1=39$(개)
(정사각형의 각 변에 세우는 깃발 수의 합)
$=39\times4=156$(개)이고, 이 중에서 4개의 깃발이 겹쳐집니다.
(정사각형의 네 변에 세우는 깃발 수의 합)
$=156-4$
$=152$(개)
❷ **정사각형의 네 변에 세우는 안내 푯말 수의 합 구하기**
(정사각형의 한 변에 세우는 안내 푯말의 수)
=(정사각형의 한 변에 세우는 깃발 사이의 간격 수)
=38개
(정사각형의 네 변에 세우는 안내 푯말 수의 합)
$=38\times4$
$=152$(개)
❸ **위 ❶과 ❷의 수의 합 구하기**
(깃발과 안내 푯말의 수의 합)
$=152+152$
$=$**304(개)**

6
어떤 두 자리 수를 그 수의 일의 자리 숫자로 나누면 17로 나누어떨어집니다. 어떤 두 자리 수를 **그 수의 십의 자리 숫자로 나누었을 때의 나머지**를 구해 보세요.
└ 나머지가 0입니다.

❶ **어떤 두 자리 수를 일의 자리 숫자로 나누는 경우 나눗셈 식을 세우기**
어떤 두 자리 수를 ㉠㉡이라 하면
㉠㉡÷㉡=17이므로 ㉠㉡=㉡×17입니다.
㉡×17의 계산 결과는 두 자리 수이고 일의 자리 수가 ㉡이 되는 경우를 찾습니다.

㉡	1	2	3	4	5	6
㉡×17	17	34	51	68	85	102

→ ㉡×17의 곱이 일의 자리 수가 ㉡이 되는 경우는 ㉡=5이므로 ㉠㉡=85입니다.
❷ **어떤 두 자리 수를 십의 자리 숫자로 나누는 경우 나머지 구하기**
85를 십의 자리 숫자 8로 나누면 $85\div8=10\cdots5$입니다. 따라서 어떤 두 자리 수를 그 수의 십의 자리 숫자로 나누었을 때의 나머지는 **5**입니다.

상위권 TEST

042~043쪽

01	31	02	5개
03	18일	04	2, 5, 8
05	13마리	06	7 cm
07	19, 3	08	30 cm
09	491	10	4개
11	13 cm	12	104명

01 ❶ **나눗셈의 몫 각각 구하기**
㉠ $36\div3=12$
㉡ $85\div5=17$
㉢ $76\div4=19$
❷ **몫이 가장 큰 것과 가장 작은 것의 몫의 합 구하기**
$19>17>12$이므로 몫이 가장 큰 것은 ㉢19이고, 몫이 가장 작은 것은 ㉠12입니다.
→ $19+12=$**31**

02 ❶ **나눗셈의 몫 각각 구하기**
$30\div3=10$, $80\div5=16$
❷ **□ 안에 들어갈 수 있는 두 자리 수의 개수 구하기**
$10<□<16$에서 □ 안에 들어갈 수 있는 두 자리 수는 11, 12, 13, 14, 15입니다.
따라서 □ 안에 들어갈 수 있는 두 자리 수는 모두 **5개**입니다.

03 ❶ **위인전의 전체 쪽수 구하기**
(위인전의 전체 쪽수)$=47\times3=141$(쪽)
❷ **은성이가 위인전을 모두 읽는 데 며칠이 걸리는지 구하기**
따라서 $141\div8=17\cdots5$이므로 남은 5쪽도 읽으려면 적어도 $17+1=$**18(일)**이 걸립니다.

04 ❶ **나누어떨어지는 나눗셈식 세우기**
몫을 ●라 하면 4★÷3=●이므로 3×●=4★입니다.
• ●=14일 때: $3\times14=42$ → ★=2
• ●=15일 때: $3\times15=45$ → ★=5
• ●=16일 때: $3\times16=48$ → ★=8
❷ **★에 알맞은 수 모두 구하기**
따라서 ★에 알맞은 수는 **2, 5, 8**입니다.
참고 ●가 13, 17일 때는 나누어지는 수의 십의 자리 숫자가 4가 아니므로 조건에 맞지 않습니다.
• ●=13일 때: $3\times13=39$
• ●=17일 때: $3\times17=51$

05 ❶ 닭과 소의 다리 수의 합 각각 구하기
(닭의 다리 수의 합)$=2\times38=76$(개)
(소의 다리 수의 합)$=128-76=52$(개)
❷ 전체 소의 수 구하기
(전체 소의 수)$=52\div4=$**13(마리)**

06 ❶ 정사각형을 만드는 데 사용한 철사의 길이 구하기
$1\,m=100\,cm$
(정사각형을 만드는 데 사용한 철사의 길이)
$=100-16=84(cm)$
❷ 정사각형 한 개를 만드는 데 사용한 철사의 길이 구하기
(정사각형 한 개를 만드는 데 사용한 철사의 길이)
$=84\div3=28(cm)$
❸ 정사각형의 한 변의 길이 구하기
(정사각형의 한 변)
$=28\div4=$**7(cm)**

07 ❶ 어떤 수 구하기
어떤 수를 □라 하면 $□\div6=13\cdots1$에서
$6\times13=78$, $78+1=79$이므로 $□=79$입니다.
❷ 어떤 수를 4로 나눈 몫과 나머지 구하기
따라서 $79\div4=19\cdots3$이므로 몫은 **19**이고 나머지는 **3**입니다.

08 ❶ 가장 작은 삼각형 한 개의 한 변의 길이 구하기
(가장 큰 삼각형의 한 변)
$=90\div3=30(cm)$
가장 작은 삼각형 한 개의 한 변은 가장 큰 삼각형의 한 변을 똑같이 3개로 나눈 것입니다.
(가장 작은 삼각형 한 개의 한 변)
$=30\div3=10(cm)$
❷ 가장 작은 삼각형 한 개의 세 변의 길이의 합 구하기
(가장 작은 삼각형 한 개의 세 변의 길이의 합)
$=10\times3=$**30(cm)**

09 ❶ 몫이 가장 크게 되는 경우 알아보기
몫이 가장 크려면 나누어지는 수를 가장 크게, 나누는 수를 가장 작게 해야 합니다.
- 가장 큰 세 자리 수: 985
- 가장 작은 한 자리 수: 2

❷ 나눗셈의 몫이 가장 크게 될 때의 몫과 나머지의 차 구하기
$985\div2=492\cdots1$이므로 몫은 492이고 나머지는 1입니다.
→ $492-1=$**491**

10 ❶ 5로 나누었을 때 가장 큰 나머지 구하기
5로 나누었을 때 가장 큰 나머지는 4입니다.
❷ 조건을 모두 만족하는 수의 개수 구하기
61보다 크고 83보다 작은 수 중에서 5로 나누었을 때 나머지가 4인 수는
$5\times12=60$ → $60+4=64$,
$5\times13=65$ → $65+4=69$,
$5\times14=70$ → $70+4=74$,
$5\times15=75$ → $75+4=79$입니다.
따라서 조건을 만족하는 수는 64, 69, 74, 79로 모두 **4개**입니다.

11 ❶ 겹쳐진 부분의 길이의 합 구하기
(겹쳐진 부분의 수)$=7-1=6$(군데)
(겹쳐진 부분의 길이의 합)
$=2\times6=12(cm)$
❷ 색 테이프 7장의 길이의 합 구하기
색 테이프 7장의 길이의 합을 □cm라 하면
$□-12=79$, $□=79+12=91$입니다.
❸ 색 테이프 한 장의 길이 구하기
(색 테이프 한 장의 길이)
$=91\div7=$**13(cm)**

12 ❶ 직사각형의 가로에 세우는 학생 수 구하기
(직사각형의 가로에 세우는 학생 사이의 간격 수)
$=84\div3=28$(군데)
(직사각형의 가로에 세우는 학생 수)
$=28+1=29$(명)
❷ 직사각형의 세로에 세우는 학생 수 구하기
(직사각형의 세로에 세우는 학생 사이의 간격 수)
$=72\div3=24$(군데)
(직사각형의 세로에 세우는 학생 수)
$=24+1=25$(명)
❸ 직사각형의 네 변에 세우는 학생 수의 합 구하기
(직사각형의 각 변에 세우는 학생 수의 합)
$=29+25+29+25=108$(명)
→ (직사각형의 네 변에 세우는 학생 수의 합)
$=108-4=$**104(명)**

주의 정사각형의 네 꼭짓점에는 학생을 2명씩 세우게 되므로 4명의 학생이 겹쳐집니다.
→ (직사각형의 네 변에 세우는 학생 수의 합)
=(직사각형의 각 변에 세우는 학생 수의 합)-4

3 원

개념 넓히기 047쪽

1 2개
2 6 cm, 12 cm
3 ㉢
4

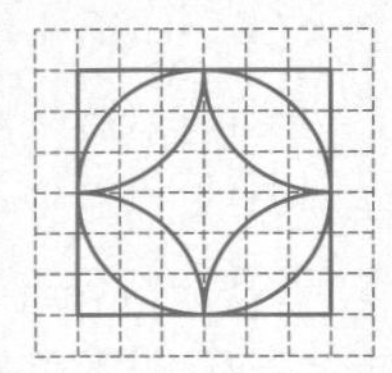

STEP 1 응용 공략하기 048~053쪽

01 2 cm
02 5개
03 ㉡, ㉠, ㉢
04

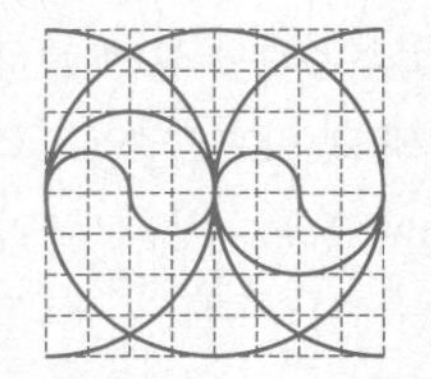

05 예 ❶ (가장 작은 원의 반지름)$=8\div2=4$(cm)
(중간 크기의 원의 반지름)$=10\div2=5$(cm) ▸3점
❷ (선분 ㄱㄷ)$=4+6+6+5=21$(cm) ▸2점
/ 21 cm
06 24 cm
07 예

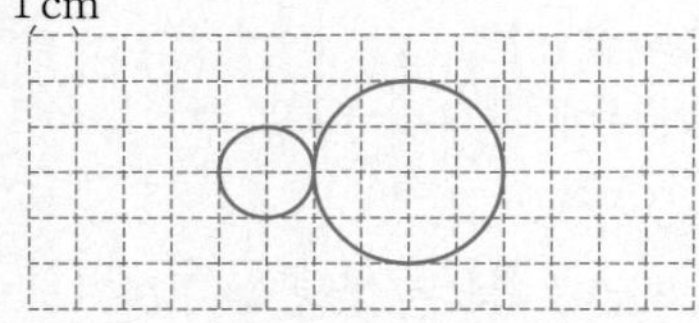

08 3 cm
09 72 cm
10 42 cm
11 72 cm
12 3 cm
13 29 cm
14 예 ❶ (큰 원의 지름)$=32\times2=64$(cm) ▸2점
❷ (큰 원의 지름)=(작은 원의 반지름)$\times$8이므로
(작은 원의 반지름)$=64\div8=8$(cm)입니다. ▸3점
/ 8 cm
15 12 cm
16 1.1 cm
17 27 cm
18 33 cm

01 (작은 원의 반지름)$=7$ cm
(큰 원의 반지름)$=18\div2=9$(cm)
→ (두 원의 반지름의 차)$=9-7=$**2 (cm)**

02 • 모양을 그릴 때 이용한 원: 7개
• 원의 중심이 같은 원: 3개
→ (원의 중심의 개수)$=7-3+1=$**5(개)**

03 ㉠ (원의 반지름)$=26$ cm
㉡ (원의 반지름)$=70\div2=35$(cm)
㉢ (원의 중심과 원 위의 한 점을 이은 선분)
=(원의 반지름)$=20$ cm
→ 반지름의 길이를 비교하면
35 cm > 26 cm > 20 cm이므로 ㉡, ㉠, ㉢입니다.

04 점이 찍힌 부분에 컴퍼스의 침을 꽂고 원 또는 원의 일부분을 그리면 주어진 모양과 같은 모양을 그릴 수 있습니다.

05

채점 기준		
	❶ 가장 작은 원의 반지름과 중간 크기의 원의 반지름의 길이 각각 구하기	3점
	❷ 선분 ㄱㄷ의 길이 구하기	2점

06 (선분 ㄱㄴ)=(선분 ㄴㄷ)=(선분 ㄷㄱ)
=(원의 반지름)$=8$ cm
→ (삼각형 ㄱㄴㄷ의 세 변의 길이의 합)
=(선분 ㄱㄴ)+(선분 ㄴㄷ)+(선분 ㄷㄱ)
$=8+8+8=$**24 (cm)**

07 3 cm인 선분을 긋고 선분의 한 끝점을 원의 중심으로 반지름이 1 cm인 원, 선분의 다른 끝점을 원의 중심으로 반지름이 2 cm인 원을 그립니다.

08 (가장 큰 원의 지름)=(직사각형의 짧은 변)$=6$ cm
→ (가장 큰 원의 반지름)$=6\div2=$**3 (cm)**

09 (첫째에 그려진 원의 반지름)$=4$ cm
(아홉째에 그려진 원의 반지름)
$=\underbrace{4+4+\cdots\cdots+4}_{9번}=4\times9=36$(cm)
→ (아홉째에 그려지는 원의 지름)
$=36\times2=$**72 (cm)**

10 (변 ㄱㄴ)$=4+9=13$(cm)
(변 ㄴㄷ)$=9+3=12$(cm)
(변 ㄷㄹ)$=3+5=8$(cm)
(변 ㄹㄱ)$=5+4=9$(cm)
→ (사각형 ㄱㄴㄷㄹ의 네 변의 길이의 합)
$=13+12+8+9=$**42 (cm)**

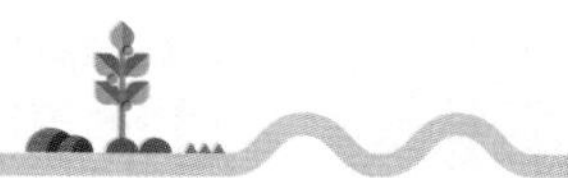

11 굵은 선의 길이는 원의 지름의 길이의 12배입니다.
→ (굵은 선의 길이)=(원의 지름)×12
=6×12=**72(cm)**

12 (가장 큰 원의 반지름)=16÷2=8(cm)
(가장 작은 원의 지름)=8−2=6(cm)
→ (가장 작은 원의 반지름)=6÷2=**3(cm)**

13 (선분 ㄱㄷ)=9 cm, (선분 ㄴㄷ)=7 cm
(선분 ㄱㄴ)=9+7−3=13(cm)
→ (삼각형 ㄱㄷㄴ의 세 변의 길이의 합)
=9+7+13=**29(cm)**

14

채점 기준		
	❶ 큰 원의 지름의 길이 구하기	2점
	❷ 작은 원의 반지름의 길이 구하기	3점

15 (가장 큰 원의 반지름)=24÷2=12(cm)
(중간 크기의 원의 반지름)=12÷2=6(cm)
(가장 작은 원의 반지름)=6÷2=3(cm)
→ (선분 ㄴㄹ)=3+6+3=**12(cm)**

16 단추의 지름을 □cm라 하면
(직사각형의 가로)=(□×4) cm,
(직사각형의 세로)=□cm입니다.
(직사각형의 가로와 세로의 합)
=□+□+□+□+□=110,
□×5=110, 110÷5=22
(단추의 반지름)=22÷2=11(mm)
→ 11 mm=1 cm 1 mm=**1.1 cm**

17 원 라의 반지름을 □cm라 하면
(원 다의 반지름)=(□×2) cm,
(원 다의 지름)=(□×2×2) cm=(□×4) cm이고,
(원 나의 반지름)=(□×2×3) cm=(□×6) cm
□+□+□+□+□+□+□+□+□+□+□
=33, □×11=33, □=3입니다.
→ (원 가의 지름)=18+33+3=54(cm)이므로
(원 가의 반지름)=54÷2=**27(cm)**입니다.

18 (큰 원의 지름)=16 cm
(큰 원의 반지름)=16÷2=8(cm)
작은 원의 지름을 □cm라 하면
16+□+16+□=44, □+□=12,
□=6입니다.
(작은 원의 반지름)=6÷2=3(cm)
→ (선분 ㄱㄹ)=44−8−3=**33(cm)**

STEP 2 심화 해결하기 054~059쪽

01 7개 **02** 24 cm
03 8 cm **04** 15 cm
05 예 ❶ 사각형 ㄱㄴㄷㄹ의 네 변의 길이의 합은 원의 반지름의 길이의 8배입니다.
(원의 반지름)=48÷8=6(cm) ▸3점
❷ (원의 지름)=6×2=12(cm) ▸2점 / 12 cm
06 문구점, 병원
07
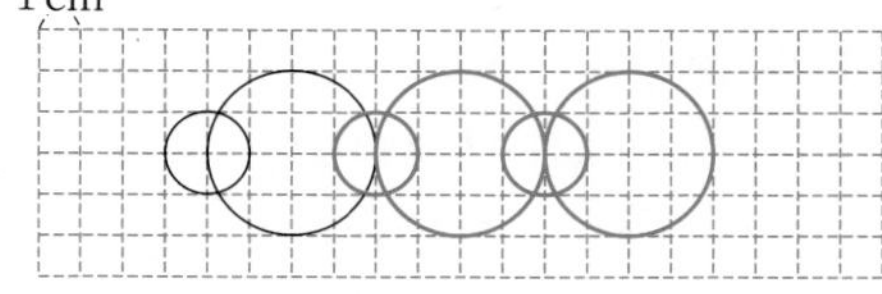

08 36 cm **09** 61 cm
10 8 cm **11** 54개
12 예 ❶ 변 ㄱㄴ, 변 ㄴㄷ은 큰 원의 반지름이므로
(변 ㄱㄴ)=(변 ㄴㄷ)=7+4=11(cm) ▸2점
❷ 변 ㄱㄹ, 변 ㄹㄷ은 작은 원의 반지름이므로
(변 ㄱㄹ)=(변 ㄹㄷ)=3+4=7(cm) ▸2점
❸ (사각형 ㄱㄴㄷㄹ의 네 변의 길이의 합)
=11+11+7+7=36(cm) ▸1점 / 36 cm
13 48 cm **14** 136 cm
15 예 ❶ 바깥쪽 빨간색 선의 길이는 원의 반지름의 길이의 22배이고, 안쪽 빨간색 선의 길이는 원의 반지름의 길이의 6배입니다.
바깥쪽과 안쪽의 빨간색 선의 길이의 합은 원의 반지름의 길이의 28배입니다. ▸2점
❷ 원의 반지름을 □ cm라 하면 □×28=56,
□=2입니다. ▸3점 / 2 cm
16 20개 **17** 19 cm **18** 21 cm

01 **❶ 진영이가 그린 모양에서 원의 중심의 개수 구하기**
모양을 그릴 때 이용한 원이 4개이고 이 중 원의 중심이 같은 원은 2개입니다.
(원의 중심의 개수)=4−2+1=3(개)
❷ 수민이가 그린 모양에서 원의 중심의 개수 구하기
모양을 그릴 때 이용한 원이 4개이고 이 중 원의 중심이 같은 원은 없습니다.
(원의 중심의 개수)=4개
❸ 위 ❶과 ❷의 원의 중심의 개수의 합 구하기
→ (원의 중심의 개수의 합)=3+4=**7(개)**

02 ❶ 원 모양의 종이의 지름의 길이 구하기

접은 종이를 펼쳤을 때 생기는 선분의 길이의 합은 원의 지름 2개의 길이의 합과 같습니다.

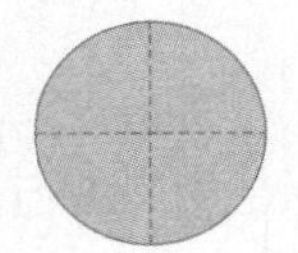

(원 모양의 종이의 지름)
$=6\times2=12$(cm)

❷ 접은 종이를 펼쳤을 때 생긴 선분의 길이의 합 구하기

→ (접은 종이를 펼쳤을 때 생기는 선분의 길이의 합)
$=12\times2=$**24 (cm)**

03 ❶ 원의 지름의 길이 각각 구하기

(원 가의 지름)$=9\times2=18$(cm)
(원 나의 지름)$=18-2=16$(cm)
(원 다의 지름)$=8\times3=24$(cm)

❷ 가장 큰 원과 가장 작은 원의 지름의 길이의 차 구하기

(가장 큰 원의 지름)$-$(가장 작은 원의 지름)
$=24-16=$**8 (cm)**

04 ❶ 알맞은 식 세우기

원의 반지름을 □cm라 하면 □+□+19=49입니다.

❷ 원의 반지름의 길이 구하기

□+□=30, □=15이므로 원의 반지름은 **15 cm**입니다.

선행 개념 [4-2] 2. 삼각형

- 이등변삼각형: 두 변의 길이가 같은 삼각형
- 이등변삼각형은 길이가 같은 두 변과 함께 하는 두 각의 크기가 같습니다.

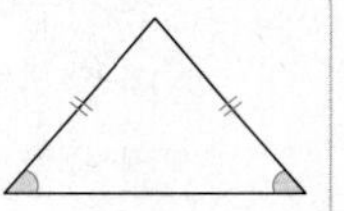

참고 [문제 04]에서 삼각형 ㄱㅇㄴ은
(변 ㄱㅇ)=(변 ㄴㅇ)=(원의 반지름)이므로 이등변삼각형입니다.

05

채점 기준		
	❶ 원의 반지름의 길이 구하기	3점
	❷ 원의 지름의 길이 구하기	2점

06 ❶ 재훈이네 집을 원의 중심으로 하는 원 그리기

컴퍼스를 이용하여 재훈이네 집을 원의 중심으로 하고 반지름이 200 m인 원을 그립니다.

❷ 재훈이네 집에서 200 m 안에 있는 건물 찾기

재훈이네 집에서 200 m 안에 있는 건물은 **문구점**과 **병원**입니다.

07 ❶ 원의 중심 정하기

규칙에 따라 오른쪽으로 2 cm씩 옮겨 가며 원의 중심을 찍습니다.

❷ 규칙에 따라 원 그리기

원의 중심에 컴퍼스의 침을 꽂고 반지름이 1 cm인 원과 반지름이 2 cm인 원을 번갈아 가며 그립니다.

08 ❶ 각 원의 지름의 길이 구하기

(가장 작은 원의 지름)$=3\times2=6$(cm)
(중간 크기의 원의 지름)$=6\times2=12$(cm)
(가장 큰 원의 지름)$=12\times2=24$(cm)

❷ 선분 ㄱㄴ의 길이 구하기

(선분 ㄱㄴ)$=12+24=$**36 (cm)**

09 ❶ 원 가의 반지름의 길이 구하기

(원 가의 반지름)$=366\div2=183$(cm)

❷ 원 나의 반지름의 길이 구하기

(원 나의 반지름)$=183\div3=$**61 (cm)**

10 레벨UP 공략

서로 원의 중심을 지나도록 겹쳐서 그린 원 2개의 반지름의 길이의 관계는?

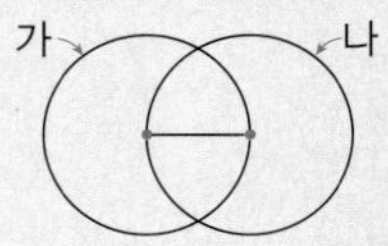

(원 가의 반지름)=(원 나의 반지름)

❶ 삼각형 ㄱㄴㄷ의 한 변의 길이는 원의 반지름의 길이의 몇 배인지 구하기

삼각형 ㄱㄴㄷ의 한 변의 길이는 원의 반지름의 길이의 3배이므로 삼각형 ㄱㄴㄷ의 세 변의 길이의 합은 원의 반지름의 길이의 9배입니다.

❷ 원의 반지름의 길이 구하기

(원의 반지름)$=72\div9=$**8 (cm)**

11 ❶ 직사각형을 따라 그릴 수 있는 원의 개수 각각 구하기

(직사각형의 가로를 따라 그릴 수 있는 원의 개수)
$=32\div2=16$(개)
(직사각형의 세로를 따라 그릴 수 있는 원의 개수)
$=18\div2=9$(개)

직사각형의 네 꼭짓점 부분에도 원을 1개씩 그릴 수 있습니다.

❷ 그릴 수 있는 원의 개수의 합 구하기

(원의 개수의 합)$=16+9+16+9+4=$**54(개)**

12

채점 기준		
	❶ 변 ㄱㄴ, 변 ㄴㄷ의 길이 각각 구하기	2점
	❷ 변 ㄱㄹ, 변 ㄹㄷ의 길이 각각 구하기	2점
	❸ 사각형 ㄱㄴㄷㄹ의 네 변의 길이의 합 구하기	1점

13 ❶ **태극 모양에서 큰 원의 지름의 길이 구하기**

(큰 원의 지름)=(작은 원의 반지름)$\times 4$

$=6\times 4=24$(cm)

❷ **태극기의 나비 구하기**

(태극기의 나비)$=24\times 2=$**48(cm)**

14 ❶ **직사각형의 가로와 세로 각각 구하기**

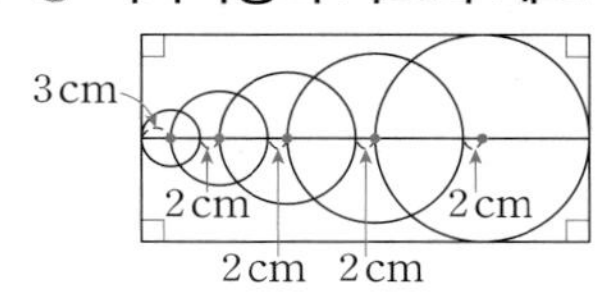

(직사각형의 가로)

$=3+5+7+9+11+11=46$(cm)

(직사각형의 세로)$=11\times 2=22$(cm)

❷ **직사각형의 네 변의 길이의 합 구하기**

(직사각형의 네 변의 길이의 합)

$=46+22+46+22=$**136(cm)**

15 레벨UP 공략

한 줄로 맞닿게 놓여진 원의 지름이 ■cm일 때 원을 둘러 싸고 있는 굵은 선의 길이를 구하려면?

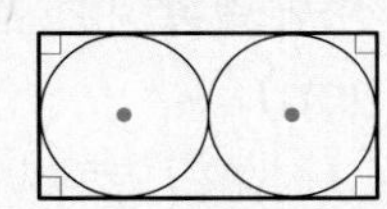

- (직사각형의 긴 변)=■×(원의 개수)
- (직사각형의 짧은 변)=(원의 지름)=■

채점 기준		
채점 기준	❶ 바깥쪽과 안쪽의 빨간색 선의 길이의 합은 원의 반지름의 길이의 몇 배인지 구하기	2점
	❷ 원의 반지름의 길이 구하기	3점

16 레벨UP 공략

원이 ■개일 때 원의 중심을 지나는 선분의 길이는?

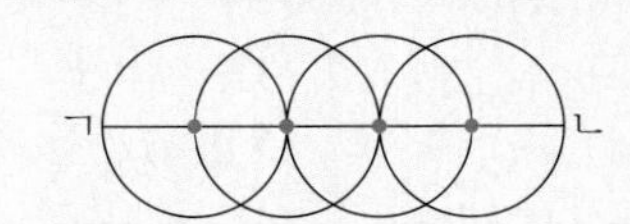

(반지름의 개수)=(■+1)개

→ (선분 ㄱㄴ)=(원의 반지름)×(반지름의 개수)

❶ **원의 반지름의 길이 구하기**

(원의 반지름)$=16\div 2=8$(cm)

❷ **그린 원의 개수 구하기**

$168\div 8=21$이므로 전체 길이는 원의 반지름의 길이의 21배입니다.

→ (그린 원의 개수)$=21-1=$**20(개)**

17 ❶ **세 원의 반지름의 길이와 삼각형 ㄱㄴㄷ의 세 변의 길이 사이의 관계 알아보기**

가장 큰 원의 반지름을 ㉠cm, 중간 크기 원의 반지름을 ㉡cm, 가장 작은 원의 반지름을 ㉢cm라 하면

(변 ㄱㄴ)=(㉠+㉡) cm,

(변 ㄴㄷ)=(㉡+5+㉢) cm,

(변 ㄷㄱ)=(㉢+㉠) cm입니다.

(변 ㄱㄴ)+(변 ㄴㄷ)+(변 ㄷㄱ)

=㉠+㉡+㉡+5+㉢+㉢+㉠=43

❷ **세 원의 반지름의 길이의 합 구하기**

㉠+㉡+㉢+㉠+㉡+㉢=38,

㉠+㉡+㉢$=38\div 2=19$

→ 세 원의 반지름의 합은 **19 cm**입니다.

18 ❶ **점 ㄴ을 중심으로 하는 원의 반지름의 길이 구하기**

점 ㄴ을 중심으로 하는 원의 반지름을 □cm라 하면 점 ㄱ을 중심으로 하는 원의 반지름은 (□+3) cm입니다.

(변 ㄱㄹ)=(변 ㄴㄷ)=30 cm이므로

□+3+18=30, □+21=30,

□=9입니다.

❷ **점 ㄷ을 중심으로 하는 원의 반지름의 길이 구하기**

점 ㄷ을 중심으로 하는 원의 반지름은

(변 ㄹㄷ)=(변 ㄱㄴ)=(□+3+□) cm입니다.

→ $9+3+9=$**21(cm)**

STEP 3 최상위 도전하기

060~061쪽

1	56 cm	**2**	9 cm
3	126 cm	**4**	3 cm
5	12 cm	**6**	9 cm

1 ❶ **원의 반지름의 길이 구하기**

직사각형의 가로는 원의 반지름의 길이의 4배입니다.

(원의 반지름)$=28\div 4=7$(cm)

❷ **색칠한 사각형 2개의 모든 변의 길이의 합 구하기**

색칠한 사각형의 각 변은 모두 원의 반지름의 길이와 같습니다.

→ (색칠한 사각형 2개의 모든 변의 길이의 합)

$=7\times 8=$**56(cm)**

2 ❶ **큰 원의 지름의 길이 구하기**
(큰 원의 지름)$=21\times2=42$(cm)
❷ **작은 원의 지름의 길이 구하기**
작은 원의 지름을 □cm라 하면
□+□+□$-6-6=42$, □+□+□$=54$,
□$\times3=54$, □$=18$입니다.
❸ **작은 원의 반지름의 길이 구하기**
(작은 원의 반지름)$=18\div2=$**9 (cm)**

3 ❶ **삼각형의 한 변의 길이가 늘어나는 규칙 찾기**
삼각형의 한 변의 길이가 반지름의 길이의 2배, 4배(2×2)배, 6배(2×3)배……로 늘어나는 규칙입니다.
❷ **일곱째 삼각형의 세 변의 길이의 합 구하기**
(일곱째 삼각형의 한 변)$=3\times14=42$(cm) (2×7)배
➜ (일곱째 삼각형의 세 변의 길이의 합)
$=42\times3=$**126 (cm)**

4 ❶ **각 점을 중심으로 하는 원의 반지름 사이의 관계 알아보기**

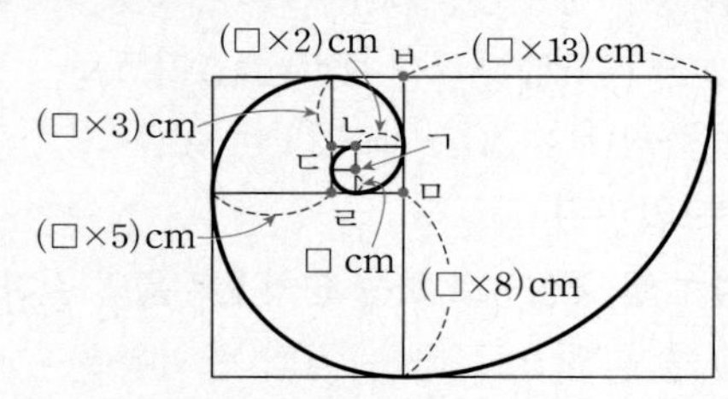

점 ㄱ을 중심으로 하는 원의 반지름을 □cm라 하면 각 점을 중심으로 하는 원의 반지름은 다음과 같습니다.
점 ㄴ: (□×2) cm, 점 ㄷ: (□×3) cm,
점 ㄹ: (□×5) cm, 점 ㅁ: (□×8) cm
❷ **점 ㄱ을 중심으로 하는 원의 반지름의 길이 구하기**
(점 ㅂ을 중심으로 하는 원의 반지름)
=(□×13) cm이므로 □$\times13=39$, □$=3$입니다.
(점 ㄱ을 중심으로 하는 원의 반지름)=**3 cm**

5 ❶ **사각형 ㄱㄴㄷㄹ의 네 변의 길이의 합과 사각형 ㄹㅁㅂㅅ의 네 변의 길이의 합을 구하는 식 세우기**
(사각형 ㄱㄴㄷㄹ의 네 변의 길이의 합)
$=2+2+$(변 ㄷㄹ)+(변 ㄹㄱ)
(사각형 ㄹㅁㅂㅅ의 네 변의 길이의 합)
$=8+8+$(변 ㅅㄹ)+(변 ㄹㅁ)
❷ **위 ❶에서 구한 두 길이의 차 구하기**
(변 ㄷㄹ)+(변 ㄹㄱ)과 (변 ㅅㄹ)+(변 ㄹㅁ)은 같습니다.
➜ $8+8-2-2=$**12 (cm)**

6 똑같은 원 모양의 고리 7개를 다음과 같이 연결하였습니다. 선분 ㄱㄴ의 길이가 134 cm라면 **고리 한 개의 안쪽 원의 반지름은 몇 cm**인지 구해 보세요.
(4+(고리 7개의 안쪽 원의 지름의 길이의 합)+4)

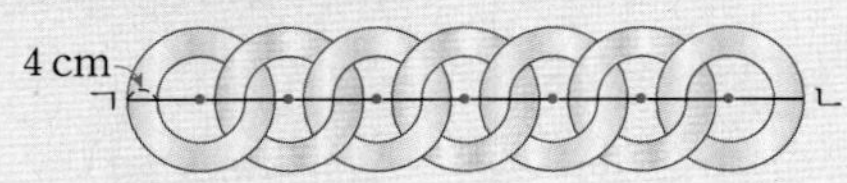

❶ **고리 7개의 안쪽 원의 지름의 길이의 합 구하기**
고리 한 개의 안쪽 원의 지름을 □cm라 하면
(고리 7개의 안쪽 원의 지름의 길이의 합)
=(□×7) cm입니다.
(선분 ㄱㄴ)
$=4+$□+□+□+□+□+□+□$+4$
$=8+$□+□+□+□+□+□+□$=134$
(고리 7개의 안쪽 원의 지름의 길이의 합)
$=134-8=126$(cm)
❷ **고리 한 개의 안쪽 원의 지름의 길이 구하기**
(고리 한 개의 안쪽 원의 지름)
$=126\div7=18$(cm)
❸ **고리 한 개의 안쪽 원의 반지름의 길이 구하기**
(고리 한 개의 안쪽 원의 반지름)
$=18\div2=$**9 (cm)**

상위권 TEST

062~063쪽

01	4 cm	02	5군데
03	21 cm	04	36 cm
05	6 cm	06	50 cm
07	3 cm	08	7 cm
09	192 cm	10	15개
11	6 cm	12	6 cm

01 ❶ **원의 지름의 길이 각각 구하기**
㉠ (원의 지름)$=6\times2=12$(cm)
㉡ (원의 지름)$=8$ cm
㉢ (원의 지름)$=5\times2=10$(cm)
❷ **가장 큰 원과 가장 작은 원의 지름의 길이의 차 구하기**
㉠ 12 cm > ㉢ 10 cm > ㉡ 8 cm이므로 가장 큰 원과 가장 작은 원의 지름의 길이의 차는
$12-8=$**4 (cm)**입니다.

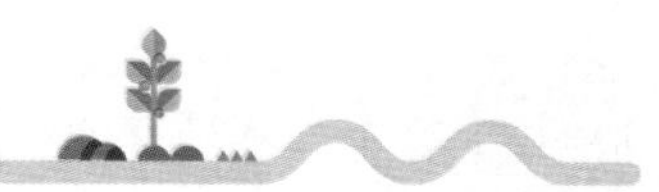

02 ❶ **원의 중심이 되는 곳 찾기**

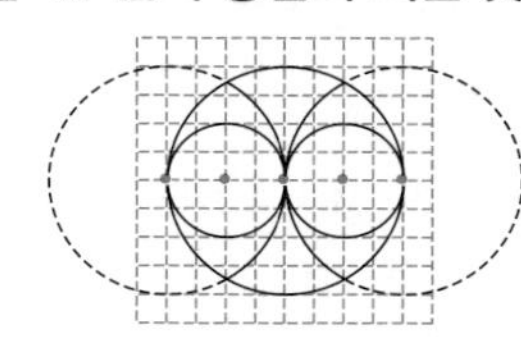

원의 중심이 되는 점을 모두 찾습니다.

❷ **원의 중심이 되는 곳은 몇 군데인지 구하기**

원의 중심이 되는 점을 모두 찾으면 **5군데**입니다.

03 ❶ **원의 반지름의 길이 각각 구하기**

(가장 작은 원의 반지름)$=3$ cm

(중간 크기의 원의 반지름)$=8\div2=4$(cm)

❷ **선분 ㄱㄷ의 길이 구하기**

(선분 ㄱㄷ)$=3+7+7+4=$**21(cm)**

04 ❶ **사각형 ㄱㄴㄷㄹ의 각 변의 길이 구하기**

(선분 ㄱㄴ)

$=$(선분 ㄴㄷ)$=$(선분 ㄷㄹ)$=$(선분 ㄹㄱ)

$=$(원의 반지름)$=9$ cm

❷ **사각형 ㄱㄴㄷㄹ의 네 변의 길이의 합 구하기**

(사각형 ㄱㄴㄷㄹ의 네 변의 길이의 합)

$=9+9+9+9=$**36(cm)**

05 ❶ **선분 ㄴㄷ, 선분 ㄱㄴ의 길이 각각 구하기**

(가장 큰 원의 반지름)$=16\div2=8$(cm)

(선분 ㄴㄷ)$=8\div2=4$(cm)

(선분 ㄱㄴ)$=4\div2=2$(cm)

❷ **선분 ㄱㄷ의 길이 구하기**

(선분 ㄱㄷ)$=2+4=$**6(cm)**

06 ❶ **직사각형 ㄱㄴㄷㄹ의 네 변의 길이의 합은 원의 반지름의 길이의 몇 배인지 구하기**

직사각형 ㄱㄴㄷㄹ의 네 변의 길이의 합은 원의 반지름의 길이의 10배입니다.

❷ **직사각형 ㄱㄴㄷㄹ의 네 변의 길이의 합 구하기**

(직사각형 ㄱㄴㄷㄹ의 네 변의 길이의 합)

$=5\times10=$**50(cm)**

07 ❶ **직사각형의 네 변의 길이의 합은 원의 지름의 길이의 몇 배인지 구하기**

직사각형의 네 변의 길이의 합은 원의 지름의 길이의 10배입니다.

❷ **원의 반지름의 길이 구하기**

원의 지름을 □cm라 하면 □$\times10=60$, □$=6$입니다.

→ (원의 반지름)$=6\div2=$**3(cm)**

08 ❶ **작은 원의 반지름의 길이와 선분 ㄱㄴ의 길이와의 관계 알아보기**

작은 원의 반지름을 □cm라 하면

(선분 ㄱㄴ)$=(12+$□$-4)$cm입니다.

❷ **작은 원의 반지름 구하기**

$12+$□$+12+$□$-4=34$,

□$+$□$=14$, □$=7$

→ (작은 원의 반지름)$=$**7 cm**

09 ❶ **빨간색 선의 길이는 원의 지름의 길이의 몇 배인지 구하기**

빨간색 선의 길이는 원의 지름의 길이의 24배입니다.

❷ **빨간색 선의 길이 구하기**

→ (빨간색 선의 길이)$=$(원의 지름)$\times24$

$=8\times24=$**192(cm)**

10 ❶ **원의 반지름의 길이 구하기**

(원의 반지름)$=14\div2=7$(cm)

❷ **그린 원의 개수 구하기**

$112\div7=16$이므로 전체 길이는 원의 반지름의 길이의 16배입니다.

→ (그린 원의 개수)$=16-1=$**15(개)**

11 ❶ **점 ㄴ을 중심으로 하는 원의 반지름의 길이 구하기**

(선분 ㄴㄱ)$=$(선분 ㄴㅅ)

→ $3\times2=6$, $6+1=7$(cm)

❷ **점 ㄹ을 중심으로 하는 원의 반지름의 길이 구하기**

(선분 ㄹㅁ)$=$(선분 ㄹㅇ)$=7-3=4$(cm)

❸ **선분 ㄱㅁ의 길이 구하기**

(선분 ㄱㄹ)$=$(선분 ㄴㅅ)$+$(선분 ㅅㄷ)

$=7+3=10$(cm)

→ (선분 ㄱㅁ)$=$(선분 ㄱㄹ)$-$(선분 ㄹㅁ)

$=10-4=$**6(cm)**

12 ❶ **큰 원의 지름의 길이 구하기**

(큰 원의 지름)$=16\times2=32$(cm)

❷ **작은 원의 지름의 길이 구하기**

큰 원의 지름의 길이는 작은 원 3개의 지름의 길이의 합에서 겹쳐진 부분 2군데의 길이를 뺀 것과 같습니다.

작은 원의 지름을 □cm라 하면

□$+$□$+$□$-2-2=32$, □$+$□$+$□$=36$,

□$\times3=36$, □$=12$입니다.

❸ **작은 원의 반지름의 길이 구하기**

(작은 원의 반지름)$=12\div2=$**6(cm)**

4 분수

개념 넓히기 067쪽

1 9묶음, $\frac{4}{9}$
2 (1) 2 (2) 20
3 (1) > (2) <
4 연정

STEP 1 응용 공략하기 068~074쪽

01 $\frac{3}{5}$, $\frac{3}{4}$
02 20
03 예 ❶ 가분수는 분자가 분모와 같거나 분모보다 큰 분수이므로 분모가 9인 가분수는 $\frac{9}{9}$, $\frac{21}{9}$, $\frac{13}{9}$입니다. ▸3점
❷ 따라서 분모가 9인 가분수는 모두 3개입니다. ▸2점 / 3개
04 ㉢
05 $\frac{11}{6}$, $1\frac{5}{6}$
06 65 cm
07 13시간
08 목성, 토성, 지구, 수성
09 54개
10 12개
11 예 ❶ 800의 $\frac{5}{8}$는 500이므로 어린이 한 명의 입장료는 500원입니다.
(어린이 3명의 입장료)=500×3=1500(원) ▸3점
❷ (어른 한 명과 어린이 3명의 입장료의 합)
=800+1500=2300(원) ▸2점 / 2300원
12 9개
13 5
14 54 cm
15 예 ❶ 40의 $\frac{2}{5}$는 16이므로 은수가 받은 쿠키는 16개입니다. 40의 $\frac{1}{4}$은 10이므로 기범이가 받은 쿠키는 10개입니다. 40의 $\frac{3}{10}$은 12이므로 정아가 받은 쿠키는 12개입니다. ▸3점
❷ 16>12>10이므로 쿠키를 가장 많이 받은 친구는 은수입니다. ▸2점 / 은수
16 65개
17 9개
18 $1\frac{5}{9}$
19 ㉣, ㉡, ㉠, ㉢
20 $\frac{17}{121}$
21 18분

01 • 20을 4씩 묶으면 12는 5묶음 중 3묶음이므로 12는 20의 $\frac{3}{5}$입니다. → ㉠=$\mathbf{\frac{3}{5}}$
• 20을 5씩 묶으면 15는 4묶음 중 3묶음이므로 15는 20의 $\frac{3}{4}$입니다. → ㉡=$\mathbf{\frac{3}{4}}$

02 • 48의 $\frac{1}{4}$은 12이므로 ㉠=12입니다.
• 12의 $\frac{2}{3}$는 8이므로 ㉡=8입니다.
→ ㉠+㉡=12+8=**20**

03

채점 기준	❶ 분모가 9인 가분수 찾기	3점
	❷ 분모가 9인 가분수는 모두 몇 개인지 구하기	2점

04 ㉠ □의 $\frac{1}{6}$은 30÷5=6입니다.
→ □=6×6=36
㉡ □의 $\frac{1}{8}$은 28÷7=4입니다.
→ □=4×8=32
㉢ □의 $\frac{1}{9}$은 20÷4=5입니다.
→ □=5×9=45
따라서 □ 안에 알맞은 수가 가장 큰 것은 ㉢입니다.

05 수직선에서 작은 눈금 한 칸의 크기는 $\frac{1}{6}$이므로 ㉠이 나타내는 가분수는 $\mathbf{\frac{11}{6}}$입니다.
→ $\frac{1}{6}$이 6개이면 $\frac{6}{6}$=1입니다.
$\frac{11}{6}$은 $\frac{1}{6}$이 11개, 11=6+5이므로
$\frac{11}{6}$=$\mathbf{1\frac{5}{6}}$입니다.

06 $\frac{5}{13}$는 $\frac{1}{13}$이 5개이므로 전체 길이의 $\frac{1}{13}$은 25÷5=5(cm)입니다.
→ (조각상의 전체 길이)
=5×13=**65 (cm)**

07 하루는 24시간입니다.
• 잠을 자는 시간: 24의 $\frac{3}{8}$은 9이므로 9시간입니다.
• 공부를 하는 시간: 24의 $\frac{1}{6}$은 4이므로 4시간입니다.
→ (잠을 자는 시간과 공부를 하는 시간의 합)
=9+4=**13(시간)**

08 대분수를 가분수로 고쳐서 비교합니다.

$1=\frac{5}{5}$, $9\frac{2}{5}=\frac{47}{5}$

→ $\frac{56}{5}>9\frac{2}{5}(=\frac{47}{5})>1(=\frac{5}{5})>\frac{2}{5}$이므로 크기가 큰 행성부터 차례로 쓰면 **목성**, **토성**, **지구**, **수성**입니다.

다른 풀이 가분수를 대분수로 고쳐서 비교합니다.

$\frac{56}{5}=11\frac{1}{5}$ → $11\frac{1}{5}>9\frac{2}{5}>1>\frac{2}{5}$

→ **목성 > 토성 > 지구 > 수성**

09 $12\times7=84$이므로

(전체 수수깡의 수)$=84+6=90$(개)입니다.

90의 $\frac{2}{5}$는 36이므로 오늘 사용한 수수깡은 36개입니다.

→ (남은 수수깡의 수)$=90-36=$**54(개)**

10 대분수의 자연수 부분이 될 수 있는 숫자는 8, 9입니다.

• 자연수 부분이 8일 때: $8\frac{1}{7}$, $8\frac{2}{7}$ …… $8\frac{6}{7}$(6개)

• 자연수 부분이 9일 때: $9\frac{1}{7}$, $9\frac{2}{7}$ …… $9\frac{6}{7}$(6개)

→ $6+6=$**12(개)**

11

채점 기준		
	❶ 어린이 3명의 입장료 구하기	3점
	❷ 어른 한 명과 어린이 3명의 입장료의 합 구하기	2점

12 • 수 카드 2장으로 만들 수 있는 진분수:

$\frac{3}{5}$, $\frac{3}{8}$, $\frac{5}{8}$(3개)

• 수 카드 3장으로 만들 수 있는 진분수:

$\frac{8}{35}$, $\frac{5}{38}$, $\frac{8}{53}$, $\frac{3}{58}$, $\frac{5}{83}$, $\frac{3}{85}$(6개)

→ $3+6=$**9(개)**

13 $\frac{49}{8}=6\frac{1}{8}$이므로 $\square\frac{1}{8}<6\frac{1}{8}$입니다.

→ □ 안에 들어갈 수 있는 자연수는 1, 2, 3, 4, 5이므로 이 중에서 가장 큰 수는 **5**입니다.

14 태극기의 가로를 □cm라 하면

□의 $\frac{2}{3}$는 36이고, □의 $\frac{1}{3}$은 $36\div2=18$입니다.

→ $\square=18\times3=54$이므로 가로는 **54 cm**로 그리면 됩니다.

15

채점 기준		
	❶ 은수, 기범, 정아가 받은 쿠키의 수 각각 구하기	3점
	❷ 쿠키를 가장 많이 받은 친구는 누구인지 구하기	2점

16 분모가 8인 분수를 $\frac{\square}{8}$라 하면 $\square\div8=9\cdots1$이므로

$8\times9=72$, $72+1=\square$, $\square=73$입니다.

$\frac{73}{8}$보다 작은 가분수: $\frac{8}{8}$, $\frac{9}{8}$ …… $\frac{72}{8}$

→ 조건을 만족하는 분수보다 작은 가분수는 $72-8+1=$**65(개)**입니다.

17 • 자연수가 1일 때: $1\frac{3}{8}$, $1\frac{5}{8}$(2개)

• 자연수가 3일 때: $3\frac{1}{8}$, $3\frac{5}{8}$(2개)

• 자연수가 5일 때: $5\frac{1}{8}$, $5\frac{3}{8}$(2개)

• 자연수가 9일 때: $9\frac{1}{8}$, $9\frac{3}{8}$, $9\frac{5}{8}$(3개)

→ 만들 수 있는 분수 중에서 분모가 8인 대분수는 $2+2+2+3=$**9(개)**입니다.

18 분자와 분모의 합이 23이 되도록 표로 나타내면

분자	16	15	14	13
분모	7	8	9	10

이 중에서 차가 5인 두 수는 14, 9입니다.

→ 가분수는 $\frac{14}{9}$이고 대분수로 나타내면 $\frac{14}{9}=\mathbf{1\frac{5}{9}}$입니다.

19 네 수가 모두 같으므로 주어진 분수의 크기가 클수록 ㉠, ㉡, ㉢, ㉣의 크기가 작습니다.

$\frac{27}{23}=1\frac{4}{23}$, $\frac{49}{23}=2\frac{3}{23}$

→ $\frac{49}{23}(=2\frac{3}{23})>1\frac{8}{23}>\frac{27}{23}(=1\frac{4}{23})>1\frac{2}{23}$이므로 ㉣, ㉡, ㉠, ㉢입니다.

20 • 분모: 4, 7, 10, 13, 16 ……

→ 4부터 3씩 커지는 규칙입니다.

• 분자: 95, 93, 91, 89, 87 ……

→ 95부터 2씩 작아지는 규칙입니다.

40째에 놓이는 분수의 분모: 4부터 3씩 39번 더한 수

→ $3\times39=117$, $4+117=121$

40째에 놓이는 분수의 분자: 95부터 2씩 39번 뺀 수

→ $2\times39=78$, $95-78=17$

따라서 40째에 놓이는 분수는 $\mathbf{\frac{17}{121}}$입니다.

진도북 4 단원

21

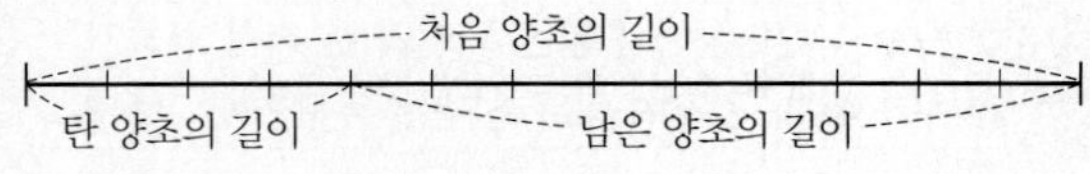

8분 동안 탄 양초의 길이는 처음 양초 길이의 $\frac{4}{13}$입니다.

(처음 양초 길이의 $\frac{1}{13}$만큼 타는 데 걸린 시간)
$=8\div4=2$(분)

따라서 남은 양초의 길이는 처음 양초 길이의 $\frac{9}{13}$이므로 남은 양초가 모두 타려면 앞으로 $2\times9=$**18(분)**이 더 걸립니다.

STEP 2 심화 해결하기 075~081쪽

01 $\frac{36}{11}$ **02** 9개

03 예 ❶ 어떤 수의 $\frac{1}{4}$은 $15\div3=5$이므로 어떤 수는 $5\times4=20$입니다. ▸3점
❷ 따라서 어떤 수는 20이므로 20의 $\frac{1}{5}$은 4입니다. ▸2점 / 4

04 2개 **05** 영실탐방로

06 예 ❶ 72의 $\frac{1}{6}$은 12이므로 팔찌를 만들고 남은 색 테이프의 길이는 $72-12=60$(cm)입니다. ▸3점
❷ 60의 $\frac{2}{3}$는 40이므로 목걸이를 만들고 남은 색 테이프의 길이는 $60-40=20$(cm)입니다. ▸2점 / 20 cm

07 21년 **08** 5개 **09** 12 m

10 3 **11** 35 mm **12** $\frac{37}{10}$

13 12개

14 예 ❶ 직사각형의 세로를 □cm라 하면 □의 $\frac{3}{4}$은 24이고 □의 $\frac{1}{4}$은 $24\div3=8$이므로 $□=8\times4=32$입니다. ▸3점
❷ (직사각형의 네 변의 길이의 합)
$=24+32+24+32=112$(cm) ▸2점 / 112 cm

15 7개 **16** 11가지

17 예 ❶ (마늘 2접의 수)$=100\times2=200$(개)
200의 $\frac{1}{4}$은 50이므로 어머니께서 사신 마늘은 50개입니다. ▸2점
❷ 50의 $\frac{3}{5}$은 30이므로 어머니께서 사신 오이는 30개입니다. ▸2점
❸ (어머니께서 사신 마늘과 오이의 개수의 합)
$=50+30=80$(개) ▸1점 / 80개

18 24 cm **19** 12개

20 $18\frac{5}{9}$ **21** 100개

01 ❶ **분수의 크기 비교하기**
• $36>25$이므로 $\frac{36}{11}>\frac{25}{11}$입니다.
• $2<3$이므로 $2\frac{7}{11}<3\frac{2}{11}$입니다.
❷ **㉠에 알맞은 분수 구하기**
$\frac{36}{11}(=3\frac{3}{11})>2\frac{7}{11}$이므로 ㉠에 알맞은 분수는 $\mathbf{\frac{36}{11}}$입니다.

02 ❶ **가분수를 대분수로 나타내기**
가분수를 대분수로 나타내면 $\frac{115}{9}=12\frac{7}{9}$입니다.
❷ **두 수 사이에 있는 자연수의 개수 구하기**
$3\frac{4}{9}<□<12\frac{7}{9}$에서 □ 안에 들어갈 수 있는 자연수는 4, 5, 6, 7, 8, 9, 10, 11, 12로 모두 **9개**입니다.

03 레벨UP 공략

어떤 수의 $\frac{1}{■}$이 ★일 때 어떤 수를 구하려면?
(어떤 수의 $\frac{1}{■}$)=★ ➜ (어떤 수)=★×■

채점 기준		
	❶ 어떤 수 구하기	3점
	❷ 어떤 수의 $\frac{1}{5}$은 얼마인지 구하기	2점

04 ❶ **분수의 크기 비교하기**
$\frac{8}{9}<1(=\frac{9}{9})<1\frac{2}{9}<\frac{15}{9}(=1\frac{6}{9})<2(=\frac{18}{9})<2\frac{1}{9}$
❷ **1보다 크고 2보다 작은 분수의 개수 구하기**
따라서 1보다 크고 2보다 작은 분수는 $1\frac{2}{9}$, $\frac{15}{9}$로 모두 **2개**입니다.

05 레벨UP 공략

여러 가지 분수의 크기를 비교하려면?
대분수와 가분수의 크기를 비교할 때에는
가분수 → 대분수 또는 대분수 → 가분수로 고쳐서 비교합니다.

❶ **가분수를 대분수로 나타내기**

가분수를 대분수로 나타내면 $\frac{68}{10}=6\frac{8}{10}$입니다.

❷ **가장 짧은 탐방로 구하기**

$5\frac{8}{10}<\frac{68}{10}(=6\frac{8}{10})<7$이므로 가장 짧은 탐방로는 **영실탐방로**입니다.

다른 풀이 가분수로 나타내면 $5\frac{8}{10}=\frac{58}{10}$, $7=\frac{70}{10}$입니다.

→ $5\frac{8}{10}(=\frac{58}{10})<\frac{68}{10}<7(=\frac{70}{10})$이므로 가장 짧은 탐방로는 **영실탐방로**입니다.

06

채점 기준		
	❶ 팔찌를 만들고 남은 색 테이프의 길이 구하기	3점
	❷ 목걸이를 만들고 남은 색 테이프의 길이 구하기	2점

07 ❶ **소년 시절은 몇 년인지 구하기**

84의 $\frac{1}{6}$은 14이므로 소년 시절은 14년입니다.

❷ **청년 시절은 몇 년인지 구하기**

84의 $\frac{1}{12}$은 7이므로 청년 시절은 7년입니다.

❸ **소년 시절과 청년 시절의 합 구하기**

(소년 시절과 청년 시절의 합)$=14+7=$**21(년)**

08 ❶ **주어진 범위의 대분수를 가분수로 나타내기**

종이가 찢어진 부분에 알맞은 자연수를 □라 하면

$2\frac{3}{8}=\frac{19}{8}$, $3\frac{1}{8}=\frac{25}{8}$이므로 $\frac{19}{8}<\frac{\square}{8}<\frac{25}{8}$입니다.

❷ **종이의 찢어진 부분에 알맞은 자연수의 개수 구하기**

$19<\square<25$이므로 □ 안에 들어갈 수 있는 자연수는 20, 21, 22, 23, 24로 모두 **5개**입니다.

09 ❶ **리본 끈 전체 길이 구하기**

$\frac{7}{12}$은 $\frac{1}{12}$이 7개이므로 전체 길이의 $\frac{1}{12}$은

$28\div7=4$(m)입니다.

(리본 끈 전체 길이)$=4\times12=48$(m)

❷ **친구에게 준 리본 끈의 길이 구하기**

친구에게 준 리본 끈의 길이는 48 m의 $\frac{1}{4}$이므로

$48\div4=$**12(m)**입니다.

10 ❶ **대분수를 가분수로 나타내기**

4는 $\frac{1}{\square}$이 $(4\times\square)$개이므로

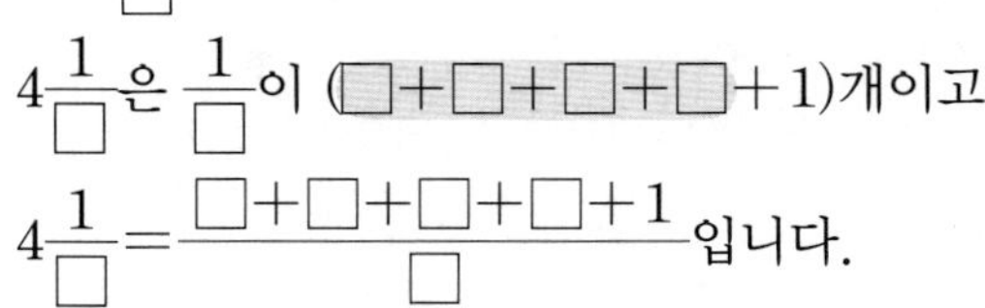

$4\frac{1}{\square}$은 $\frac{1}{\square}$이 $(\square+\square+\square+\square+1)$개이고

$4\frac{1}{\square}=\frac{\square+\square+\square+\square+1}{\square}$입니다.

❷ **□ 안에 알맞은 수 구하기**

$\frac{\square+\square+\square+\square+1}{\square}=\frac{13}{\square}$에서 분모가 같으므로

분자를 비교하면 $\square+\square+\square+\square+1=13$,

$\square+\square+\square+\square=12$, $\square\times4=12$, $\square=$**3**입니다.

11 ❶ **머리 부분의 길이 구하기**

56의 $\frac{1}{8}$은 7이므로 머리 부분의 길이는 7 mm입니다.

❷ **가슴 부분의 길이 구하기**

56의 $\frac{1}{4}$은 14이므로 가슴 부분의 길이는 14 mm입니다.

❸ **배 부분의 길이 구하기**

(배 부분의 길이)$=56-7-14=$**35(mm)**

12 ❶ **조건을 만족하는 대분수 구하기**

4보다 작은 분수 중 분모가 10인 대분수는 $1\frac{\square}{10}$, $2\frac{\square}{10}$, $3\frac{\square}{10}$입니다. 분자가 8보다 작으므로 분자가 될 수 있는 가장 큰 수는 7입니다. → 가장 큰 대분수: $3\frac{7}{10}$

❷ **위 ❶에서 구한 대분수를 가분수로 나타내기**

따라서 대분수를 가분수로 나타내면 $\mathbf{\frac{37}{10}}$입니다.

13 ❶ **자연수 부분에 올 수 있는 수 구하기**

5보다 작은 대분수이므로 자연수 부분에는 1, 4가 올 수 있습니다.

❷ **만들 수 있는 대분수 구하기**

- 자연수 부분이 1일 때:

  $1\frac{4}{5}$, $1\frac{4}{6}$, $1\frac{5}{6}$, $1\frac{4}{7}$, $1\frac{5}{7}$, $1\frac{6}{7}$(6개)

- 자연수 부분이 4일 때:

  $4\frac{1}{5}$, $4\frac{1}{6}$, $4\frac{5}{6}$, $4\frac{1}{7}$, $4\frac{5}{7}$, $4\frac{6}{7}$(6개)

❸ **위 ❷의 대분수의 개수 구하기**

따라서 만들 수 있는 분수 중에서 5보다 작은 대분수는 모두 $6+6=$**12(개)**입니다.

14

채점 기준		
채점 기준	❶ 직사각형의 세로 구하기	3점
	❷ 직사각형의 네 변의 길이의 합 구하기	2점

15 ❶ **어떤 가분수 구하기**

분자와 분모의 합이 19가 되도록 표를 만들면

분자	15	14	13	12	11
분모	4	5	6	7	8

이 중에서 차가 3인 두 수는 11, 8이므로 어떤 가분수는 $\frac{11}{8}$입니다.

❷ **조건에 알맞은 가분수의 개수 구하기**

이 가분수와 분모가 같은 분수를 $\frac{\square}{8}$라 하면

$2<\frac{\square}{8}<3$, $\frac{16}{8}<\frac{\square}{8}<\frac{24}{8}$입니다.

→ 가분수는 $\frac{17}{8}$, $\frac{18}{8}$, $\frac{19}{8}$, $\frac{20}{8}$, $\frac{21}{8}$, $\frac{22}{8}$, $\frac{23}{8}$이므로 모두 **7개**입니다.

16 ❶ **■와 ♥에 알맞은 수 각각 구하기**

- 8<■<13이므로 ■=9, 10, 11, 12입니다.
- 7<♥<11이므로 ♥=8, 9, 10입니다.

❷ **$\frac{■}{♥}$가 가분수가 되는 경우는 모두 몇 가지인지 구하기**

$\frac{■}{♥}$가 가분수가 되는 경우는 ■=♥, ■>♥입니다.

- ♥=8일 때: ■=9, 10, 11, 12(4가지)
- ♥=9일 때: ■=9, 10, 11, 12(4가지)
- ♥=10일 때: ■=10, 11, 12(3가지)

→ $\frac{■}{♥}$가 가분수가 되는 경우는 모두 4+4+3=**11(가지)**입니다.

17

채점 기준		
채점 기준	❶ 어머니께서 사신 마늘의 개수 구하기	2점
	❷ 어머니께서 사신 오이의 개수 구하기	2점
	❸ 어머니께서 사신 마늘과 오이의 개수의 합 구하기	1점

18 ❶ **첫 번째에 튀어 오르는 공의 높이 구하기**

81 cm의 $\frac{2}{3}$는 54 cm입니다.

❷ **두 번째에 튀어 오르는 공의 높이 구하기**

54 cm의 $\frac{2}{3}$는 36 cm입니다.

❸ **세 번째에 튀어 오르는 공의 높이 구하기**

36 cm의 $\frac{2}{3}$는 **24 cm**입니다.

19 레벨UP 공략

자연수 부분이 ●이고 분모가 ■인 대분수의 개수는?

●$\frac{1}{■}$, ●$\frac{2}{■}$ …… ●$\frac{■-1}{■}$ → (■−1)개

❶ **㉠과 ㉡이 가리키는 분수 각각 구하기**

㉠이 가리키는 분수: $2\frac{3}{5}$, ㉡이 가리키는 분수: $5\frac{4}{5}$

❷ **조건을 만족하는 대분수 구하기**

$2\frac{3}{5}$보다 크고 $5\frac{4}{5}$보다 작은 대분수의 자연수 부분이 될 수 있는 숫자는 2, 3, 4, 5입니다.

- 자연수 부분이 2일 때: $2\frac{4}{5}$(1개)
- 자연수 부분이 3일 때: $3\frac{1}{5}$, $3\frac{2}{5}$, $3\frac{3}{5}$, $3\frac{4}{5}$(4개)
- 자연수 부분이 4일 때: $4\frac{1}{5}$, $4\frac{2}{5}$, $4\frac{3}{5}$, $4\frac{4}{5}$(4개)
- 자연수 부분이 5일 때: $5\frac{1}{5}$, $5\frac{2}{5}$, $5\frac{3}{5}$(3개)

❸ **위 ❷의 대분수의 개수 구하기**

→ 1+4+4+3=**12(개)**

20 ❶ **규칙 찾기**

가분수로 나타내면 $\frac{9}{9}$, $\frac{11}{9}$, $\frac{13}{9}$, $\frac{15}{9}$, $\frac{17}{9}$, $\frac{19}{9}$ ……이므로 분모는 모두 9로 같고 분자는 9부터 2씩 커지는 규칙입니다.

❷ **80째에 놓이는 분수 구하기**

- 80째에 놓이는 분수의 분모는 9입니다.
- 80째에 놓이는 분수의 분자는 9부터 2씩 79번 커진 수이므로 2×79=158, 9+158=167입니다.

→ 80째에 놓이는 분수: $\frac{167}{9}=\mathbf{18\frac{5}{9}}$

21 ❶ **오후에 새로 만든 식빵 60개의 양 알아보기**

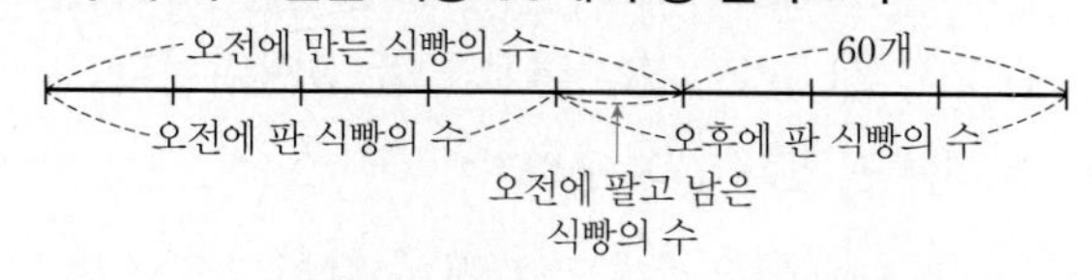

오후에 새로 만든 식빵 60개는 오전에 만든 식빵의 $\frac{3}{5}$과 같습니다.

❷ **오전에 만든 식빵의 수 구하기**

오전에 만든 식빵의 $\frac{1}{5}$은 60÷3=20(개)입니다.

→ (오전에 만든 식빵의 수)=20×5=**100(개)**

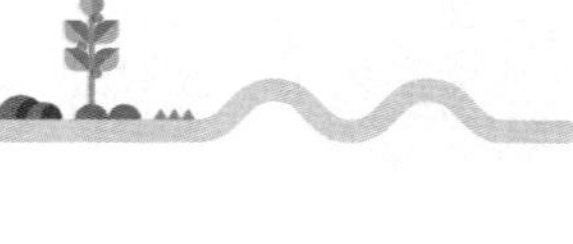

STEP 3 최상위 도전하기 082~083쪽

1 $\frac{14}{35}$, $\frac{2}{5}$	2 $4\frac{1}{3}$ 큰술
3 7 cm	4 $\frac{1}{17}$
5 $5\frac{1}{8}$	6 10개

1 ❶ **전체 과일의 수 구하기**
(전체 과일의 수)=14+7+14=35(개)
❷ **사과의 수는 전체 과일 수의 몇 분의 몇인지 나타내기**
• 1씩 묶으면 14는 35의 $\mathbf{\frac{14}{35}}$입니다.
• 14와 35는 7씩 묶을 수 있으므로 35를 7씩 묶으면 14는 5묶음 중 2묶음입니다.
→ 14는 35의 $\mathbf{\frac{2}{5}}$입니다.

2 ❶ **간장, 설탕, 참기름의 양을 큰술로 각각 나타내기**
• 간장: 13 작은술 → $\frac{13}{3}$ 큰술 → $4\frac{1}{3}$ 큰술
• 설탕: 3 큰술과 1 작은술 → 3과 $\frac{1}{3}$ 큰술
→ $3\frac{1}{3}$ 큰술
• 참기름: 2 큰술과 5 작은술 → 2와 $\frac{5}{3}$ 큰술
→ 2와 $1\frac{2}{3}$ 큰술 → $3\frac{2}{3}$ 큰술
❷ **가장 많이 들어가는 것을 대분수로 나타내기**
따라서 $4\frac{1}{3}>3\frac{2}{3}>3\frac{1}{3}$이므로 가장 많이 들어가는 것은 간장으로 대분수로 나타내면 $\mathbf{4\frac{1}{3}}$ **큰술**입니다.

3 ❶ **선분 ㄱㄹ의 길이 구하기**
선분 ㄱㄹ의 길이의 $\frac{5}{9}$가 15 cm이므로 선분 ㄱㄹ의 길이의 $\frac{1}{9}$은 15÷5=3(cm)입니다.
(선분 ㄱㄹ)=3×9=27(cm)
❷ **선분 ㄱㄴ의 길이 구하기**
(선분 ㄱㄴ)=(선분 ㄱㄹ)−(선분 ㄴㄹ)
=27−19=8(cm)
❸ **선분 ㄴㄷ의 길이 구하기**
(선분 ㄴㄷ)=(선분 ㄱㄷ)−(선분 ㄱㄴ)
=15−8=**7 (cm)**

4 ❶ **가장 작은 분수를 만들 수 있는 경우 알아보기**
만들 수 있는 분수 중에서 분모는 클수록, 분자는 작을수록 작은 수입니다.
분자가 가장 작은 경우는 두 수의 차가 1인 경우이므로 두 수의 차가 1이면서 합이 가장 큰 경우는 ㉠=9, ㉡=8입니다.
❷ **만들 수 있는 분수 중에서 가장 작은 분수 구하기**
만들 수 있는 분수 중에서 가장 작은 분수는
$\frac{㉠-㉡}{㉠+㉡}=\frac{9-8}{9+8}=\mathbf{\frac{1}{17}}$입니다.

5 ❶ **대분수의 자연수 부분이 될 수 있는 수 구하기**
5에 가장 가까운 대분수의 자연수 부분이 될 수 있는 수는 4 또는 5입니다.
❷ **위 ❶의 경우에 만들 수 있는 대분수 구하기**
• 자연수 부분이 4일 때: 진분수가 가장 클 때 5에 가장 가깝습니다. → $4\frac{6}{8}$
• 자연수 부분이 5일 때: 진분수가 가장 작을 때 5에 가장 가깝습니다. → $5\frac{1}{8}$
❸ **5에 가장 가까운 수 구하기**
수직선에 $4\frac{6}{8}$과 $5\frac{1}{8}$을 각각 나타내면 다음과 같습니다.

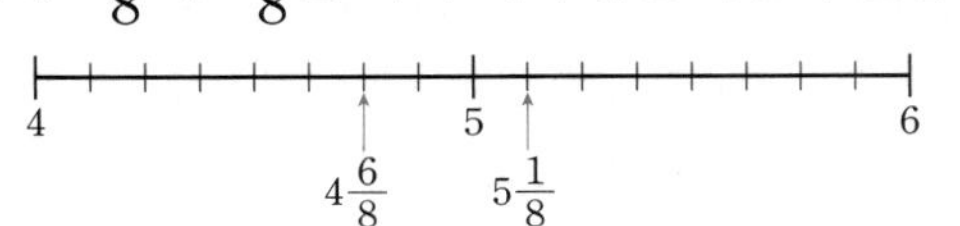

$4\frac{6}{8}$은 5에서 $\frac{2}{8}$만큼 떨어져 있고, $5\frac{1}{8}$은 5에서 $\frac{1}{8}$만큼 떨어져 있습니다.
따라서 5에 가장 가까운 대분수는 $\mathbf{5\frac{1}{8}}$입니다.

6 주어진 두 **조건을 만족하는 가분수는 모두 몇 개**인지 구해 보세요.
• 가분수의 분자를 7로 나누었더니 몫이 3이고 나머지가 1보다 큽니다. (나머지는 1보다 크고 나누는 수 7보다 작습니다.)
• 가분수의 분모를 3으로 나누었더니 몫이 1이고 나머지가 있습니다. (나머지는 나누는 수 3보다 작으므로 1 또는 2입니다.)

❶ **분자가 될 수 있는 수의 범위 구하기**
가분수의 분자를 □라 하면 □÷7=3…㉠입니다.
7×3=21, 21+1=22이므로 분자는 22보다 크고, 7×4=28이므로 분자는 28보다 작습니다.
(7×3=21, 21+7=28과 같습니다.)

진도북 4단원

❷ 분모가 될 수 있는 수 구하기

가분수의 분모를 □라 하면 □÷3=1 ⋯ ㉡입니다.
분모는 3×1=3, 3+1=4 또는 3×1=3, 3+2=5입니다.

❸ 조건을 만족하는 가분수의 개수 구하기

조건을 만족하는 가분수는 $\frac{23}{4}$, $\frac{24}{4}$, $\frac{25}{4}$, $\frac{26}{4}$, $\frac{27}{4}$, $\frac{23}{5}$, $\frac{24}{5}$, $\frac{25}{5}$, $\frac{26}{5}$, $\frac{27}{5}$로 모두 **10개**입니다.

상위권 TEST

084~085쪽

01	19	02	$\frac{25}{7}$
03	12개	04	4, 5, 6, 7
05	22명	06	$\frac{39}{5}$
07	$\frac{9}{17}$	08	3가지
09	2 m	10	29 cm
11	35분	12	72줄

01 ❶ 나타내는 수 각각 구하기

㉠ 30의 $\frac{1}{5}$은 6입니다. ㉡ 36의 $\frac{1}{4}$은 9입니다.

㉢ 28의 $\frac{1}{7}$은 4입니다.

❷ ㉠, ㉡, ㉢이 나타내는 수의 합 구하기

㉠+㉡+㉢=6+9+4=**19**

02 ❶ 대분수를 가분수로 나타내기

대분수를 가분수로 나타내면 $3\frac{3}{7}=\frac{24}{7}$입니다.

❷ 가장 큰 분수 찾기

$\frac{25}{7}>3\frac{3}{7}(=\frac{24}{7})>\frac{19}{7}$이므로 가장 큰 분수는 $\mathbf{\frac{25}{7}}$입니다.

03 ❶ 친구에게 준 사탕의 수 구하기

30의 $\frac{3}{5}$은 18이므로 친구에게 준 사탕은 18개입니다.

❷ 친구에게 주고 남은 사탕의 수 구하기

(친구에게 주고 남은 사탕의 수)
=30−18=**12(개)**

04 ❶ 가분수를 대분수로 나타내기

가분수를 대분수로 나타내면 $\frac{31}{9}=3\frac{4}{9}$입니다.

❷ □ 안에 들어갈 수 있는 자연수 모두 구하기

$3\frac{4}{9}$<□<$7\frac{2}{9}$이므로 □ 안에 들어갈 수 있는 자연수는 **4, 5, 6, 7**입니다.

05 ❶ 1반과 2반에서 안경을 쓴 학생 수 각각 구하기

- 1반: 25의 $\frac{2}{5}$는 10이므로 10명입니다.
- 2반: 28의 $\frac{3}{7}$은 12이므로 12명입니다.

❷ 1반과 2반에서 안경을 쓴 학생 수의 합 구하기

(1반과 2반에서 안경을 쓴 학생 수의 합)
=10+12=**22(명)**

06 ❶ 분모가 5인 가장 큰 대분수 만들기

7>5>4>2이므로 분모가 5인 가장 큰 대분수는 $7\frac{4}{5}$입니다.

❷ 위 ❶의 대분수를 가분수로 나타내기

대분수를 가분수로 나타내면 $7\frac{4}{5}=\mathbf{\frac{39}{5}}$입니다.

07 ❶ 조건을 만족하는 두 수 구하기

분자와 분모의 합이 26이 되도록 표를 만들면

분자	7	8	9	10
분모	19	18	17	16

이 중에서 차가 8인 두 수는 9, 17입니다.

❷ 조건을 모두 만족하는 진분수 구하기

따라서 조건을 모두 만족하는 진분수는 $\mathbf{\frac{9}{17}}$입니다.

08 ❶ ㉠, ㉡에 알맞은 수 각각 구하기

- 7<㉠<11이므로 ㉠=8, 9, 10입니다.
- 8<㉡<12이므로 ㉡=9, 10, 11입니다.

❷ $\frac{㉠}{㉡}$이 가분수가 되는 경우는 모두 몇 가지인지 구하기

$\frac{㉠}{㉡}$이 가분수가 되는 경우는 ㉠=㉡, ㉠>㉡입니다.

- ㉡=9일 때: ㉠=9, 10(2가지)
- ㉡=10일 때: ㉠=10(1가지)
- ㉡=11일 때: 조건을 만족하는 가분수는 없습니다.

→ 모두 2+1=**3(가지)**입니다.

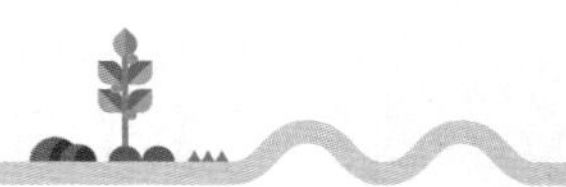

09 ❶ 첫 번째에 튀어 오르는 공의 높이 구하기

54 m의 $\frac{1}{3}$은 18 m입니다.

❷ 두 번째에 튀어 오르는 공의 높이 구하기

18 m의 $\frac{1}{3}$은 6 m입니다.

❸ 세 번째에 튀어 오르는 공의 높이 구하기

6 m의 $\frac{1}{3}$은 **2 m**입니다.

10 ❶ 선분 ㄱㄹ의 길이 구하기

선분 ㄱㄹ의 길이의 $\frac{9}{16}$가 45 cm이므로 선분 ㄱㄹ의 길이의 $\frac{1}{16}$은 $45\div9=5$(cm)입니다.

(선분 ㄱㄹ)$=5\times16=80$(cm)

❷ 선분 ㄱㄴ의 길이 구하기

(선분 ㄱㄴ)=(선분 ㄱㄹ)−(선분 ㄴㄹ)

$=80-51=$**29 (cm)**

11 ❶ 처음 양초 길이의 $\frac{1}{9}$만큼 타는 데 걸린 시간 구하기

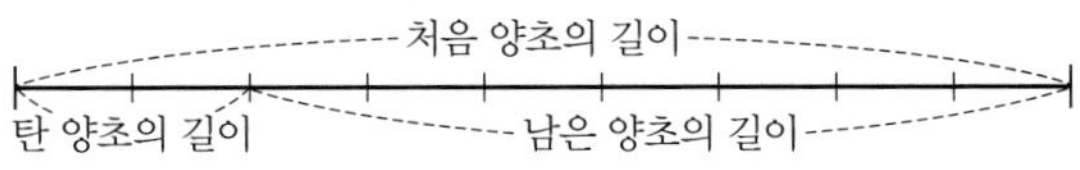

10분 동안 탄 양초의 길이는 처음 양초 길이의 $\frac{2}{9}$입니다.

(처음 양초 길이의 $\frac{1}{9}$만큼 타는 데 걸린 시간)

$=10\div2=5$(분)

❷ 양초가 모두 타려면 몇 분이 더 걸리는지 구하기

따라서 남은 양초의 길이는 처음 양초의 길이의 $\frac{7}{9}$이므로 남은 양초가 모두 타려면 앞으로 $5\times7=$**35(분)**이 더 걸립니다.

12 ❶ 오후에 새로 만든 김밥 48줄의 양 알아보기

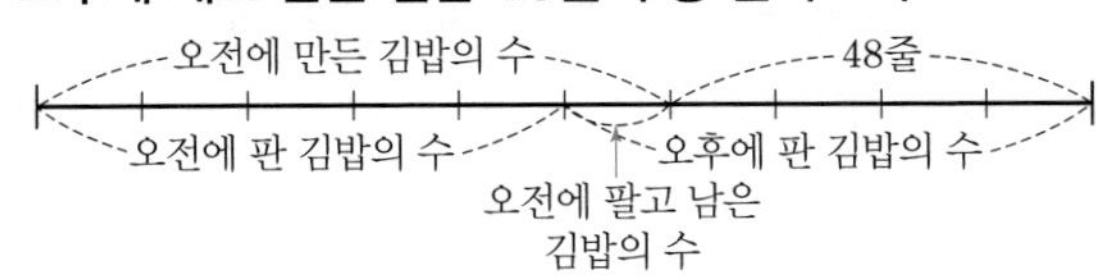

오후에 새로 만든 김밥 48줄은 오전에 만든 김밥의 $\frac{4}{6}$와 같습니다.

❷ 오전에 만든 김밥의 수 구하기

오전에 만든 김밥의 $\frac{1}{6}$은 $48\div4=12$(줄)입니다.

→ (오전에 만든 김밥의 수)$=12\times6=$**72(줄)**

5 들이와 무게

개념 넓히기 089쪽

1 우유갑

2 (1) 3500 (2) 4

3
$$\begin{array}{r} 2\text{ L}\ \ 750\text{ mL} \\ +\ 3\text{ L}\ \ 600\text{ mL} \\ \hline 6\text{ L}\ \ 350\text{ mL} \end{array}$$

4 4 kg 450 g

STEP 1 응용 공략하기 090~096쪽

01 가, 다, 나

02 3배

03 (왼쪽에서부터) 5 kg 300 g, 6 kg 920 g

04 1 L 550 mL

05 400 g

06 예 ❶ 5400 mL=5 L 400 mL ▸2점
❷ (지금 자동차에 들어 있는 휘발유의 양)
=4 L 250 mL+5 L 400 mL
=9 L 650 mL ▸3점 / 9 L 650 mL

07 5번

08 당근, 오이, 양파

09 예 약 3배

10 정연

11 35 kg

12 예 ❶ (양동이의 들이)
=5400 mL−600 mL=4800 mL
=4 L 800 mL ▸2점
❷ 4 L 800 mL<5 L 200 mL이므로 항아리의 들이가 5 L 200 mL−4 L 800 mL=400 mL 더 많습니다. ▸3점 / 항아리, 400 mL

13 650 g

14 3 kg 700 g

15 600 mL

16 64개

17 41 L 400 mL

18 예 ❶ (㉮ 그릇의 들이)$=36\div6=6$(L)
(㉯ 그릇의 들이)$=36\div9=4$(L) ▸3점
❷ (㉮ 그릇과 ㉯ 그릇의 들이의 차)
=6 L−4 L=2 L ▸2점 / 2 L

19 2 kg 560 g

20 3 L 450 mL

21 180 L

01 그릇에 물을 붓는 횟수가 많을수록 컵의 들이가 적습니다.

→ $12<20<24$이므로 물을 많이 담을 수 있는 컵부터 차례로 기호를 쓰면 **가, 다, 나**입니다.

02 (단감 1개의 무게)=(100원짜리 동전 18개의 무게)
(귤 1개의 무게)=(100원짜리 동전 6개의 무게)
➜ 단감의 무게는 귤의 무게의 18÷6=**3(배)**입니다.

03

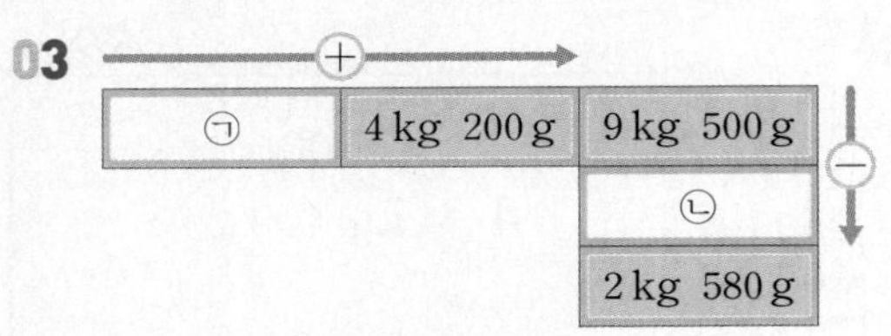

• ㉠+4 kg 200 g=9 kg 500 g
➜ ㉠=9 kg 500 g−4 kg 200 g
=**5 kg 300 g**
• 9 kg 500 g−㉡=2 kg 580 g
➜ ㉡=9 kg 500 g−2 kg 580 g
=**6 kg 920 g**

04 1 L 300 mL>500 mL>250 mL이므로 물이 가장 많이 들어가는 것은 수조이고, 가장 적게 들어가는 것은 샬레입니다.
➜ (들이의 합)
=1 L 300 mL+250 mL
=**1 L 550 mL**

05 400 g+400 g+400 g=1 kg 200 g
➜ (필통 1개의 무게)=**400 g**

06

채점 기준		
	❶ 5400 mL를 몇 L 몇 mL로 나타내기	2점
	❷ 지금 자동차에 들어 있는 휘발유의 양 구하기	3점

07 (나 냄비로 부어야 하는 물의 양)
=3400 mL−900 mL
=2500 mL
➜ 500×5=2500 (mL)이므로 나 냄비로 물을 적어도 **5번** 부어야 합니다.

08 • (오이 3개의 무게)=(양파 4개의 무게)
• (양파 2개의 무게)=(당근 1개의 무게)이므로
(양파 4개의 무게)=(당근 2개의 무게)입니다.
(오이 3개의 무게)=(양파 4개의 무게)
=(당근 2개의 무게)
➜ 무게가 무거운 것부터 차례로 쓰면 **당근, 오이, 양파**입니다.

09 (세 동물의 무게의 합)
=55+110+135=300 (kg)
300×3=900 (kg), 300×4=1200 (kg)이므로
1 t은 300 kg의 **약 3배**입니다.

10 • 세희: 3 L−2 L 750 mL=250 mL
• 정연: 1 L 950 mL−1 L 800 mL=150 mL
• 유빈: 3 L 100 mL−2 L 900 mL=200 mL
➜ 150 mL<200 mL<250 mL이므로 실제 들이에 가장 가깝게 어림한 사람은 **정연**입니다.

중요 어림한 들이와 실제 들이의 차가 작을수록 실제 들이에 더 가깝게 어림한 것입니다.

11 (가방의 무게)
=(지연이가 가방을 메고 잰 몸무게)
−(지연이가 가방을 메지 않고 잰 몸무게)
=37 kg 250 g−32 kg 400 g=4 kg 850 g
➜ (효준이의 몸무게)
=(효준이가 가방을 메고 잰 몸무게)−(가방의 무게)
=39 kg 850 g−4 kg 850 g=**35 kg**

12

채점 기준		
	❶ 양동이의 들이 구하기	2점
	❷ 어느 것의 들이가 몇 mL 더 많은지 구하기	3점

13 (물의 무게)=850 g−250 g=600 g
600 g의 $\frac{1}{3}$은 200 g이므로 마신 물의 양은 200 g입니다.
➜ (마시고 남은 물이 담긴 물통의 무게)
=850 g−200 g=**650 g**

참고 수직선으로 알아보면 다음과 같습니다.

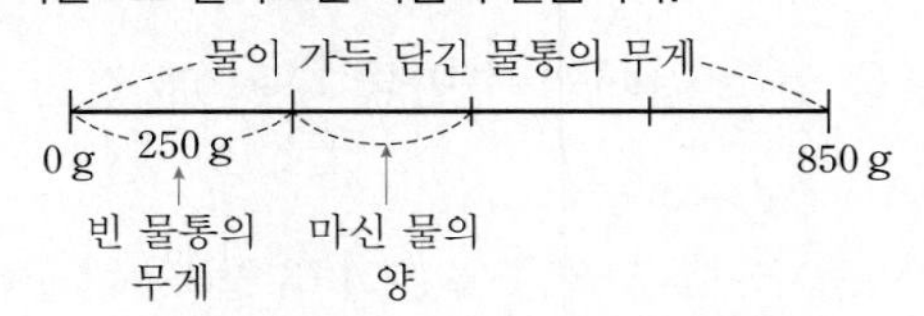

14 (아버지와 어머니가 캔 감자의 무게의 합)
=3 kg 900 g+2 kg 400 g=6 kg 300 g
➜ (효민이가 캔 감자의 무게)
=10 kg−6 kg 300 g=**3 kg 700 g**

15 가와 나 물통으로 부은 물의 양의 합은 2 L에서 작은 눈금 3칸 더 간 곳을 가리키므로 2 L 300 mL입니다.
(가 물통의 들이)
=(수조의 들이)−(가와 나 물통으로 부은 물의 양의 합)
=4 L−2 L 300 mL=1 L 700 mL
➜ (나 물통의 들이)
=(가와 나 물통으로 부은 물의 양의 합)
−(가 물통의 들이)
=2 L 300 mL−1 L 700 mL=**600 mL**

16 (공깃돌 3개의 무게)=(구슬 12개의 무게)이므로 공깃돌 1개의 무게는 구슬 $12 \div 3 = 4$(개)의 무게와 같습니다.
→ (치약 1개의 무게)=(공깃돌 16개의 무게)이므로 치약 1개의 무게는 구슬 $4 \times 16 =$ **64(개)**의 무게와 같습니다.

17 (참기름 2말의 양)$=18\,L+18\,L=36\,L$
(들기름 3되의 양)
$=1\,L\ 800\,mL+1\,L\ 800\,mL+1\,L\ 800\,mL$
$=3\,L\ 600\,mL+1\,L\ 800\,mL=5\,L\ 400\,mL$
→ (참기름 2말과 들기름 3되의 양의 합)
$=36\,L+5\,L\ 400\,mL=$ **41 L 400 mL**

18

채점 기준		
	❶ ㉮ 그릇의 들이와 ㉯ 그릇의 들이 각각 구하기	3점
	❷ ㉮ 그릇과 ㉯ 그릇의 들이의 차 구하기	2점

19 (카레 3인분을 만드는 데 필요한 재료의 무게의 합)
$=180\,g+360\,g+270\,g+150\,g=960\,g$
(카레 1인분을 만드는 데 필요한 재료의 무게의 합)
$=960 \div 3=320\,(g)$
(카레 8인분을 만드는 데 필요한 재료의 무게의 합)
$=320 \times 8=2560\,(g)=$ **2 kg 560 g**

다른 풀이 카레 1인분을 만드는 데 필요한 각각의 재료의 무게는 다음과 같습니다.
고기: $180 \div 3=60\,(g)$, 양파: $360 \div 3=120\,(g)$,
감자: $270 \div 3=90\,(g)$, 당근: $150 \div 3=50\,(g)$
(카레 1인분을 만드는 데 필요한 재료의 무게의 합)
$=60+120+90+50=320\,(g)$
(카레 8인분을 만드는 데 필요한 재료의 무게의 합)
$=320 \times 8=2560\,(g)=$ **2 kg 560 g**

20 (셋째 날 마시기 전의 물의 양)
$=850\,mL+850\,mL$
$=1700\,mL=1\,L\ 700\,mL$
(둘째 날 마시기 전의 물의 양)
$=1\,L\ 700\,mL+1\,L\ 150\,mL=2\,L\ 850\,mL$
→ (처음에 사 온 물의 양)
$=2\,L\ 850\,mL+600\,mL=$ **3 L 450 mL**

21 (1분 동안 나오는 물의 양)$=45 \div 3=15\,(L)$
(1분 동안 빠져나간 물의 양)$=6 \div 2=3\,(L)$
(1분 동안 받은 물의 양)$=15-3=12\,(L)$
→ (15분 동안 받은 물의 양)$=12 \times 15=$ **180 (L)**

STEP 2 심화 해결하기 097~103쪽

01 3번
02 예 ❶ 지훈: $1090\,mL=1\,L\ 90\,mL$
$1\,L\ 950\,mL>1\,L\ 800\,mL>1\,L\ 90\,mL$이므로 물을 가장 많이 마신 사람은 윤서이고, 가장 적게 마신 사람은 지훈입니다. ▸3점
❷ (윤서와 지훈이가 마신 물의 양의 합)
$=1\,L\ 950\,mL+1\,L\ 90\,mL$
$=3\,L\ 40\,mL$ ▸2점 / 3 L 40 mL
03 ㉢
04 22 kg 650 g
05 505
06 220 mL
07 16 cm
08 600 g
09 예 ❶ 가 물통의 들이를 □L라 하면 나 물통의 들이는 (□+□+□) L입니다.
□+□+□+□=64, □×4=64,
□=64÷4=16입니다. ▸3점
❷ (나 물통의 들이)$=16 \times 3=48\,(L)$ ▸2점 / 48 L
10 300 mL
11 700 mL
12 2 kg 500 g
13 480 g
14 예 ❶ (복숭아 1개의 무게)
$=2\,kg\ 380\,g-2\,kg\ 150\,g=230\,g$ ▸2점
❷ (복숭아 8개의 무게)$=230 \times 8=1840\,(g)$
$1840\,g=1\,kg\ 840\,g$ ▸2점
❸ (빈 쟁반의 무게)
$=2\,kg\ 380\,g-1\,kg\ 840\,g=540\,g$ ▸1점
/ 540 g
15 5번
16 동화책
17 1 L 920 mL
18 400 g
19 22 g
20 2 kg 200 g
21 2분

01 ❶ **양동이의 들이는 대접의 들이의 몇 배인지 구하기**
대접: 21번, 양동이: 7번
양동이의 들이는 대접의 들이의 $21 \div 7=3$(배)입니다.
❷ **부어야 하는 횟수 구하기**
따라서 대접에 물을 가득 담아 빈 양동이에 적어도 **3번** 부어야 합니다.

02

채점 기준		
	❶ 물을 가장 많이 마신 사람과 가장 적게 마신 사람 각각 찾기	3점
	❷ 물을 가장 많이 마신 사람과 가장 적게 마신 사람의 마신 물의 양의 합 구하기	2점

03 ❶ ㉠, ㉡, ㉢의 무게 각각 구하기
㉠ 950 kg+50 kg=1000 kg
㉡ 1 t=1000 kg → 1000 kg−30 kg=970 kg
㉢ 200×6=1200(kg)
❷ 가장 무거운 것을 찾아 기호 쓰기
따라서 1200>1000>970이므로 무게가 가장 무거운 것은 ㉢입니다.

04 ❶ 9400 g을 몇 kg 몇 g으로 나타내기
9400 g=9 kg 400 g
❷ 두 돌의 무게의 합 구하기
(두 돌의 무게의 합)=13 kg 250 g+9 kg 400 g
=**22 kg 650 g**

05 ❶ ㉠과 ㉡에 알맞은 수 각각 구하기

	4 L	㉠ mL
+	㉡ L	800 mL
	10 L	300 mL

• ㉠+800=1300 → ㉠=500
• 1+4+㉡=10 → ㉡=5
❷ ㉠과 ㉡에 알맞은 수의 합 구하기
(㉠과 ㉡에 알맞은 수의 합)
=500+5=**505**

06 ❶ 오전과 오후에 마신 물의 양의 합 구하기
(오전과 오후에 마신 물의 양의 합)
=500 mL+1280 mL=1780 mL
=1 L 780 mL
❷ 더 마셔야 하는 물의 양 구하기
(더 마셔야 하는 물의 양)
=2 L−1 L 780 mL=**220 mL**

07 ❶ 1 L의 물을 부었을 때 올라가는 물의 높이 구하기
(1 L의 물을 부었을 때 올라가는 물의 높이)
=12÷3=4(cm)
❷ 4 L의 물을 부었을 때 올라가는 물의 높이 구하기
(4 L의 물을 부었을 때 올라가는 물의 높이)
=4×4=**16(cm)**

08 레벨UP 공략

무게가 같은 물건이 ▲개 있을 때 물건 1개의 무게는?
■+■+……+■+■=(전체의 무게)
▲번
→ (물건 1개의 무게)=■

❶ 사과 3개의 무게 구하기
(사과 3개의 무게)=400×3=1200(g)
❷ 배 1개의 무게 구하기
(배 2개의 무게)=(사과 3개의 무게)=1200 g
→ 600 g+600 g=1200 g이므로 배 1개의 무게는 **600 g**입니다.

09

채점 기준	❶ 가 물통의 들이 구하기	3점
	❷ 나 물통의 들이 구하기	2점

10 ❶ 주방 세제 2팩의 들이 구하기
(주방 세제 2팩의 들이)=600×2=1200(mL)
1200 mL=1 L 200 mL
❷ 더 담아야 하는 주방 세제의 양 구하기
(더 담아야 하는 주방 세제의 양)
=1 L 500 mL−1 L 200 mL=**300 mL**

11 ❶ 가 수조와 나 수조의 물의 양의 합 구하기
(가 수조와 나 수조의 물의 양의 합)
=1 L 400mL+2 L 800 mL
=4 L 200 mL
❷ 나 수조에서 가 수조로 옮겨 담아야 하는 물의 양 구하기
2 L 100 mL+2 L 100 mL=4 L 200 mL이므로 두 수조의 물의 양을 같게 하려면 각 수조에 물을 2 L 100 mL씩 담아야 합니다.
→ (나 수조에서 가 수조로 옮겨 담아야 하는 물의 양)
=2 L 800 mL−2 L 100 mL=**700 mL**

다른 풀이 (가 수조와 나 수조의 물의 양의 차)
=2 L 800 mL−1 L 400 mL
=1 L 400 mL
→ 700 mL+700 mL=1 L 400 mL이므로 나 수조에서 가 수조로 물을 **700 mL** 옮겨 담아야 합니다.

12 ❶ 여행 가방에 담은 물건들의 무게의 합 구하기
(여행 가방에 담은 물건들의 무게의 합)
=2 kg 400 g+1 kg 800 g+700 g
=4 kg 200 g+700 g=4 kg 900 g
❷ 여행 가방에 더 담을 수 있는 물건의 무게 구하기
(여행 가방에 더 담을 수 있는 물건의 무게)
=12 kg−4 kg 600 g−4 kg 900 g
=7 kg 400 g−4 kg 900 g
=**2 kg 500 g**

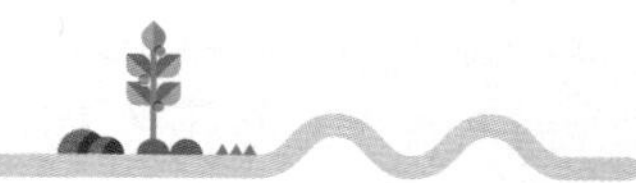

13 ❶ **망고스틴 1개의 무게 구하기**

(두리안 1개의 무게)

=(망고스틴 5개의 무게)=800 g

(망고스틴 1개의 무게)=800÷5=160(g)

❷ **구아바 1개의 무게 구하기**

(구아바 2개의 무게)=(망고스틴 6개의 무게)이므로 (구아바 1개의 무게)=(망고스틴 3개의 무게)입니다.

→ (구아바 1개의 무게)

=160×3=**480(g)**

14 레벨UP 공략

빈 쟁반의 무게를 구하려면?

(빈 쟁반의 무게)

=(물건이 담긴 쟁반의 무게)−(물건만의 무게)

채점 기준		
	❶ 복숭아 1개의 무게 구하기	2점
	❷ 복숭아 8개의 무게 구하기	2점
	❸ 빈 쟁반의 무게 구하기	1점

15 레벨UP 공략

작은 그릇으로 큰 그릇에 물을 가득 채울 때 물을 부어야 하는 횟수를 구하려면?

(작은 그릇의 들이)×■=(큰 그릇의 들이)

→ 물을 부어야 하는 횟수: ■번

❶ **물통에 들어 있는 물의 양 구하기**

200×4=800(mL)

300×9=2700(mL) → 2 L 700 mL

(물통에 들어 있는 물의 양)

=800 mL+2 L 700 mL

=3 L 500 mL

❷ **더 부어야 하는 물의 양 구하기**

(더 부어야 하는 물의 양)

=7 L−3 L 500 mL

=3 L 500 mL

❸ **들이가 700 mL인 컵으로 적어도 몇 번 더 부어야 하는지 구하기**

700×5=3500이므로 이 물통에 물을 가득 채우려면 들이가 700 mL인 컵으로 적어도 **5번** 더 부어야 합니다.

16 ❶ **추를 사용하여 잴 수 있는 무게 구하기**

필통: 250 g=100 g+150 g

카메라: 400 g=100 g+300 g

책가방: 900 g=100 g+150 g+300 g+350 g

❷ **무게를 잴 수 없는 물건 구하기**

따라서 주어진 추로 700 g은 잴 수 없으므로 무게를 잴 수 없는 물건은 **동화책**입니다.

17 ❶ **동생이 마신 주스의 양 구하기**

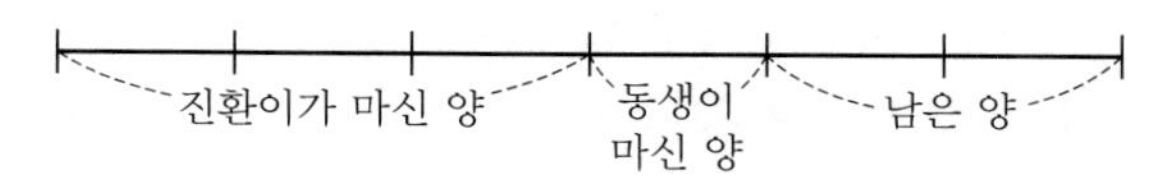

진환이가 마시고 남은 주스의 양의 $\frac{2}{3}$는 640 mL입니다.

(동생이 마신 주스의 양)

=(진환이가 마시고 남은 주스의 양의 $\frac{1}{3}$)

=640÷2=320(mL)

❷ **진환이가 마신 주스의 양 구하기**

(진환이가 마신 주스의 양)

=(동생이 마신 주스의 양)+640

=320+640=960(mL)

❸ **처음 병에 들어 있던 주스의 양 구하기**

(처음 병에 들어 있던 주스의 양)

=960+960=1920(mL)

→ 처음 병에 들어 있던 주스의 양은 **1 L 920 mL**입니다.

18 ❶ **가장 가깝게 어림한 사람과 가장 멀게 어림한 사람 각각 찾기**

200<250<600이므로 가장 가깝게 어림한 사람은 경민, 가장 멀게 어림한 사람은 윤아입니다.

- 경민이가 어림한 무게:
  3 kg 400 g−200 g=3 kg 200 g
  또는 3 kg 400 g+200 g=3 kg 600 g
- 윤아가 어림한 무게:
  3 kg 400 g−600 g=2 kg 800 g
  또는 3 kg 400 g+600 g=4 kg

❷ **어림한 무게의 차가 가장 작을 때는 몇 g인지 구하기**

3 kg 200 g−2 kg 800 g=400 g,

4 kg−3 kg 200 g=800 g,

3 kg 600 g−2 kg 800 g=800 g,

4 kg−3 kg 600 g=400 g

→ 어림한 무게의 차가 가장 작을 때는 **400 g**입니다.

참고 실제 무게가 ㉠ kg이고 어림한 무게와 실제 무게의 차가 ㉡ kg일 때 어림한 무게가 될 수 있는 경우는 (㉠−㉡) kg 또는 (㉠+㉡) kg으로 2가지가 있습니다.

19 ❶ ㉱의 무게 구하기

㉮=32 g, ㉯+3 g=㉰, ㉰=㉱+5 g

㉮+㉰+㉱=77 g이므로

32 g+㉱+5 g+㉱=77 g,

㉱+㉱=40 g, ㉱=20 g입니다.

❷ ㉯의 무게 구하기

따라서 ㉰=20+5=25(g)이고,

㉯=25−3=**22(g)**입니다.

20 ❶ 밀가루, 설탕, 소금의 무게의 합 구하기

(밀가루)+(설탕)	=	4 kg 200 g
(설탕)+(소금)	=	3 kg 400 g
+(밀가루)+(소금)	=	3 kg 600 g
(밀가루)+(설탕)+(설탕)+(소금)+(밀가루)+(소금)	=	11 kg 200 g

5 kg 600 g+5 kg 600 g=11 kg 200 g이므로

(밀가루)+(설탕)+(소금)=5 kg 600 g입니다.

❷ 밀가루의 무게 구하기

(설탕)+(소금)=3 kg 400 g이므로

(밀가루)=5 kg 600 g−3 kg 400 g

=**2 kg 200 g**입니다.

21 ❶ 1초 동안 욕조에 채워지는 물의 양 구하기

(1초 동안 욕조에 채워지는 물의 양)

=450 mL+350 mL−50 mL=750 mL

❷ 욕조에 물을 가득 채우는 데 걸리는 시간 구하기

750 mL / 1초 → 750×4=3000(mL) → 3 L / 1×4=4(초)

→ 3×3=9(L) / 4×3=12(초) → 9×10=90 (L) / 12×10=120(초) → 2분

따라서 욕조에 물을 가득 채우는 데 걸리는 시간은 적어도 **2분**입니다.

STEP 3 최상위 도전하기 104~105쪽

1 13500원	**2** 13 kg 350 g
3 2 L 400 mL	**4** 2 kg 230 g
5 150 mL	**6** 11가지

1 ❶ 두 통에 들어 있는 식혜의 들이 구하기

(두 통에 들어 있는 식혜의 들이)

=1 L 800 mL+1 L 200 mL=3 L

❷ 식혜를 남김없이 팔았을 때 받을 수 있는 금액 구하기

1 L=1000 mL이므로 식혜 1 L를 팔면 4500원을 받을 수 있습니다.

➜ (받을 수 있는 금액)

=4500+4500+4500=**13500(원)**

2 ❶ 돼지고기, 양파, 당근의 무게 각각 구하기

• (돼지고기 3근의 무게)=600×3=1800(g),

(돼지고기 반 근의 무게)=600÷2=300(g)

(돼지고기 3근 반의 무게)

=1800 g+300 g=2100 g → 2 kg 100 g

• (양파 2관의 무게)

=3 kg 750 g+3 kg 750 g

=7 kg 500 g

• (당근 1관의 무게)=3 kg 750 g

❷ 돼지고기, 양파, 당근의 무게의 합 구하기

(돼지고기, 양파, 당근의 무게의 합)

=2 kg 100 g+7 kg 500 g+3 kg 750 g

=**13 kg 350 g**

3 ❶ 진경이가 마시고 남은 주스의 양 구하기

4 L=4000 mL

진경이가 마신 주스는 4000 mL의 $\frac{1}{10}$이므로 400 mL입니다.

(진경이가 마시고 남은 주스의 양)

=4000 mL−400 mL=3600 mL

❷ 진경이와 민현이가 마시고 남은 주스의 양 구하기

민현이가 마신 주스는 3600 mL의 $\frac{1}{4}$이므로 900 mL입니다.

(진경이와 민현이가 마시고 남은 주스의 양)

=3600 mL−900 mL=2700 mL

❸ 세 사람이 마시고 남은 주스의 양 구하기

소라가 마신 주스는 2700 mL의 $\frac{1}{9}$이므로 300 mL입니다.

➜ (세 사람이 마시고 남은 주스의 양)

=2700 mL−300 mL=2400 mL

=**2 L 400 mL**

4 ❶ 농구공 1개의 무게 구하기

(농구공 5개의 무게)+(축구공 4개의 무게)
$=4$ kg 720 g
+ (농구공 5개의 무게)−(축구공 4개의 무게)
$=1$ kg 280 g

(농구공 5개의 무게)+(농구공 5개의 무게)
$=6$ kg$=6000$ g

(농구공 10개의 무게)$=6000$ g이므로
(농구공 1개의 무게)$=600$ g입니다.

❷ 축구공 1개의 무게 구하기

(농구공 5개의 무게)$=3000$ g$=3$ kg이므로
3 kg+(축구공 4개의 무게)$=4$ kg 720 g,
(축구공 4개의 무게)$=1$ kg 720 g$=1720$ g입니다.
430 g$+430$ g$+430$ g$+430$ g$=1720$ g이므로
(축구공 1개의 무게)$=430$ g입니다.

❸ 농구공 3개와 축구공 1개의 무게의 합 구하기

(농구공 3개의 무게)+(축구공 1개의 무게)
$=1$ kg 800 g$+430$ g
$=$**2 kg 230 g**

5 ❶ 8시간 후 태호에게 남은 물의 양 구하기

(태호가 8시간 동안 덜어 낸 물의 양)
$=200\times8=1600$(mL) → 1 L 600 mL
(8시간 후 태호에게 남은 물의 양)
$=3$ L 400 mL-1 L 600 mL$=1$ L 800 mL

❷ 수미가 8시간 동안 덜어 낸 물의 양 구하기

8시간 후 수미에게 남은 물의 양도 1 L 800 mL이므로 수미가 8시간 동안 덜어 낸 물의 양을 □라 하면
3 L−□$=1$ L 800 mL,
□$=3$ L-1 L 800 mL
$=1$ L 200 mL$=1200$ mL입니다.

❸ 수미가 1시간마다 덜어 낸 물의 양 구하기

$150\times8=1200$이므로 수미는 1시간마다 물을 **150 mL**씩 덜어 냈습니다.

6

무게가 2 g, 3 g, 7 g인 추가 각각 한 개씩 있습니다. **윗접시저울과 주어진 추들을 사용하여 잴 수 있는 무게는 모두 몇 가지**일까요?
└• 추를 저울의 한쪽에만 놓는 경우와 저울의 양쪽에 놓는 경우 두 가지가 있습니다.

❶ 저울의 한쪽에 추를 놓아서 잴 수 있는 무게 구하기

• 추 1개: 2 g, 3 g, 7 g
• 추 2개: 2 g+3 g=5 g, 2 g+7 g=9 g,
3 g+7 g=10 g
• 추 3개: 2 g+3 g+7 g=12 g

❷ 저울의 양쪽에 추를 놓아서 잴 수 있는 무게 구하기

3 g−2 g=1 g, 7 g−3 g=4 g,
7 g−2 g=5 g, 7 g−2 g−3 g=2 g,
3 g+7 g−2 g=8 g, 2 g+7 g−3 g=6 g

❸ 위 ❶과 ❷에서 잴 수 있는 무게의 가짓수 구하기

따라서 추들을 사용하여 잴 수 있는 무게는 1 g, 2 g, 3 g, 4 g, 5 g, 6 g, 7 g, 8 g, 9 g, 10 g, 12 g으로 모두 **11가지**입니다.

상위권 TEST

106~107쪽

01	2배	02	10 kg 200 g
03	양동이, 200 mL	04	자두, 2개
05	6 L 500 mL	06	재우
07	5 L 280 mL	08	720 g
09	3번	10	노트북
11	1 kg 400 g	12	350 mL

01 ❶ 가와 나 그릇에서 옮겨 담은 컵의 개수 각각 구하기

가 그릇: 컵 6개, 나 그릇: 컵 3개

❷ 가 그릇의 들이는 나 그릇의 들이의 몇 배인지 구하기

따라서 가 그릇의 들이는 나 그릇의 들이의 $6\div3=$**2(배)**입니다.

02 ❶ 문제에 알맞은 식 세우기

㉠−3 kg 250 g=6 kg 950 g

❷ ㉠에 알맞은 무게 구하기

㉠=6 kg 950 g+3 kg 250 g
=**10 kg 200 g**

03 ❶ 어항의 들이 구하기

(어항의 들이)$=1$ L 200 mL$+2$ L 600 mL
$=3$ L 800 mL

❷ 어느 것의 들이가 몇 mL 더 많은지 구하기

따라서 **양동이**의 들이가
4 L−3 L 800 mL=**200 mL** 더 많습니다.

진도북 5단원

04 ❶ 자두 1개와 살구 1개의 무게 각각 구하기

- (자두 2개의 무게)=(100원짜리 동전 14개의 무게)
  → (자두 1개의 무게)=(100원짜리 동전 7개의 무게)
- (살구 3개의 무게)=(100원짜리 동전 15개의 무게)
  → (살구 1개의 무게)=(100원짜리 동전 5개의 무게)

❷ 어느 것이 100원짜리 동전 몇 개만큼 더 무거운지 구하기

따라서 **자두** 1개의 무게가 100원짜리 동전 7−5=**2(개)**만큼 더 무겁습니다.

05 ❶ 만든 보라색 페인트의 양 구하기

(만든 보라색 페인트의 양)
=2 L 800 mL+4 L 600 mL=7 L 400 mL

❷ 사용하고 남은 보라색 페인트의 양 구하기

(사용하고 남은 보라색 페인트의 양)
=7 L 400 mL−900 mL=**6 L 500 mL**

06 ❶ 실제 무게와 어림한 무게의 차 각각 구하기

(멜론의 무게)=1 kg 850 g

- 현지: 1 kg 850 g−1 kg 600 g=250 g
- 윤하: 2 kg 50 g−1 kg 850 g=200 g
- 재우: 1 kg 850 g−1 kg 750 g=100 g

❷ 가장 가깝게 어림한 사람 찾기

따라서 100 g<200 g<250 g이므로 가장 가깝게 어림한 사람은 **재우**입니다.

07 ❶ 수지와 동주가 사용하고 남은 물의 양 각각 구하기

(수지가 사용하고 남은 물의 양)
=7 L−3 L 420 mL=3 L 580 mL
(동주가 사용하고 남은 물의 양)
=6 L 200 mL−4 L 500 mL=1 L 700 mL

❷ 두 사람이 사용하고 남은 물의 양의 합 구하기

(두 사람이 사용하고 남은 물의 양의 합)
=3 L 580 mL+1 L 700 mL
=**5 L 280 mL**

08 ❶ 요구르트병 1개의 무게 구하기

(음료수 캔 1개의 무게)
=(요구르트병 3개의 무게)=360 g
120×3=360(g)이므로
(요구르트병 1개의 무게)=120 g입니다.

❷ 주스병 1개의 무게 구하기

➔ (주스병 1개의 무게)=(요구르트병 6개의 무게)
=120×6=**720(g)**

09 ❶ 더 부어야 하는 물의 양 구하기

300×5=1500(mL), 700×4=2800(mL)
(수조에 들어 있는 물의 양)
=1 L 500 mL+2 L 800 mL=4 L 300 mL
(더 부어야 하는 물의 양)
=7 L−4 L 300 mL=2 L 700 mL

❷ 적어도 몇 번 더 부어야 하는지 구하기

➔ 900×3=2700이므로 이 수조에 물을 가득 채우려면 들이가 900 mL인 컵으로 적어도 **3번** 더 부어야 합니다.

10 ❶ 추를 사용하여 잴 수 있는 무게 구하기

털모자: 500 g=150 g+350 g
인형: 600 g=200 g+400 g

❷ 무게를 잴 수 없는 물건 구하기

➔ 주어진 추로 850 g은 잴 수 없으므로 무게를 잴 수 없는 물건은 **노트북**입니다.

11 ❶ 파인애플, 사과, 배의 무게의 합 구하기

(파인애플)+(사과) =1 kg 700 g
(사과)+(배) =1 kg 200 g
+ (파인애플)+(배) =2 kg 300 g
(파인애플)+(사과)+(사과)+(배)+(파인애플)+(배)
=5 kg 200 g
(파인애플)+(사과)+(배)=2 kg 600 g입니다. (2 kg 600 g+2 kg 600 g)

❷ 파인애플의 무게 구하기

(파인애플)
=2 kg 600 g−1 kg 200 g=**1 kg 400 g**입니다. (1 kg 200 g: (사과)+(배))

12 ❶ 성주가 마시고 남은 우유의 양 구하기

성주가 마신 우유: 1000 mL의 $\frac{1}{5}$ → 200 mL
(성주가 마시고 남은 우유의 양)
=1000 mL−200 mL=800 mL

❷ 성주와 미나가 마시고 남은 우유의 양 구하기

미나가 마신 우유: 800 mL의 $\frac{1}{2}$ → 400 mL
(성주와 미나가 마시고 남은 우유의 양)
=800 mL−400 mL=400 mL

❸ 세 사람이 마시고 남은 우유의 양 구하기

재희가 마신 우유: 400 mL의 $\frac{1}{8}$ → 50 mL
➔ (세 사람이 마시고 남은 우유의 양)
=400 mL−50 mL=**350 mL**

6 자료의 정리

개념 넓히기 111쪽

1 51명　　**2** O형

3

종류별 꽃의 수

종류	꽃의 수
튤립	◎◎◎◎○○○
진달래	◎◎◎◎◎○○
장미	◎◎○○○○○

◎ 10송이
○ 1송이

STEP 1 응용 공략하기 112~117쪽

01 93권　　**02** 동화책

03 ❶ 2, 5, 3, 2, 12 ▸2점
㉮ ❷ 바이킹을 좋아하는 학생은 2명입니다.
가장 많은 학생들이 좋아하는 놀이기구는 범퍼카입니다. ▸3점

04 26, 61, 166 /

월별 장난감 생산량

월	생산량
9월	◆◆◆◆◇◇◇◇
10월	◆◆◇◇◇◇◇◇
11월	◆◆◆◇◇◇◇◇
12월	◆◆◆◆◆◆◇

◆ 10상자
◇ 1상자

05 16상자　　**06** 6명

07 11, 6, 4, 8, 29 / 8, 5, 7, 10, 30

08 1명

09 ㉮ ❶ 귤 ▸3점
❷ 두 반의 좋아하는 과일별 학생 수를 합한 수가 가장 큰 과일은 귤이므로 귤 따기 체험 학습을 가면 좋을 것 같습니다. ▸2점

10 21그루

11

좋아하는 계절별 학생 수

계절	학생 수
봄	♥♥♡♡♡♡♡♡
여름	♥♥♥♡♡♡♡♡
가을	♥♥♥♥♡♡
겨울	♥♥♡♡♡♡♡♡

♥ 10명
♡ 1명

12

농장별 수박 판매량

농장	판매량
가	◎◎△△△○○○○○
나	◎◎◎△○
다	◎◎◎◎△△
라	◎△△△○○○○

◎ 100통
△ 10통
○ 1통

13 ㉮ ❶ 대한민국의 메달은 17개이고
$17\times2=34$, $34+5=39$이므로 노르웨이의 메달은 39개입니다. ▸2점
❷ 독일의 메달은 31개이므로
(미국의 메달 수)$=31-8=23$(개)입니다. ▸2점
❸ (네 나라의 메달 수의 합)
$=39+31+23+17=110$(개) ▸1점
/ 110개

14 21가구　　**15** 동쪽, 5가구

16 105점

01 위인전: 51권, 과학책: 42권
➜ (위인전과 과학책의 수의 합)
$=51+42=$**93(권)**

02 책의 수를 비교하면 $51>44>42>35$입니다.
➜ 책의 수가 두 번째로 많은 책은 **동화책**입니다.

03

채점 기준	❶ 자료를 보고 표로 나타내기	2점
	❷ 표를 보고 알 수 있는 내용 쓰기	3점

04 • 표 완성하기: 그림그래프를 보고 10월에 26상자, 12월에 61상자를 써넣습니다.
(합계)$=44+26+35+61=166$(상자)
• 그림그래프 완성하기: 표를 보고 9월에 10상자의 그림 4개와 1상자의 그림 4개, 11월에 10상자의 그림 3개와 1상자의 그림 5개를 그려 넣습니다.

05 11월: 35상자, 12월: 61상자
(11월과 12월의 장난감 생산량의 합)
$=35+61=96$(상자)
➜ $96\div6=$**16(상자)**

06 축구: 10명, 야구: 4명, 농구: 8명, 배구: 4명
➜ (테니스를 좋아하는 학생 수)
$=32-10-4-8-4=$**6(명)**

07 (원재네 반 학생 수)$=11+6+4+8=29$(명)
(민서네 반 학생 수)$=8+5+7+10=30$(명)

진도북 6단원

08 • 원재네 반: 11 > 8 > 6 > 4이므로 가장 많은 학생들이 좋아하는 과일은 귤입니다.
• 민서네 반: 10 > 8 > 7 > 5이므로 가장 많은 학생들이 좋아하는 과일은 포도입니다.
➔ 11 − 10 = **1(명)**

09

채점 기준		
	❶ 어떤 과일 따기 체험 학습을 가면 좋을지 고르기	3점
	❷ 위 ❶의 이유 쓰기	2점

10 • 나 학교: 큰 그림 5개가 25그루입니다.
→ (큰 그림 1개의 나무의 수) = 25 ÷ 5 = 5(그루)
• 가 학교: 큰 그림 3개와 작은 그림 2개에서 큰 그림 3개는 15그루입니다.
(작은 그림 2개의 나무의 수) = 17 − 15 = 2(그루)
→ (작은 그림 1개의 나무의 수) = 2 ÷ 2 = 1(그루)
➔ 다 학교에서 심은 나무는 큰 그림이 4개, 작은 그림이 1개이므로 20 + 1 = **21(그루)**입니다.

11 여름: 35명, 가을: 42명
봄을 좋아하는 학생 수와 겨울을 좋아하는 학생 수를 각각 □명이라 하면 □ + 35 + 42 + □ = 129입니다.
□ + 77 + □ = 129, □ + □ = 52, □ = 26
➔ 봄과 겨울에 각각 10명의 그림 2개와 1명의 그림 6개를 그려 넣습니다.

12 • 가: 235 = 200 + 30 + 5
→ ◎ 2개, △ 3개, ○ 5개
• 나: 311 = 300 + 10 + 1
→ ◎ 3개, △ 1개, ○ 1개
• 다: 420 = 400 + 20 → ◎ 4개, △ 2개
• 라: 134 = 100 + 30 + 4
→ ◎ 1개, △ 3개, ○ 4개

참고 [문제 12]에서 주어진 그림이 3가지(100통, 10통, 1통)이므로 100통 ➔ 10통 ➔ 1통의 순서로 그림을 가능한 적게 그리는 것이 좋습니다.

13

채점 기준		
	❶ 노르웨이의 메달 수 구하기	2점
	❷ 미국의 메달 수 구하기	2점
	❸ 네 나라의 메달 수의 합 구하기	1점

14 (도로의 서쪽에 있는 가구 수) = 43 + 25 = 68(가구)
㉮ 마을의 가구 수를 □가구라 하면
25 + 22 + □ = 68입니다.
47 + □ = 68, □ = 68 − 47 = 21
➔ (㉮ 마을의 가구 수) = **21가구**

15 (도로의 서쪽에 있는 가구 수)
= 43 + 25 = 68(가구)
(도로의 동쪽에 있는 가구 수)
= 35 + 22 + 21 = 78(가구)
도로의 동쪽에 있는 가구가 78 − 68 = 10(가구) 더 많습니다.
➔ 10 ÷ 2 = 5이므로 도로의 **동쪽**에 있는 마을에서 **5가구**가 서쪽에 있는 마을로 이사를 가면 됩니다.

16 • 문제를 가장 많이 맞힌 사람은 승규로 14문제를 맞혔고, 20 − 14 = 6(문제)를 틀렸습니다.
(맞힌 문제의 점수) = 10 × 14 = 140(점),
(틀린 문제의 점수) = 5 × 6 = 30(점)
→ (승규의 점수) = 140 − 30 = 110(점)
• 문제를 가장 적게 맞힌 사람은 미진이로 7문제를 맞혔고, 20 − 7 = 13(문제)를 틀렸습니다.
(맞힌 문제의 점수) = 10 × 7 = 70(점),
(틀린 문제의 점수) = 5 × 13 = 65(점)
→ (미진이의 점수) = 70 − 65 = 5(점)
➔ (승규와 미진이의 점수의 차)
= 110 − 5 = **105(점)**

STEP 2 심화 해결하기 118~123쪽

01 114개 **02** 63명 **03** 9명

04 ❶ ㉡ ▸3점
예 ❷ 바다 마을의 인구는 모래 마을의 인구의 2배보다 10명 더 많습니다. ▸2점

05 영우, 5장

06 27, 11, 16 /

휴대 전화를 가지고 있는 학생 수

반	학생 수
1반	
2반	
3반	
4반	

10명
1명

07 예 ❶ 강화: 70기, 고창: 447기
(화순 지역의 고인돌 수)
= 447 + 149 = 596(기) ▸3점
❷ (세 지역의 고인돌 수의 합)
= 70 + 447 + 596 = 1113(기) ▸2점 / 1113기

08 쿠키, 샌드위치　　09 6, 5, 6

10 3명

11 상점별 컴퓨터 판매량

상점	판매량
가	◎◎◎◎◎○
나	◎○○○○○○○
다	◎◎○○○○○

◎10대 ○1대

12 상점별 컴퓨터 판매량

상점	판매량
가	◎◎◎◎◎○
나	◎△○○
다	◎◎△

◎10대 △5대 ○1대

13 10마리　　14 41 kg 200 g

15 나 마을, 15포대

01 ❶ **월별 우산 판매량 각각 구하기**

5월: 15개, 6월: 31개, 7월: 43개, 8월: 25개

❷ **네 달 동안 팔린 우산 수의 합 구하기**

(네 달 동안 팔린 우산 수의 합)

$=15+31+43+25=$**114(개)**

02 ❶ **미술이 취미인 학생 수 구하기**

(미술이 취미인 학생 수)$=21$명

❷ **수영이 취미인 학생 수 구하기**

(수영이 취미인 학생 수)$=21\times3=$**63(명)**

03 레벨UP 공략

수량이 가장 큰 항목을 찾으려면?

큰 그림의 수가 가장 많은 항목 찾기

↓

큰 그림의 수가 같으면 작은 그림의 수가 가장 많은 항목 찾기

❶ **가장 많은 학생들이 가진 취미와 두 번째로 많은 학생들이 가진 취미 각각 구하기**

- 가장 많은 학생들이 가진 취미: 태권도(72명)
- 두 번째로 많은 학생들이 가진 취미: 수영(63명)

❷ **위 ❶의 학생 수의 차 구하기**

(학생 수의 차)$=72-63=$**9(명)**

04

채점 기준		
	❶ 잘못된 것을 찾아 기호 쓰기	3점
	❷ 바르게 고쳐 쓰기	2점

05 ❶ **한 달 동안 읽은 책의 수가 가장 많은 사람과 책의 수 구하기**

한 달 동안 읽은 책의 수가 가장 많은 사람은 **영우**로 26권을 읽었습니다.

❷ **위 ❶의 사람이 받은 칭찬 붙임딱지의 수 구하기**

$26\div5=5\cdots1$이므로 받은 칭찬 붙임딱지는 **5장**입니다.

06 ❶ **그림그래프를 보고 표 완성하기**

1반: 27명, 2반: 11명

3반: $78-27-11-24=16$(명)

❷ **표를 보고 그림그래프 완성하기**

3반: 10명의 그림 1개와 1명의 그림 6개를 그려 넣습니다.

4반: 10명의 그림 2개와 1명의 그림 4개를 그려 넣습니다.

07

채점 기준		
	❶ 화순 지역의 고인돌 수 구하기	3점
	❷ 세 지역의 고인돌 수의 합 구하기	2점

08 ❶ **간식별 100 g당 열량 구하기**

쿠키: 70 kcal, 고구마: 250 kcal,

샌드위치: 220 kcal, 바나나: 90 kcal

❷ **민규가 먹을 수 있는 간식 두 가지 구하기**

$70+220=290$(kcal)이므로 민규가 먹을 수 있는 간식은 **쿠키**, **샌드위치**입니다.

09 ❶ **자료에서 찢어지지 않은 부분의 악기 수를 세어 보기**

자료에서 찢어지지 않은 부분의 악기 수를 세어 표로 나타내면 다음과 같습니다.

배우고 싶은 악기별 학생 수

악기	바이올린	플루트	우쿨렐레	하모니카	합계
학생 수(명)	6	6	4	4	20

❷ **표 완성하기**

문제의 주어진 표에서 합계가 25명이므로 찢어진 부분의 학생 수는 $25-20=5$(명)입니다.

표와 자료를 비교해 보면 찢어진 부분에 플루트 2명이 더 있으므로 남은 학생 수는 3명입니다. 바이올린과 하모니카의 학생 수는 같으므로 우쿨렐레 1명, 하모니카 2명입니다.

→ 바이올린: **6명**,

우쿨렐레: $4+1=$**5(명)**,

하모니카: $4+2=$**6(명)**

10 ❶ **플루트와 우쿨렐레를 배우고 싶은 학생 수 각각 구하기**
(플루트를 배우고 싶은 학생 수)$=8$명,
(우쿨렐레를 배우고 싶은 학생 수)$=5$명
❷ **플루트를 배우고 싶은 학생은 우쿨렐레를 배우고 싶은 학생보다 몇 명 더 많은지 구하기**
플루트를 배우고 싶은 학생이 $8-5=$**3(명)** 더 많습니다.

11 ❶ **각 상점의 컴퓨터 판매량 구하기**
(나 상점의 판매량)$=51\div3=17$(대)
(다 상점의 판매량)$=17+8=25$(대)
❷ **그림그래프 완성하기**
- 가 상점: ◎ 5개, ○ 1개
- 나 상점: ◎ 1개, ○ 7개
- 다 상점: ◎ 2개, ○ 5개

12 레벨UP 공략

그림그래프로 나타낼 때 그려야 하는 그림의 수를 구하려면? 큰 그림 ➜ 작은 그림의 순서로 그림을 가능한 적게 그리는 것이 좋습니다.

❶ **그림 사이의 관계 알아보기**
○ 5개는 △ 1개로 나타냅니다.
❷ **그림그래프 완성하기**
- 가 상점: ◎ 5개, ○ 1개
- 나 상점: ◎ 1개, △ 1개, ○ 2개
- 다 상점: ◎ 2개, △ 1개

13 ❶ **도로의 동쪽에 있는 양의 수 구하기**
(도로의 서쪽에 있는 양의 수)$=26+37=63$(마리)
(도로의 동쪽에 있는 양의 수)$=63+12=75$(마리)
❷ **나 목장의 양의 수 구하기**
㉰ 목장의 양의 수를 ■라 하면 ㉯ 목장의 양의 수는 ■의 $\frac{2}{5}$입니다.

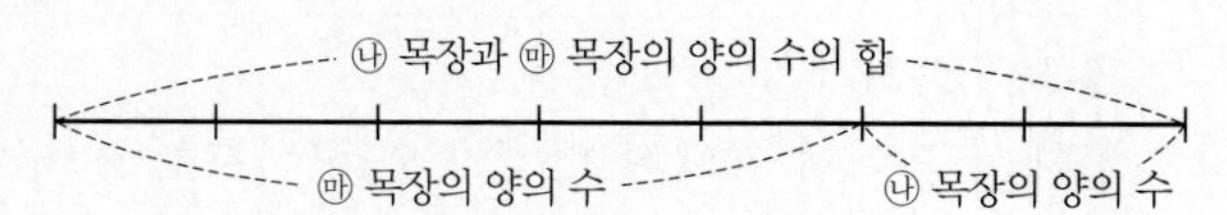

(㉯ 목장과 ㉰ 목장의 양의 수의 합)
$=75-40=35$(마리)
➜ ㉯ 목장의 양의 수는 35의 $\frac{2}{7}$이므로 **10마리**입니다.

14 ❶ **큰 그림 1개의 크기 구하기**
101동: 작은 그림 1개는 200 g이므로 큰 그림 5개는 15 kg 200 g$-$200 g$=$15 kg입니다.
→ 큰 그림 1개는 $15\div5=3$(kg)을 나타냅니다.
❷ **서우네 아파트 단지에서 모은 빈 병의 무게의 합 구하기**
102동: 3 kg 800 g, 103동: 12 kg 800 g, 104동: 9 kg 400 g
(서우네 아파트 단지에서 모은 빈 병의 무게의 합)
$=$15 kg 200 g$+$3 kg 800 g$+$12 kg 800 g $+$9 kg 400 g
$=$**41 kg 200 g**

15 ❶ **마을별 쌀 생산량 각각 구하기**
- 가 마을: $20+1=21$(포대)
- 나 마을: $12+3=15$(포대)
- 라 마을: $16+1=17$(포대)

21포대의 $\frac{1}{7}$은 3포대이므로
(다 마을의 쌀 생산량)$=3\times6=18$(포대)입니다.
❷ **쌀 생산량이 가장 적은 마을과 쌀 생산량 구하기**
$15<17<18<21$이므로 쌀 생산량이 가장 적은 마을은 **나 마을**이고, 쌀 생산량은 **15포대**입니다.

STEP 3 최상위 도전하기

124~125쪽

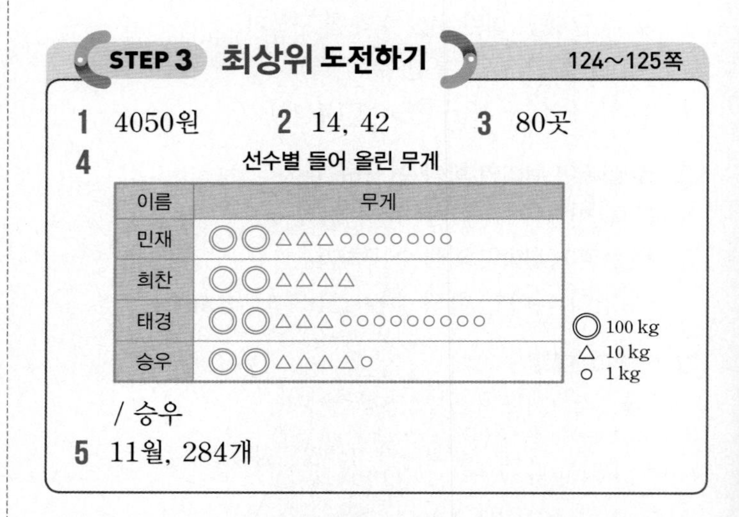

1 4050원 **2** 14, 42 **3** 80곳
4 선수별 들어 올린 무게

이름	무게
민재	◎◎△△△○○○○○○○
희찬	◎◎△△△△
태경	◎◎△△△○○○○○○○○○
승우	◎◎△△△△○

◎ 100 kg
△ 10 kg
○ 1 kg

/ 승우
5 11월, 284개

1 ❶ **쿠키가 가장 많이 팔린 요일과 가장 적게 팔린 요일의 쿠키의 수 각각 구하기**
쿠키가 가장 많이 팔린 요일은 목요일로 54개입니다.
쿠키가 가장 적게 팔린 요일은 월요일로 45개입니다.
❷ **위 ❶의 경우에서 팔린 쿠키 값의 차 구하기**
(쿠키 판매량의 차)$=54-45=9$(개)
➜ (쿠키 9개의 값)$=450\times9=$**4050(원)**

2 ❶ **좋아하는 색깔별 학생 수의 합 구하기**
$1\times7=7$, $2\times4=8$, $3\times5=15$, $4\times3=12$이므로
(좋아하는 색깔별 학생 수의 합)
$=7+8+15+12=$**42**(명)

❷ 보라색을 좋아하는 학생 수 구하기

(보라색을 좋아하는 학생 수)

$=42-11-7-10=$**14**(명)

3 ❶ ㉠과 ㉡에 알맞은 수 각각 구하기

네 지역의 병원 수의 합은 ㉠곳의 그림 8개, ㉡곳의 그림 9개입니다.

㉠×8과 ㉡×9의 합이 285인 경우는

(㉡×9와 ㉠×8의 합: 285)

㉡	㉡×9	㉠×8	㉠
1	9	276	276÷8=34···4(×)
2	18	267	267÷8=33···3(×)
3	27	258	258÷8=32···2(×)
4	36	249	249÷8=31···1(×)
5	45	240	240÷8=30(○)

→ ㉠=30이고 ㉡=5입니다.

❷ 다 지역의 병원의 수 구하기

다 지역의 병원은 30곳의 그림 2개, 5곳의 그림 4개이므로 $60+20=$**80(곳)**입니다.

4 ❶ 선수별 들어 올린 무게를 그림그래프로 나타내기

- 민재: 105+132=237(kg)
  → ◎ 2개, △ 3개, ○ 7개
- 희찬: 107+133=240(kg)
  → ◎ 2개, △ 4개
- 태경: 108+131=239(kg)
  → ◎ 2개, △ 3개, ○ 9개
- 승우: 106+135=241(kg)
  → ◎ 2개, △ 4개, ○ 1개

❷ 이 대회에서 1위를 한 사람 구하기

241>240>239>237이므로 이 대회에서 1위를 한 사람은 **승우**입니다.

5 어느 가게의 월별 케이크 생산량과 케이크 판매량을 조사하여 나타낸 그림그래프입니다. 네 달 동안 이 가게에서 만든 케이크 중에서 **팔고 남은 케이크가 가장 많은 달은 언제이고, 팔고 남은 케이크는 몇 개**인지 구해 보세요. (단, 같은 달에 생산한 케이크만 판매합니다.)

(케이크 생산량)−(케이크 판매량)

(가) 월별 케이크 생산량

월	생산량
9월	◯◯△△
10월	◯△△
11월	◯◯△△△
12월	◯◯◯△

◯ 200개 △ 50개

(나) 월별 케이크 판매량

월	판매량
9월	◯◯◯△□□□□
10월	◯△△△□□
11월	◯◯△△□□□□□□
12월	◯◯◯△△△□□

◯ 100개 △ 30개 □ 1개

❶ 월별 팔고 남은 케이크 수 구하기

월	9월	10월	11월	12월
생산량(개)	500	300	550	650
판매량(개)	334	192	266	392
팔고 남은 케이크 수(개)	166	108	284	258

❷ 팔고 남은 케이크가 가장 많은 달과 팔고 남은 케이크 수 구하기

284>258>166>108이므로 팔고 남은 케이크가 가장 많은 달은 **11월**이고, 팔고 남은 케이크는 **284개**입니다.

상위권 TEST

126~127쪽

01 6, 4, 8, 5, 23 / 8, 4, 8, 4, 24

02 예 빵

03 68장

04 34, 26, 113 /

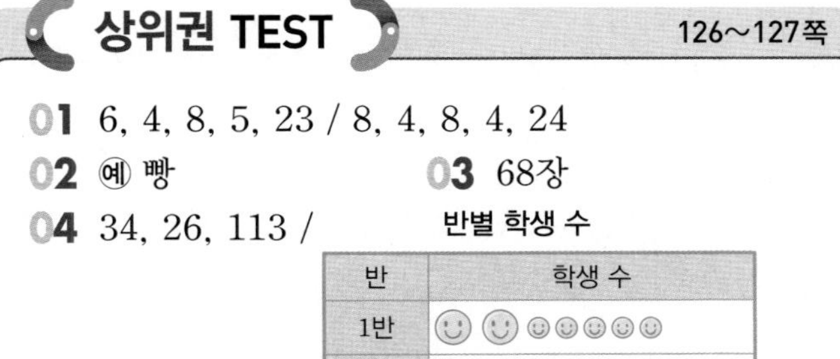
반별 학생 수

반	학생 수
1반	😊😊☺☺☺☺☺
2반	😊😊😊☺☺☺☺
3반	😊😊☺☺☺☺☺☺☺☺
4반	😊😊☺☺☺☺☺☺

😊 10명 ☺ 1명

05 2배

06 125상자

07 54명

08 22명

09 농장별 판매한 치즈의 수

농장	치즈의 수
신선	◎◎◎△○○○
드림	◎◎△○
세계	◎◎◎◎

◎ 100개 △ 50개 ○ 10개

10 북쪽, 20명

11 168장

01 ❶ 좋아하는 간식별 1반 학생 수를 표로 나타내기

(1반 학생 수)=6+4+8+5=23(명)

❷ 좋아하는 간식별 2반 학생 수를 표로 나타내기

(2반 학생 수)=8+4+8+4=24(명)

02 ❶ 간식별 1반과 2반의 학생 수의 합 구하기

김밥: 6+8=14(명), 과자: 4+4=8(명),

빵: 8+8=16(명), 과일: 5+4=9(명)

❷ 어떤 간식을 나누어 주면 좋을지 구하기

16>14>9>8이므로 **빵**을 나누어 주면 좋을 것 같습니다.

03 ❶ 색깔별 색종이 수 구하기
노란색: 23장, 빨간색: 30장, 보라색: 15장
❷ 색종이 수의 합 구하기
(색종이 수의 합)
=23+30+15=**68(장)**

04 ❶ 표 완성하기
2반: 34명, 4반: 26명
(합계)=25+34+28+26=113(명)
❷ 그림그래프 완성하기
1반: 10명의 그림 2개, 1명의 그림 5개
3반: 10명의 그림 2개, 1명의 그림 8개

05 ❶ 새싹 과수원과 싱싱 과수원의 포도 생산량 각각 구하기
새싹 과수원: 160상자
싱싱 과수원: 320상자
❷ 싱싱 과수원의 포도 생산량은 새싹 과수원의 포도 생산량의 몇 배인지 구하기
160×2=320이므로 싱싱 과수원의 포도 생산량은 새싹 과수원의 포도 생산량의 **2배**입니다.

06 ❶ 행복 과수원과 새콤 과수원의 포도 생산량의 합 구하기
행복 과수원: 240상자
새콤 과수원: 260상자
(두 과수원의 포도 생산량의 합)
=240+260=500(상자)
❷ 트럭 한 대에 싣는 포도의 상자 수 구하기
➜ (트럭 한 대에 싣는 포도의 상자 수)
=500÷4=**125(상자)**

07 ❶ 스키 캠프에 참가한 4학년 학생 수 구하기
스키 캠프에 참가한 4학년 학생 수를 □명이라 하면 6학년 학생 수는 (□+13)명입니다.
32+□+53+□+13=180, □+□=82,
□=41
❷ 스키 캠프에 참가한 6학년 학생 수 구하기
(스키 캠프에 참가한 6학년 학생 수)
=41+13=**54(명)**

08 ❶ 가장 많은 학생들이 참가한 학년과 가장 적은 학생들이 참가한 학년 각각 구하기
• 가장 많은 학생들이 참가한 학년: 6학년(54명)
• 가장 적은 학생들이 참가한 학년: 3학년(32명)
❷ 위 ❶의 경우의 학생 수의 차 구하기
(학생 수의 차)=54−32=**22(명)**

09 ❶ 신선 농장에서 판매한 치즈의 수 그림그래프로 나타내기
신선 농장: 380=300+50+30
→ ◎ 3개, △ 1개, ○ 3개
❷ 드림 농장에서 판매한 치즈의 수 그림그래프로 나타내기
드림 농장: 260=200+50+10
→ ◎ 2개, △ 1개, ○ 1개
❸ 세계 농장에서 판매한 치즈의 수 그림그래프로 나타내기
세계 농장: 400 → ◎ 4개

10 ❶ 가와 라 마을의 인구 각각 구하기
나 마을: 360명, 다 마을: 410명
가 마을의 인구를 □명이라 하면 라 마을의 인구는 (□−70)명입니다.
□+360+410+□−70=1200,
□+□=500, □=250
→ 가 마을: 250명, 라 마을: 250−70=180(명)
❷ 어느 쪽 인구가 몇 명 더 많은지 구하기
(강의 북쪽의 인구)
=250+360=610(명)
(강의 남쪽의 인구)=410+180=590(명)
➜ 610>590이므로 **북쪽**의 인구가
610−590=**20(명)** 더 많습니다.

11 ❶ ㉠과 ㉡에 알맞은 수 각각 구하기
네 사람의 우표 수의 합은 ㉠장의 그림 9개, ㉡장의 그림 20개입니다.
㉠×9와 ㉡×20의 합이 570인 경우를 표로 나타내면 다음과 같습니다.

㉡	㉡×20	㉠×9	㉠
	570		
1	20	550	550÷9=61···1(×)
2	40	530	530÷9=58···8(×)
3	60	510	510÷9=56···6(×)
4	80	490	490÷9=54···4(×)
5	100	470	470÷9=52···2(×)
6	120	450	450÷9=50(○)

➜ ㉠=50이고 ㉡=6입니다.
❷ 진환이가 모은 우표의 수 구하기
진환이가 모은 우표는 50장의 그림 3개, 6장의 그림 3개이므로 150+18=**168(장)**입니다.

경시대비북

정답 및 풀이

경시대회 예상 문제

1회 1. 곱셈 01~02쪽

1 65, 1365 **2** 1301

3 ❶
$$\begin{array}{r} 6\ 4 \\ \times\ 1\ 2 \\ \hline 1\ 2\ 8 \\ 6\ 4\ 0 \\ \hline 7\ 6\ 8 \end{array}$$
▸2점

예 ❷ 64와 곱하는 수의 십의 자리 1을 곱한 값의 자리를 잘못 맞추어 썼습니다. ▸3점

4 2400 **5** 4068 cm

6 347개 **7** 8, 3

8 1008

9 예 ❶ (㉮ 문구점의 지우개 수)=219×3
=657(개)
(㉯ 문구점의 지우개 수)=107×6=642(개) ▸3점
❷ 따라서 657>642이므로 지우개가 더 많이 있는 문구점은 ㉮ 문구점입니다. ▸2점 / ㉮ 문구점

10 420원 **11** 283 cm

12 4, 7

1 5×13=**65**, 65×21=**1365**

2 ㉠ 231×3=693
㉡ 152×4=608
→ ㉠+㉡=693+608=**1301**

3

채점 기준	❶ 바르게 계산하기	2점
	❷ 계산이 잘못된 이유 쓰기	3점

4 40+40+……+40+40=40×60=**2400** (60번)

5 (가로수 사이의 간격의 수)=10−1=9(군데)
→ (도로의 길이)=452×9=**4068 (cm)**

6 (전체 방울토마토의 수)=124×3=372(개)
→ (남은 방울토마토의 수)=372−25=**347(개)**

7 8×63=504, 3×68=204
→ ㉠=**8**, ㉡=**3**

8 어떤 수를 □라 하여 잘못 계산한 식을 세우면 □+14=86, □=86−14=72입니다.
→ (바른 계산)=72×14=**1008**

9

채점 기준	❶ ㉮와 ㉯ 문구점의 지우개 수 각각 구하기	3점
	❷ 지우개가 더 많이 있는 문구점 구하기	2점

10 우리나라 돈을 가장 많이 받은 경우는 1090원일 때이고 가장 적게 받은 경우는 1078원일 때이므로 금액의 차는 1090−1078=12(원)입니다.
→ 12×35=**420(원)**

11 (색 테이프 20장의 길이의 합)=17×20=340 (cm)
(겹치는 부분의 길이의 합)=3×19=57 (cm)
→ (이어 붙인 색 테이프의 전체 길이)
=340−57=**283 (cm)**

12 ㉠<㉡이고 ㉡×㉠의 일의 자리 숫자가 8이 되는 경우를 (㉡, ㉠)으로 나타내면 (9, 2), (8, 1), (8, 6), (7, 4), (6, 3), (4, 2)입니다.
29×92=2668, 18×81=1458
68×86=5848, 47×74=3478
36×63=2268, 24×42=1008
→ ㉠=**4**, ㉡=**7**

2회 1. 곱셈 03~04쪽

1 684 **2** 364

3 8 **4** ㉡, ㉣

5 예 ❶ 3주는 3×7=21(일)입니다. ▸2점
❷ (지훈이가 먹은 아몬드의 수)
=5×21=105(개) ▸3점 / 105개

6 354 km **7** 828개

8 8

9 예 ❶ (정민이가 읽은 동화책 쪽수)
=21×30=630(쪽)
(선호가 읽은 동화책 쪽수)
=32×20=640(쪽) ▸3점
❷ 따라서 630<640이므로 책을 더 많이 읽은 사람은 선호입니다. ▸2점 / 선호

10 858개 **11** ㉮ 기계, 14대

12 3010

1 $342>279>15>2$
→ $342\times2=$**684**

2 ㉮가 나타내는 수는 28이고, ㉯가 나타내는 수는 13입니다.
→ ㉮×㉯$=28\times13=$**364**

3 □×3의 일의 자리 숫자가 4이므로 □=8입니다.
→ $758\times3=2274$

4 ㉠ $48\times60=2880$ ㉡ $39\times80=3120$
㉢ $84\times30=2520$ ㉣ $50\times70=3500$
→ 계산 결과가 3000보다 큰 것은 **㉡, ㉣**입니다.

5

채점 기준		
	❶ 3주는 며칠인지 구하기	2점
	❷ 지훈이가 먹은 아몬드의 수 구하기	3점

6 (서울~수원~서산)$=33+85=118$(km)
→ (서울~목포)$=118\times3=$**354(km)**

7 (한 상자에 담은 사탕의 수)
$=12\times23=276$(개)
→ (3상자에 담은 사탕의 수)
$=276\times3=$**828(개)**

8 $7\times54=378$입니다.
$8\times46=368$, $9\times46=414$이므로 □ 안에 들어갈 수 있는 수 중에서 가장 큰 수는 **8**입니다.

9

채점 기준		
	❶ 정민이와 선호가 읽은 동화책 쪽수 각각 구하기	3점
	❷ 책을 더 많이 읽은 사람 구하기	2점

10 (전체 오리의 다리 수)$=213\times2=426$(개)
(전체 돼지의 다리 수)$=108\times4=432$(개)
→ $426+432=$**858(개)**

11 (㉮ 기계가 만든 자전거의 수)
$=64\times12=768$(대)
(㉯ 기계가 만든 자전거의 수)
$=58\times13=754$(대)
→ **㉮ 기계**가 $768-754=$**14(대)** 더 많이 만들었습니다.

12 • 가장 큰 곱: 곱하는 수인 한 자리 수에 가장 큰 수인 7을 놓습니다. → $532\times7=3724$
• 가장 작은 곱: 곱하는 수인 한 자리 수에 가장 작은 수인 2를 놓습니다. → $357\times2=714$
→ (두 곱의 차)$=3724-714=$**3010**

3회 2. 나눗셈 05~06쪽

1 ㉢ **2** 2

3 ❶
$$\begin{array}{r} 25 \\ 3\,\overline{)\,76} \\ \underline{6} \\ 16 \\ \underline{15} \\ 1 \end{array}$$
▸2점
예 ❷ 나머지가 나누는 수보다 크면 몫을 더 크게 하여 나누어야 합니다. ▸3점

4 51, 93 **5** ㉢
6 15장 **7** 15개, 13개
8 136개
9 예 ❶ 어떤 수를 □라 하면 □÷9=27…4에서 $9\times27=243$이므로
□$=243+4=247$입니다. ▸3점
❷ 따라서 바르게 계산하면 $247\times9=2223$입니다. ▸2점 / 2223
10 31 **11** 2명
12 14

1 나머지는 나누는 수보다 작아야 하므로 나머지가 5가 될 수 없는 식은 ㉢ □÷5입니다.

2 $49\div4=12\cdots$**1**, $78\div7=11\cdots$**1** → $1+1=$**2**

3

채점 기준		
	❶ 바르게 계산하기	2점
	❷ 계산이 잘못된 이유 쓰기	3점

4 $47\div3=15\cdots2$, $51\div3=17$,
$64\div3=21\cdots1$, $93\div3=31$
→ 3으로 나누어떨어지는 수는 **51, 93**입니다.

5 ㉠ $80\div4=20$ ㉡ $60\div5=12$
㉢ $50\div2=25$ ㉣ $90\div6=15$
→ $25>20>15>12$이므로 몫이 가장 큰 것은 **㉢**입니다.

6 (전체 색종이의 수)$=23+37=60$(장)
→ (한 사람에게 줄 수 있는 색종이의 수)
$=60\div4=$**15(장)**

7 (Ⓐ 팀의 3점 슛의 골 수)$=45\div3=$**15(개)**
(Ⓑ 팀의 3점 슛의 골 수)$=39\div3=$**13(개)**

8 335÷5=67이므로 가로등 사이의 간격은 67군데입니다.
따라서 도로의 한쪽에 필요한 가로등의 수는 67+1=68(개)이므로 도로의 양쪽에 필요한 가로등의 수는 68×2=**136(개)**입니다.

9

채점 기준	❶ 어떤 수 구하기	3점
	❷ 바르게 계산하기	2점

10 • ㉠×1=8 → ㉠=8
• ㉢=5
• 75−㉣㉤=3 → ㉣=7, ㉤=2
• ㉠×㉡=㉣㉤에서 8×㉡=72 → ㉡=9
➜ ㉠+㉡+㉢+㉣+㉤=8+9+5+7+2=**31**

11 • 첫 번째에서 75명이 6명씩 모이면 75÷6=12⋯3이므로 3명이 남습니다.
• 두 번째에서 75−3=72(명)이 5명씩 모이면 72÷5=14⋯2이므로 짝을 짓지 못하고 남은 학생은 **2명**입니다.

12 • 가장 큰 몫: 가장 큰 두 자리 수 84를 2로 나누면 84÷2=42입니다.
• 가장 작은 몫: 가장 작은 두 자리 수 24를 8로 나누면 24÷8=3입니다.
➜ 42÷3=**14**

4회 2. 나눗셈 07~08쪽

1 10 **2** ㉢
3 12개 **4** 은지
5 ㉡
6 예 ❶ (전체 학생 수)=38+42=80(명) ▸2점
❷ (전체 줄 수)=80÷5=16(줄) ▸3점 / 16줄
7 2개 **8** 11도막, 4 cm
9 예 ❶ 340÷4=85, 445÷5=89 ▸3점
❷ 85<□<89이므로 □ 안에 들어갈 수 있는 두 자리 수는 86, 87, 88로 모두 3개입니다. ▸2점
/ 3개
10 110 **11** 2, 7 **12** 60개

1 60÷2=30, 30÷3=**10**

2 ㉠ 24÷2=12 ㉡ 48÷4=12
㉢ 50÷5=10 ㉣ 36÷3=12
➜ 몫이 다른 하나는 **㉢**입니다.

3 72÷6=12
➜ 리본을 **12개** 만들 수 있습니다.

4 864÷7=123⋯3
➜ 몫은 120보다 크고, 나머지는 2보다 크므로 바르게 설명한 사람은 **은지**입니다.

5 ㉠ 96÷3=32 → □=32
㉡ 2×□=68 → 68÷2=□, □=34
㉢ 92÷4=23 → □=23
➜ 34>32>23이므로 □ 안에 알맞은 수가 가장 큰 것은 **㉡**입니다.

6

채점 기준	❶ 전체 학생 수 구하기	2점
	❷ 전체 줄 수 구하기	3점

7 (전체 땅콩의 수)=20+32=52(개)
52÷6=8⋯4에서 4개가 남으므로 6명이 나누어 먹으려면 땅콩은 적어도 6−4=**2(개)** 더 필요합니다.

8 자르기 전 철사의 길이를 □cm라 하면
□÷7=13⋯1에서 7×13=91이므로
□=91+1=92입니다.
따라서 92÷8=11⋯4이므로 **11도막**이 되고, **4 cm**가 남습니다.

9

채점 기준	❶ 340÷4, 445÷5의 몫 각각 구하기	3점
	❷ □ 안에 들어갈 수 있는 두 자리 수의 개수 구하기	2점

10 107보다 크고 111보다 작은 세 자리 수: 108, 109, 110
➜ 108÷9=12, 109÷9=12⋯1, 110÷9=12⋯2
따라서 조건을 모두 만족하는 세 자리 수는 **110**입니다.

11 7□÷5=●⋯2라 하면 70÷5=14이므로 ●는 14이거나 14보다 큽니다.
• ●=14일 때 5×14=70, 70+2=72 → □=2
• ●=15일 때 5×15=75, 75+2=77 → □=7
• ●=16일 때 5×16=80, 80+2=82(×)
따라서 □ 안에 들어갈 수 있는 한 자리 수는 **2**, **7**입니다.

12 (한 변에 찍는 점과 점 사이의 간격 수)
$=30\div2=15$(군데)
(한 변에 찍는 점의 수)$=15+1=16$(개)
$16\times4=64$(개)이고, 이 중에서 네 꼭짓점에 있는 점은 2번씩 찍게 되므로 4개의 점이 겹쳐집니다.
→ 네 변에 찍는 점은 모두 $64-4=$**60(개)**입니다.

5회 3. 원 09~10쪽

1 선분 ㄴㅇ, 선분 ㅇㄹ **2** 5군데
3 예 원의 중심이 오른쪽으로 2칸, 3칸, 4칸으로 옮겨 가고, 원의 반지름이 1칸씩 늘어나는 규칙입니다. ▸5점
4 5 cm **5**

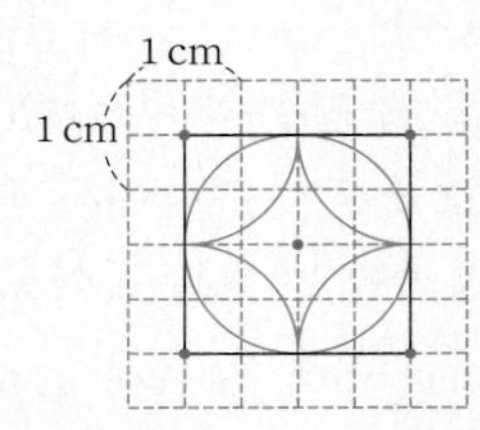

6 나, 마 **7** 45 cm
8 35 cm
9 예 ❶ (원 ㉡의 반지름)$=16-10=6$(cm)
(원 ㉢의 지름)$=6+2=8$(cm)
(원 ㉢의 반지름)$=8\div2=4$(cm) ▸3점
❷ $6>5>4$이므로 원의 크기가 큰 것부터 차례로 기호를 쓰면 ㉡, ㉠, ㉢입니다. ▸2점
/ ㉡, ㉠, ㉢
10 24 cm **11** 21 cm
12 42 cm

1 원의 중심 ㅇ과 원 위의 한 점을 이은 선분을 모두 찾으면 **선분 ㄴㅇ, 선분 ㅇㄹ**입니다.

2

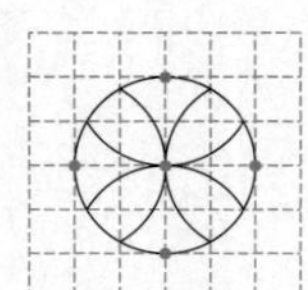

→ 컴퍼스의 침을 꽂아야 할 곳은 모두 **5군데**입니다.

3

채점 기준	'원의 중심'과 '원의 반지름'을 넣어 규칙을 바르게 설명하기	5점

4 (정사각형의 한 변)=(원의 지름)$=10$ cm
→ (원의 반지름)$=10\div2=$**5 (cm)**

5 정사각형 안에 가장 큰 원을 그리고 정사각형의 각 꼭짓점을 원의 중심으로 하는 원의 일부분을 4개 더 그립니다.

6 컴퍼스를 이용하여 집을 원의 중심으로 하고 반지름이 300 m인 원을 그려 봅니다.

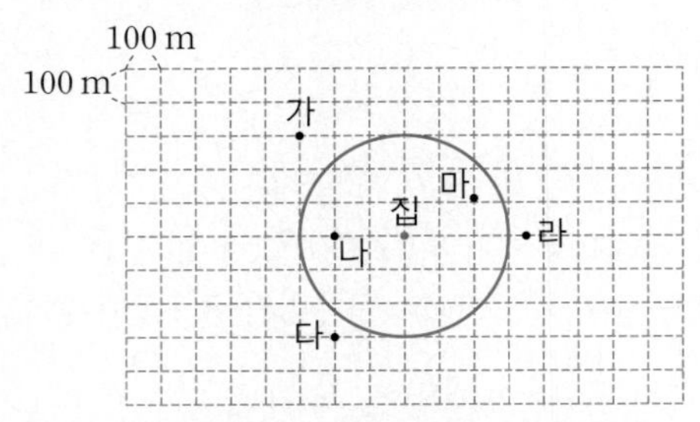

→ 갈 수 있는 가게는 **나**와 **마**입니다.

7 (원의 반지름)$=18\div2=9$(cm)
→ (선분 ㄱㄴ)$=9\times5=$**45 (cm)**

8 (가장 큰 원의 지름)$=10\times2=20$(cm)
(가장 작은 원의 지름)$=4\times2=8$(cm)
(중간 크기 원의 반지름)$=14\div2=7$(cm)
→ (선분 ㄱㄴ)$=20+8+7=$**35 (cm)**

9

채점 기준	❶ 원 ㉡과 원 ㉢의 반지름의 길이 각각 구하기	3점
	❷ 원의 크기가 큰 것부터 차례로 기호 쓰기	2점

10 (작은 원의 반지름)$=6\div2=3$(cm)
(선분 ㄱㄴ)$=6+3=9$(cm)
(선분 ㄴㄷ)$=3+3=6$(cm)
(선분 ㄱㄷ)$=6+3=9$(cm)
→ (삼각형 ㄱㄴㄷ의 세 변의 길이의 합)
$=9+6+9=$**24 (cm)**

11 (큰 원의 반지름)$=56\div2=28$(cm)
(작은 원의 지름)$=56\div4=14$(cm)이므로
(작은 원의 반지름)$=14\div2=7$ (cm)입니다.
→ (큰 원의 반지름과 작은 원의 반지름의 차)
$=28-7=$**21 (cm)**

12 (큰 원의 반지름)$=16\div2=8$(cm)
작은 원의 지름을 □ cm라 하면
□$+16+$□$+16=56$, □$+$□$=24$, □$=12$이므로
(작은 원의 반지름)$=12\div2=6$(cm)
→ (선분 ㅁㅇ)$=6+16+12+8=$**42 (cm)**

6회 3. 원 11~12쪽

1 7 cm　　2 3 cm

3

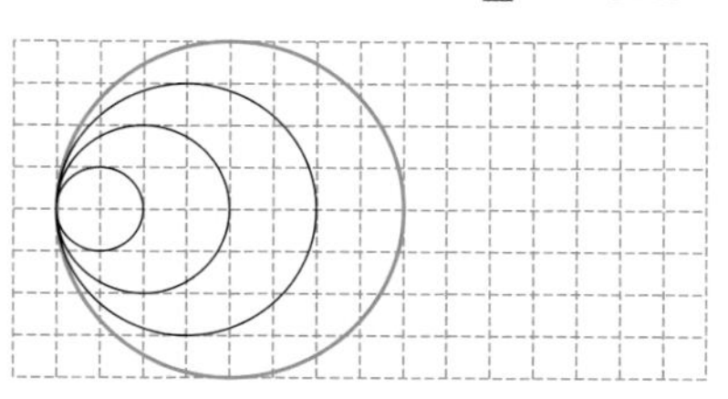

4 8개

5 예 ❶ (가장 작은 원의 반지름)
$=8-6=2$ (cm) ▸2점
❷ (가장 작은 원의 지름)$=2\times2=4$(cm) ▸3점
/ 4 cm

6 소고, 꽹과리, 징　　7 3가지

8 7개

9 예 ❶ (직사각형의 가로와 세로의 합)
$=48\div2=24$(cm) ▸2점
❷ 원의 반지름을 □cm라 하면 □+□+□=24이므로 □=24÷3=8입니다. ▸3점
/ 8 cm

10 108 cm　　11 2 cm

12 7 cm

1 (원의 반지름)$=14\div2=7$(cm)
→ 컴퍼스의 침과 연필심 사이의 거리는 **7 cm**로 해야 합니다.

2 가장 작은 원의 반지름이 1 cm이므로 모눈 한 칸은 1 cm입니다.
따라서 가장 큰 원의 반지름은 모눈 3칸이므로 **3 cm**입니다.

3 원의 중심이 오른쪽으로 1칸씩 옮겨 가고, 원의 반지름이 1칸, 2칸, 3칸으로 1칸씩 늘어나는 규칙입니다.

4 가

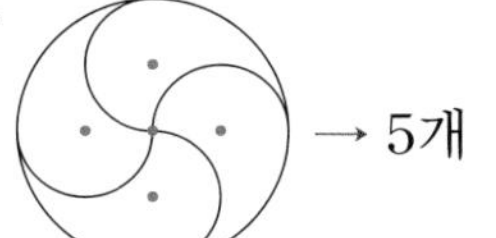

나

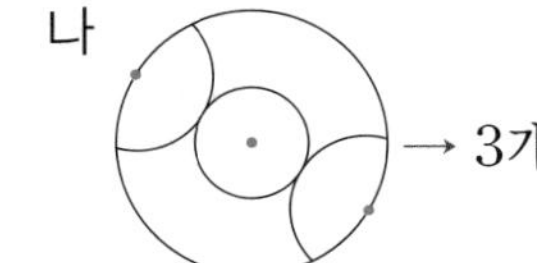

→ $5+3=$**8(개)**

5

채점 기준	❶ 가장 작은 원의 반지름의 길이 구하기	2점
	❷ 가장 작은 원의 지름의 길이 구하기	3점

6 (징의 지름)$=18\times2=36$(cm)
→ $20<21<36$이므로 원의 크기가 작은 것부터 차례로 쓰면 **소고, 꽹과리, 징**입니다.

참고 • 원의 지름과 반지름의 관계
(1) 한 원에서 지름의 길이는 반지름의 길이의 2배입니다.
(2) 한 원에서 반지름의 길이는 지름의 길이의 반입니다.

7 반지름의 길이가 (선분 ㄱㄴ), (선분 ㄱㄷ), (선분 ㄴㄷ)인 원을 각각 그릴 수 있으므로 크기가 서로 다른 원은 모두 **3가지** 그릴 수 있습니다.

8 직사각형 안에 그릴 수 있는 가장 큰 원의 지름의 길이는 직사각형의 세로와 같습니다.
(가장 큰 원의 지름)=(직사각형의 세로)=3cm
따라서 $21\div3=7$이므로 원을 **7개**까지 그릴 수 있습니다.

참고 가로가 21 cm, 세로가 3 cm인 직사각형 안에 가장 큰 원을 겹치지 않게 그리면 다음과 같습니다.

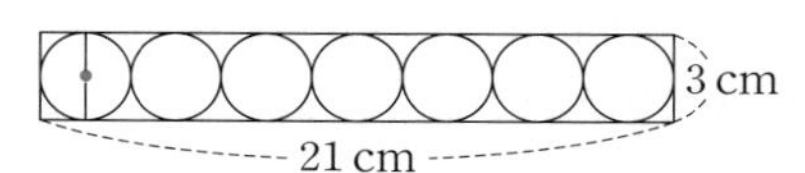

9

채점 기준	❶ 직사각형의 가로와 세로의 길이의 합 구하기	2점
	❷ 원의 반지름의 길이 구하기	3점

10

빨간색 선의 길이는 원의 지름의 12배와 같습니다.
→ (빨간색 선의 길이)$=9\times12=$**108 (cm)**

11 삼각형 ㄱㄴㄷ의 세 변의 길이의 합이 28 cm이므로
(선분 ㄴㄷ)$=28-9-6=13$(cm)입니다.
(선분 ㄴㄷ)
=(선분 ㄴㅁ)+(선분 ㄹㄷ)−(선분 ㄹㅁ)
→ 13=9+6−(선분 ㄹㅁ),
(선분 ㄹㅁ)$=15-13=$**2 (cm)**

12 (큰 원의 지름)=(큰 원의 반지름)×2
$=17\times2=34$ (cm)
작은 원의 지름을 □cm라 하면
□+□+□−4−4=34,
□+□+□=42, □=42÷3=14입니다.
→ (작은 원의 반지름)$=14\div2=$**7 (cm)**

경시대비북 예상문제

7회 4. 분수 13~14쪽

1 $\frac{1}{5}, \frac{2}{5}, \frac{3}{5}, \frac{4}{5}$　　**2** 19

3 8개　　**4** $\frac{13}{13}$

5 $\frac{9}{4}$

6 예 ❶ • ㉠의 $\frac{1}{3}$은 7이므로 ㉠$=7\times3=21$

• 27의 $\frac{1}{9}$은 3이므로 27의 $\frac{2}{9}$는 $3\times2=6$, ㉡$=6$ ▸3점

❷ 따라서 ㉠+㉡$=21+6=27$입니다. ▸2점

/ 27

7 (위에서부터) $\frac{13}{7}, \frac{13}{7}, 1\frac{4}{7}$

8 예 ❶ $\frac{21}{15}$을 대분수로 나타내면 $1\frac{6}{15}$입니다. ▸2점

❷ $1\frac{7}{15}>1\frac{6}{15}>1\frac{4}{15}$이므로 성민이가 가장 오랫동안 탄 교통수단은 버스입니다. ▸3점

/ 버스

9 24 cm　　**10** 12개

11 36 m　　**12** 250개

1 진분수는 분자가 분모보다 작은 분수이므로 분모가 5인 진분수는 $\mathbf{\frac{1}{5}, \frac{2}{5}, \frac{3}{5}, \frac{4}{5}}$입니다.

2 ㉮ 35의 $\frac{1}{7}$은 5이므로 35의 $\frac{2}{7}$는 10입니다.

㉯ 72의 $\frac{1}{8}$은 9입니다.

→ ㉮+㉯$=10+9=$**19**

3 20의 $\frac{1}{5}$은 4이므로 20의 $\frac{2}{5}$는 8입니다.

→ 바구니 안에 있는 야구공의 $\frac{2}{5}$는 **8개**입니다.

4 가분수는 분자가 분모와 같거나 분모보다 큰 분수이므로 분모가 13인 가분수는 $\frac{13}{13}, \frac{14}{13}, \frac{15}{13}$...... 입니다.

따라서 이 중에서 가장 작은 수는 $\mathbf{\frac{13}{13}}$입니다.

5 $\frac{3}{4}$ → 진분수, $\frac{3}{2}$ → 가분수, $2\frac{1}{4}$ → 대분수

→ $2\frac{1}{4}$을 가분수로 나타내면 $\mathbf{\frac{9}{4}}$입니다.

6

채점 기준		
	❶ ㉠과 ㉡을 각각 구하기	3점
	❷ ㉠과 ㉡의 합 구하기	2점

7 $\frac{9}{7}<\mathbf{\frac{13}{7}}$, $\mathbf{1\frac{4}{7}}>1\frac{3}{7}$

→ $\frac{13}{7}$과 $1\frac{4}{7}$의 크기를 비교하면

$\frac{13}{7}(=1\frac{6}{7})>1\frac{4}{7}$이므로 더 큰 분수는 $\mathbf{\frac{13}{7}}$입니다.

8

채점 기준		
	❶ 가분수를 대분수로 나타내기	2점
	❷ 가장 오랫동안 탄 교통수단 구하기	3점

9 끈의 길이를 □cm라 하면 $\frac{5}{6}$는 $\frac{1}{6}$이 5개이므로

□의 $\frac{1}{6}$은 $60\div5=12$, □$=12\times6=72$입니다.

따라서 72 cm의 $\frac{1}{3}$은 **24 cm**입니다.

10 • 자연수가 1일 때: $1\frac{3}{5}, 1\frac{3}{7}, 1\frac{5}{7}$(3개)

• 자연수가 3일 때: $3\frac{1}{5}, 3\frac{1}{7}, 3\frac{5}{7}$(3개)

• 자연수가 5일 때: $5\frac{1}{3}, 5\frac{1}{7}, 5\frac{3}{7}$(3개)

• 자연수가 7일 때: $7\frac{1}{3}, 7\frac{1}{5}, 7\frac{3}{5}$(3개)

→ $3+3+3+3=$**12(개)**

11 첫 번째로 튀어 오른 공의 높이:

64 m의 $\frac{1}{4}$은 $64\div4=16$(m)이므로

64 m의 $\frac{3}{4}$은 $16\times3=48$(m)입니다.

→ 두 번째로 튀어 오른 공의 높이:

48 m의 $\frac{1}{4}$은 $48\div4=12$(m)이므로

48 m의 $\frac{3}{4}$은 $12\times3=$**36 (m)**입니다.

12

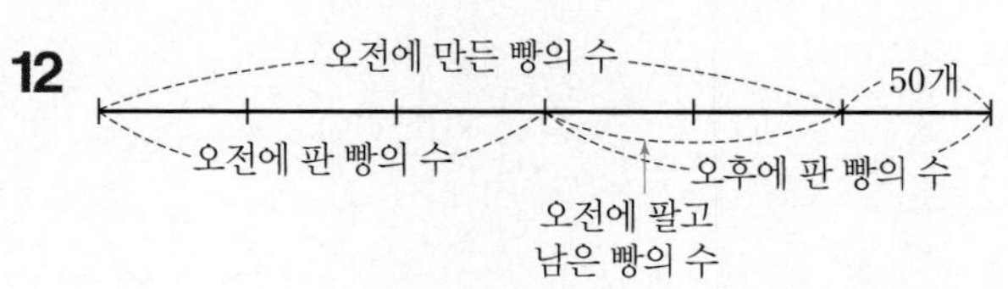

오후에 새로 만든 빵 50개는 오전에 만든 빵의 $\frac{1}{5}$과 같습니다.

→ (오전에 만든 빵)$=50\times5=$**250(개)**

8회 4. 분수 15~16쪽

1 $\frac{3}{7}$, $\frac{2}{3}$ **2** (왼쪽에서부터) $\frac{11}{8}$, $\frac{15}{8}$

3 예 ❶ 가분수: $\frac{8}{3}$, $\frac{9}{9}$, $\frac{6}{6}$, $\frac{11}{7}$, $\frac{5}{2}$ → 5개

진분수: $\frac{3}{4}$, $\frac{7}{12}$ → 2개 ▸3점

❷ 따라서 가분수는 진분수보다 $5-2=3$(개) 더 많습니다. ▸2점 / 3개

4 ㉠ **5** 정우

6 10개 **7** 2개

8 5 m **9** 13 cm

10 예 ❶ $7>5>3>2>1$이므로 만들 수 있는 분모가 7인 가장 큰 대분수는 $5\frac{3}{7}$입니다. ▸3점

❷ $5\frac{3}{7}$을 가분수로 나타내면 $\frac{38}{7}$입니다. ▸2점

/ $\frac{38}{7}$

11 $1\frac{5}{6}$ **12** 28분

1 • 9는 21을 똑같이 7묶음으로 나눈 것 중의 3묶음이므로 9는 21의 $\frac{3}{7}$입니다. → ㉠$=\frac{3}{7}$

• 14는 21을 똑같이 3묶음으로 나눈 것 중의 2묶음이므로 14는 21의 $\frac{2}{3}$입니다. → ㉡$=\frac{2}{3}$

2 수직선에서 작은 눈금 한 칸의 크기는 $\frac{1}{8}$입니다.

• 0에서부터 11번째 눈금 → $\frac{11}{8}$

• 0에서부터 15번째 눈금 → $\frac{15}{8}$

3

채점 기준		
	❶ 가분수와 진분수의 개수 각각 구하기	3점
	❷ 가분수와 진분수의 개수의 차 구하기	2점

4 ㉡ 30 m의 $\frac{1}{3}$은 10 m입니다.

㉣ 36 m의 $\frac{3}{4}$은 27 m입니다.

→ 바르게 나타낸 것은 ㉠입니다.

5 $2\frac{1}{9}=\frac{19}{9}$

→ $\frac{18}{9}<\frac{19}{9}<\frac{20}{9}$이므로 가장 짧은 끈을 가진 사람은 **정우**입니다.

6 25개의 $\frac{1}{5}$은 5개, 25개의 $\frac{3}{5}$은 15개이므로 먹은 사탕은 15개입니다.

→ (먹고 남은 사탕의 수)$=25-15=$**10(개)**

다른 풀이 먹고 남은 사탕은 전체 사탕의 $\frac{2}{5}$입니다.

25개의 $\frac{1}{5}$은 5개이므로 25개의 $\frac{2}{5}$는 **10개**입니다.

7 $6\frac{4}{5}=\frac{34}{5}$, $7\frac{2}{5}=\frac{37}{5}$

따라서 $\frac{34}{5}<\frac{\square}{5}<\frac{37}{5}$이므로 □ 안에 들어갈 수 있는 자연수는 35, 36으로 모두 **2개**입니다.

8 14 m의 $\frac{1}{2}$은 $14\div2=7$(m),

14 m의 $\frac{1}{7}$은 $14\div7=2$(m)

→ (남은 종이띠의 길이)$=14-7-2=$**5(m)**

9 세로: 39 cm의 $\frac{1}{3}$은 $39\div3=13$(cm)이므로

39 cm의 $\frac{2}{3}$는 $13\times2=26$(cm)입니다.

→ (태극 문양의 지름)$=26\div2=$**13(cm)**

10

채점 기준		
	❶ 만들 수 있는 가장 큰 대분수 구하기	3점
	❷ 위 ❶의 대분수를 가분수로 나타내기	2점

11 분자와 분모의 합이 17이 되도록 표로 나타내면

분자	15	14	13	12	11	10	9
분모	2	3	4	5	6	7	8

차가 5인 두 수는 11과 6이므로 구하는 가분수는 $\frac{11}{6}$입니다.

→ $\frac{11}{6}$을 대분수로 나타내면 $1\frac{5}{6}$입니다.

12 처음 양초의 길이를 수직선에 나타내면

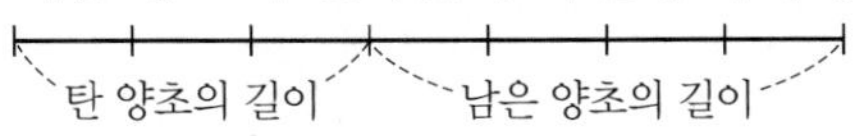

21분 동안 탄 양초의 길이는 처음 양초 길이의 $\frac{3}{7}$입니다.

(처음 양초 길이의 $\frac{1}{7}$만큼 타는 데 걸린 시간)

$=21\div3=7$(분)

→ 남은 양초는 처음 양초 길이의 $\frac{4}{7}$이므로 남은 양초가 모두 타려면 앞으로 $7\times4=$**28(분)**이 더 걸립니다.

9회 5. 들이와 무게 17~18쪽

1 ㉡ 2 약 2 L
3 ❶ 아니요 ▸2점
예 ❷ 100원짜리 동전 35개와 500원짜리 동전 35개의 무게가 다르기 때문입니다. ▸3점
4 ㉡, ㉢ 5 2배
6 예 약 33 배
7 2 L 200 mL 8 민철
9 예 ❶ (소고기 4근)$=600\times4=2400$(g)이므로
(소고기 4근 반)$=2400$ g$+300$ g
$=2700$ g$=2$ kg 700 g ▸3점
❷ (소고기 4근 반)+(당근 1관)
$=2$ kg 700 g$+3$ kg 750 g
$=6$ kg 450 g ▸2점
/ 6 kg 450 g
10 2번 11 30 g 12 52 kg 800 g

1 ㉠ 8400 g$=8$ kg 400 g ㉢ 4 t$=4000$ kg
→ 단위를 알맞게 나타낸 것은 ㉡입니다.

2 들이가 1 L인 비커의 반은 약 500 mL입니다.
→ 500 mL씩 4개이므로 **약 2 L**입니다.

3

채점 기준		
	❶ 문제에 알맞은 답 쓰기	2점
	❷ 위 ❶과 같이 생각한 이유 쓰기	3점

4 ㉡ 주전자의 들이는 약 1250 mL입니다.
㉢ 컵의 들이는 약 150 mL입니다.
→ 단위를 잘못 사용한 문장은 ㉡, ㉢입니다.

5 ㉮ 그릇: 컵 2개, ㉯ 그릇: 컵 4개
→ $4\div2=$**2(배)**

6 $30\times33=990$(kg), $30\times34=1020$(kg)이므로
1 t은 30 kg의 **약 33배**쯤 됩니다.

7 (더 담은 후 물통에 들어 있는 물의 양)
$=1$ L 300 mL$+1$ L 500 mL$=2$ L 800 mL
→ (지금 물통에 들어 있는 물의 양)
$=2$ L 800 mL-600 mL$=$**2 L 200 mL**

8 • 보라: 물통보다 주전자에 물을 더 많이 담을 수 있습니다.
• 경수: ㉮와 ㉯ 컵 중 들이가 적은 컵은 ㉯ 컵입니다.
따라서 바르게 이야기한 사람은 **민철**입니다.

9

채점 기준		
	❶ 소고기 4근 반의 무게 구하기	3점
	❷ 소고기 4근 반과 당근 1관의 무게의 합 구하기	2점

10 (㉯ 그릇에 가득 담아 3번 부은 물의 양)
$=800\times3=2400$(mL) → 2 L 400 mL
(양동이에 더 부어야 하는 물의 양)
$=3$ L-2 L 400 mL$=600$ mL
→ 300 mL$+300$ mL$=600$ mL이므로 ㉮ 그릇에 물을 가득 담아 적어도 **2번** 부어야 합니다.

11 (풀 2개)=(지우개 3개), (지우개 6개)=(공책 1권)이므로 (풀 4개)=(지우개 6개)=(공책 1권)입니다.
따라서 (풀 4개)$=120$ g이므로 풀 1개의 무게는 $120\div4=$**30 (g)**입니다.

12 (병주의 몸무게)$=28$ kg 500 g-200 g
$=28$ kg 300 g
(동생의 몸무게)$=28$ kg 300 g-6 kg 200 g
$=22$ kg 100 g
(형의 몸무게)$=28$ kg 300 g$+2$ kg 400 g
$=30$ kg 700 g
→ (동생의 몸무게)+(형의 몸무게)
$=22$ kg 100 g$+30$ kg 700 g
$=$**52 kg 800 g**

10회 5. 들이와 무게 19~20쪽

1 ㉢, ㉡, ㉠
2 (1) 수박 (2) 축구공 (3) 트럭
3 유리잔
4 예 ❶ 1120 g$=1$ kg 120 g ▸2점
❷ (성훈이가 딴 감의 무게)
$=3$ kg 400 g-1 kg 120 g$=2$ kg 280 g ▸3점
/ 2 kg 280 g
5 지민 6 5 L 700 mL
7 68 g 8 14 L
9 예 800 mL들이 그릇에 물을 가득 채운 후 그것을 500 mL들이 그릇에 가득 차게 담아 덜어 내면 800 mL들이 그릇에 300 mL의 물이 남습니다. ▸5점
10 655 11 35 kg 600 g
12 7개

3 부은 횟수가 적을수록 컵의 들이가 많습니다.
→ 4<5<6이므로 들이가 가장 많은 컵은 **유리잔**입니다.

4

채점 기준		
	❶ 1120 g을 몇 kg 몇 g으로 나타내기	2점
	❷ 성훈이가 딴 감의 무게 구하기	3점

5 어림한 무게와 실제 무게의 차가 지민이는 100 g, 은경이는 200 g입니다. → 100<200이므로 더 가깝게 어림한 사람은 **지민**입니다.

6 (검은색 페인트의 양)
=(빨간색 페인트의 양)+(파란색 페인트의 양)
+(노란색 페인트의 양)
=1 L 500 mL+2 L 300 mL+1 L 900 mL
=3 L 800 mL+1 L 900 mL=**5 L 700 mL**

7 (공 가의 무게)+(공 나의 무게)=(바둑돌 31개의 무게)
(공 가의 무게)+(공 나의 무게)+(공 다의 무게)
=(바둑돌 48개의 무게)이므로 공 다의 무게는 바둑돌 48−31=17(개)의 무게와 같습니다.
→ (공 다의 무게)=4×17=**68 (g)**

8 ㉯ 병의 들이를 □L라 하면
㉮ 병의 들이는 (□+□) L입니다.
□+□+□=21, □×3=21, □=7입니다.
→ (㉮ 병의 들이)=7+7=**14 (L)**

9

채점 기준	주어진 그릇을 이용하여 물을 담는 방법을 바르게 설명하기	5점

10 • 700+㉡=1350 → ㉡=1350−700=650
• 1+㉠+8=14 → ㉠=14−9=5
→ ㉠+㉡=5+650=**655**

11 3450 g=3 kg 450 g, 2800 g=2 kg 800 g
→ (해수의 몸무게)
=41 kg 850 g−3 kg 450 g−2 kg 800 g
=38 kg 400 g−2 kg 800 g
=**35 kg 600 g**

12 (참외 1개의 무게)=780÷3=260 (g)
(바구니 안에 들어 있는 참외의 무게)
=2 kg 360 g−540 g=1 kg 820 g
→ 1 kg 820 g − 780 g − 780 g = 260 g
(7개) (3개) (3개) (1개)
3+3+1=7(개)
따라서 바구니 안에 들어 있는 참외는 모두 **7개**입니다.

11회 6. 자료의 정리 21~22쪽

1 야구, 농구, 축구, 배구
2 8, 9, 10, 5, 32 **3** 2배
4 예 ❶ 다 과수원의 밤 생산량이 가장 많습니다. ▸2점
❷ 네 과수원의 밤 생산량은 모두 670 kg입니다. ▸3점
5 소설책, 위인전 **6** 19권
7

마을별 돼지의 수

마을	돼지의 수
신선	Ⓟ Ⓟ Ⓟ Ⓟ ⓟ ⓟ ⓟ
하늘	Ⓟ Ⓟ ⓟ ⓟ ⓟ ⓟ ⓟ
푸름	Ⓟ Ⓟ Ⓟ

Ⓟ 100마리 ⓟ 10마리

8 36, 27
9

동별 학생 수

동	학생 수
101동	◎◎△○○○
102동	◎◎◎△○
103동	◎◎△○○
104동	◎△○○○

◎10명 △ 5명 ○ 1명

10 31, 16 /

민속놀이별 사람 수

민속놀이	사람 수
제기차기	☺☺ ☻☻☻☻
강강술래	☺☺☺ ☻
윷놀이	☺ ☻☻☻☻☻☻

☺10명 ☻ 1명

11 예 ❶ 바다에 가고 싶어 하는 학생은 35명입니다. ▸2점
❷ 목장에 가고 싶어 하는 학생은 35명의 $\frac{2}{5}$이므로 14명입니다. ▸3점 / 14명
12 23명

2 (합계)=8+9+10+5=32(명)

3 10÷5=**2(배)**

4

채점 기준		
	❶ 표를 보고 알 수 있는 내용 한 가지 쓰기	2점
	❷ 표를 보고 알 수 있는 내용 다른 한 가지 쓰기	3점

5 가장 많이 빌려 간 책의 종류는 큰 그림의 수가 가장 많은 **소설책**이고, 가장 적게 빌려 간 책의 종류는 큰 그림이 없는 **위인전**입니다.

6 (동화책 수와 위인전 수의 차)$=23-4=$**19(권)**

7 신선 마을: $980-250-300=430$(마리)

8 (102동의 학생 수)$=18\times2=36$(명)
(103동의 학생 수)$=109-28-36-18=27$(명)

10 그림그래프에서 강강술래를 한 사람 수는 31명입니다.
(윷놀이를 한 사람 수)$=71-24-31=16$(명)

11

채점 기준		
	❶ 바다에 가고 싶어 하는 학생 수 구하기	2점
	❷ 목장에 가고 싶어 하는 학생 수 구하기	3점

12 (계곡)+(산)$=112-35-14=63$(명)
계곡에 가고 싶어 하는 학생을 □명이라 하면
□+□+11=63, □+□=52, □=26이고 산에 가고 싶어 하는 학생은 $26+11=37$(명)입니다.
→ $37>35>26>14$이므로 $37-14=$**23(명)**

12회 6. 자료의 정리 23~24쪽

1 수학　　**2** 24명

3 목장별 우유 생산량

목장	우유 생산량
가	▣▣▣▣□□
나	▣▣▣□□□□□
다	▣▣□
라	▣▣▣□□□□□

▣ 10 kg
□ 1 kg

4 (위에서부터) 5, 3, 2, 7, 17 / 4, 2, 2, 5, 13

5 예 ❶ (피자를 좋아하는 학생 수)$=5+4=9$(명)
(치킨을 좋아하는 학생 수)$=7+5=12$(명) ▸ 3점
❷ (학생 수의 차)$=12-9=3$(명) ▸ 2점 / 3명

6 10, 14　　**7** 4 L　　**8** 6 L

9 ❶ 합주 ▸ 2점
예 ❷ 두 반의 학생 수를 합한 수가 가장 큰 합주를 하면 좋을 것 같습니다. ▸ 3점

10 28장

11 학생별 모은 카드 수

학생	카드 수
보라	◎◎△○
종호	◎◎△○○○
지수	◎○○○○
민준	◎△○○○○

◎ 10장
△ 5장
○ 1장

12 5, 2

1 큰 그림이 가장 많은 **수학**이 가장 많은 학생들이 좋아하는 과목입니다.

2 국어: 3명, 수학: 11명, 영어: 8명, 과학: 2명
→ (은수네 반 학생 수)$=3+11+8+2=$**24(명)**

3 다 목장: 큰 그림 2개, 작은 그림 1개
라 목장: 큰 그림 3개, 작은 그림 5개

4 좋아하는 간식별 남학생, 여학생 수를 각각 세어 표로 나타냅니다.

5

채점 기준		
	❶ 피자와 치킨을 좋아하는 학생 수 각각 구하기	3점
	❷ 피자와 치킨을 좋아하는 학생 수의 차 구하기	2점

6 (6월의 판매량)$=9+5=14$(상자)
(4월의 판매량)$=45-9-12-14=10$(상자)

7 A 모둠: 8 L, B 모둠: 12 L
→ (마신 물의 양의 차)$=12-8=$**4 (L)**

8 • 가장 많은 물을 마신 모둠: D 모둠 → 13 L
• 가장 적은 물을 마신 모둠: C 모둠 → 7 L
→ (마신 물의 양의 차)$=13-7=$**6 (L)**

9

채점 기준		
	❶ 어떤 공연을 하면 좋을지 쓰기	2점
	❷ 위 ❶과 같이 생각한 이유 쓰기	3점

합창: $11+8=19$(명), 춤: $5+4=9$(명),
연극: $3+5=8$(명), 합주: $9+12=21$(명)

10 보라: 26장, 민준: 19장
(종호와 지수가 모은 카드 수)
$=87-26-19=42$(장)
지수가 모은 카드를 □장이라 하면
□+□+□=42, □$=42\div3=14$입니다.
따라서 종호가 모은 카드는 $14\times2=$**28(장)**입니다.

11 종호: ◎ 2개, △ 1개, ○ 3개
지수: ◎ 1개, ○ 4개

12 ㉠명을 나타내는 그림이 4개, ㉡명을 나타내는 그림이 5개입니다.
㉠×4와 ㉡×5의 합이 30인 경우를 표로 나타내면

㉡	1	2	3	4	5
㉡×5	5	10	15	20	25
㉠×4	25	20	15	10	5

→ ㉠이 자연수인 경우는 ㉠×4=20에서
㉠=**5**이고 ㉡=**2**입니다.

실전! 경시대회 모의고사

1회 25~28쪽

1 84, 1008 2 ㉡
3 7 m 4 약 3 L
5 12개
6 예 ❶ 1230 g=1 kg 230 g ▸2점
❷ (준서가 캔 감자의 무게)
=4 kg 500 g−1 kg 230 g
=3 kg 270 g ▸3점
/ 3 kg 270 g
7 (위에서부터) 7, 5, 2, 2, 16 / 4, 6, 3, 1, 14
8 12개 9 33, 34, 35, 36
10 8개 11 24분
12 예 ❶ (한 상자에 담은 초콜릿의 수)
=13×27=351(개) ▸2점
❷ (4상자에 담은 초콜릿의 수)
=351×4=1404(개) ▸3점
/ 1404개
13 3번 14 76
15 종목별 참가한 학생 수

종목	학생 수
피구	◎◎△○○○
축구	◎◎◎○○
배구	◎◎△
발야구	◎△○○

◎10명 △5명 ○1명

16 18마리
17 예 ❶ 막대의 길이를 □cm라 하면
$\frac{3}{4}$은 $\frac{1}{4}$이 3개이므로 □의 $\frac{1}{4}$은 63÷3=21,
□=21×4=84입니다. ▸3점
❷ 84의 $\frac{1}{7}$은 12이므로 막대의 길이의 $\frac{1}{7}$은
12 cm입니다. ▸2점
/ 12 cm
18 1643번 19 3 cm
20 2 cm

1 • 6×14=**84**
• 84×12=**1008**

2 ㉠ 47÷4=11···3
㉡ 62÷5=12···2
㉢ 92÷8=11···4
➔ 2<3<4이므로 나머지가 가장 작은 나눗셈식은 ㉡입니다.

3 (노란색 원의 지름)
=(빨간색 원의 지름)−1−1
=9−1−1=**7 (m)**

4 들이가 1 L인 비커의 반은 약 500 mL입니다.
➔ 500 mL씩 6개이므로 **약 3 L**입니다.

5 28의 $\frac{1}{7}$은 28을 똑같이 7묶음으로 나눈 것 중의 한 묶음이므로 4입니다.
➔ 28의 $\frac{3}{7}$은 28을 똑같이 7묶음으로 나눈 것 중의 3묶음이므로 **12**입니다.

6

채점 기준		
	❶ 1230 g을 몇 kg 몇 g으로 나타내기	2점
	❷ 준서가 캔 감자의 무게 구하기	3점

7 좋아하는 채소별 남학생, 여학생 수를 각각 세어 표로 나타냅니다.
• 남학생 수의 합계: 7+5+2+2=16(명)
• 여학생 수의 합계: 4+6+3+1=14(명)

8 (전체 구슬의 수)=49+59=108(개)
➔ (전체 목걸이의 수)=108÷9=**12(개)**

9 $3\frac{5}{9}=\frac{32}{9}$, $4\frac{1}{9}=\frac{37}{9}$
따라서 $\frac{32}{9}<\frac{\square}{9}<\frac{37}{9}$이므로 □ 안에 들어갈 수 있는 자연수는 **33, 34, 35, 36**입니다.

10 직사각형 안에 그릴 수 있는 가장 큰 원의 지름은 직사각형의 세로와 같은 4 cm입니다.
따라서 32÷4=8이므로 원을 **8개**까지 그릴 수 있습니다.

11 줄넘기: 90÷9=10(분)
훌라후프: 84÷6=14(분)
➔ 줄넘기와 훌라후프를 모두 10+14=**24(분)** 동안 했습니다.

12

채점 기준		
	❶ 한 상자에 담은 초콜릿의 수 구하기	2점
	❷ 4상자에 담은 초콜릿의 수 구하기	3점

13 (수조의 들이)$=300\times4=1200$(mL)
→ 400 mL+400 mL+400 mL$=1200$(mL)이므로 컵 나에 물을 가득 채워 적어도 **3번** 부어야 합니다.

14 73과 77 사이의 두 자리 수: 74, 75, 76
→ $74\div4=18\cdots2$, $75\div4=18\cdots3$, $76\div4=19$
따라서 조건을 모두 만족하는 두 자리 수는 **76**입니다.
주의 ●와 ■ 사이의 수에는 ●와 ■는 포함되지 않습니다.

15 축구: 32명, 배구: 25명, 발야구: 17명
(피구에 참가한 학생 수)
$=102-32-25-17=28$(명)
→ ◎ 2개, △ 1개, ○ 3개를 그립니다.

16 (미소, 순수 목장의 젖소의 수의 합)
$=52-12-13=27$(마리)
순수 목장의 젖소의 수를 □마리라 하면
□+□+□$=27$, □$=27\div3=9$입니다.
따라서 미소 목장의 젖소의 수는 $9\times2=$**18(마리)**입니다.

17

채점 기준		
	❶ 어떤 막대의 길이 구하기	3점
	❷ 막대의 길이의 $\frac{1}{7}$ 구하기	2점

18 5월 한 달은 31일입니다.
(정규가 한 줄넘기 횟수)$=24\times31=744$(번)
(성모가 한 줄넘기 횟수)$=29\times31=899$(번)
→ $744+899=$**1643(번)**

19 삼각형 ㄱㄴㄷ의 세 변의 길이의 합은 37 cm이므로
(선분ㄱㄷ)$=37-8-12=17$(cm)입니다.
(선분ㄱㄷ)
=(선분 ㄱㅁ)+(선분 ㄹㄷ)−(선분 ㄹㅁ),
$17=8+12-$(선분 ㄹㅁ)
→ (선분 ㄹㅁ)$=8+12-17=$**3(cm)**

20 (색 테이프 10장의 길이의 합)
$=15\times10=150$(cm)
(겹쳐진 부분의 길이의 합)
$=150-132=18$(cm)
따라서 겹쳐진 부분은 $10-1=9$(군데)이므로
(겹쳐진 한 부분의 길이)$=18\div9=$**2(cm)**입니다.

2회 29~32쪽

1 소리 공원 **2** 45 **3** $\frac{7}{5}$, $\frac{13}{5}$

4

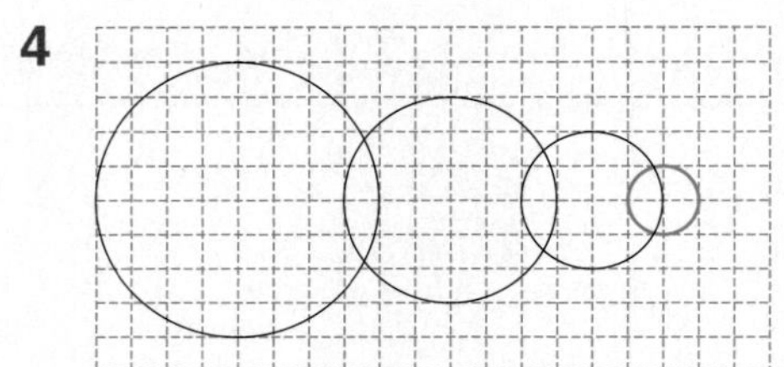

5 예 ❶ (버스 한 대에 탄 마을 사람 수)
$=45-4=41$(명) ▸2점
❷ (버스에 탄 전체 마을 사람 수)
$=41\times16=656$(명) ▸3점 / 656명

6 ㄷ, ㄱ, ㄴ, ㄹ **7** 약 3 L 600 mL

8 6300 **9** 3자루

10 3 cm

11 예 ❶ 28명의 $\frac{1}{7}$은 $28\div7=4$(명),
안경을 쓴 학생은 28명의 $\frac{3}{7}$이므로
$4\times3=12$(명)입니다. ▸3점
❷ 따라서 안경을 쓰지 않은 학생은
$28-12=16$(명)입니다. ▸2점 / 16명

12 미애 **13** (위에서부터) 1, 3, 3, 2, 7

14 $\frac{7}{11}$ **15** 40 cm

16 예 ❶ (책 1권의 무게)
$=2$ kg 900 g-2 kg 300 g$=600$ g
(책 3권의 무게)
$=600\times3=1800$(g) → 1 kg 800 g ▸3점
❷ (빈 가방의 무게)
$=2$ kg 900 g-1 kg 800 g$=1$ kg 100 g ▸2점
/ 1 kg 100 g

17 34, 51, 42 /

과수원별 귤 수확량

과수원	귤 수확량
가	●●●••••
나	●●••••••
다	●●●●●•
라	●●●●••

● 10 kg • 1 kg

18 902원 **19** 2가지

20 50장

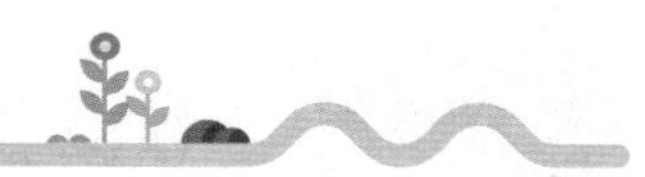

1 큰 그림이 가장 많은 **소리 공원**이 가장 많은 나무를 심은 공원입니다.

2 $84 \div 4 = 21$, $72 \div 3 = 24$
→ $21 + 24 = \mathbf{45}$

3 수직선에서 작은 눈금 한 칸의 크기는 $\frac{1}{5}$입니다.

- 0에서부터 7번째 눈금 → $\mathbf{\frac{7}{5}}$
- 0에서부터 13번째 눈금 → $\mathbf{\frac{13}{5}}$

4 원의 중심을 오른쪽으로 6칸, 4칸으로 2칸씩 줄여 옮겨 가고, 원의 반지름이 1칸씩 줄어드는 규칙입니다.

5

채점 기준		
	❶ 버스 한 대에 탄 마을 사람 수 구하기	2점
	❷ 버스에 탄 전체 마을 사람 수 구하기	3점

6 ㉠ (원의 지름)$= 7 \times 2 = 14$(cm)
㉢ (원의 지름)$= 6 \times 2 = 12$(cm)
→ $12 < 14 < 16 < 18$이므로 크기가 작은 것부터 차례로 기호를 쓰면 ㉢, ㉠, ㉡, ㉣입니다.

7 1되는 약 1 L 800 mL이고,
1 L 800 mL + 1 L 800 mL = 3 L 600 mL이므로 2되는 **약 3 L 600 mL**입니다.

8 $90 > 70 > 50 > 30$이므로 가장 큰 수와 두 번째로 큰 수의 곱을 구합니다.
→ $90 \times 70 = \mathbf{6300}$

9 $81 \div 6 = 13 \cdots 3$이므로 연필을 한 상자에 13자루씩 담고 3자루가 남습니다.
→ (더 필요한 연필의 수)
$= 6 - 3 =$ **3(자루)**

10

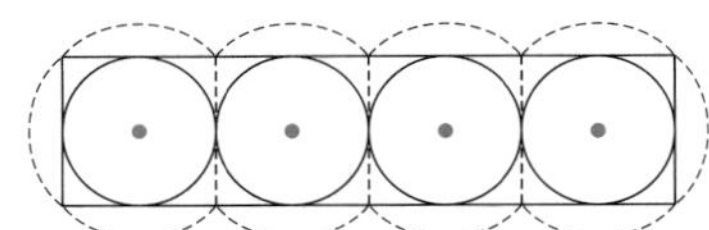

직사각형의 네 변의 길이의 합은 원의 지름의 10배입니다.
(원의 지름)$\times 10 = 60$, (원의 지름)$= 6$ cm
→ (원의 반지름)$= 6 \div 2 =$ **3(cm)**

11

채점 기준		
	❶ 안경을 쓴 학생 수 구하기	3점
	❷ 안경을 쓰지 않은 학생 수 구하기	2점

12 • 상윤: 대접보다 냄비에 물을 더 많이 담을 수 있습니다.
• 유라: 냄비의 들이는 대접의 들이의 2배입니다.
따라서 바르게 이야기한 사람은 **미애**입니다.

13

```
      ㉡ 9
㉠ ) 5 8
     ㉢
     ───
     2 8
    ㉣ ㉤
     ───
       1
```

• $28 -$ ㉣㉤ $= 1$ → ㉣$=$**2**, ㉤$=$**7**
• $5 -$ ㉢ $= 2$ → ㉢$=$**3**
• ㉠$\times 9 =$ ㉣㉤에서 ㉠$\times 9 = 27$
→ ㉠$=$**3**
• ㉠$\times$㉡$=$㉢에서 $3 \times$㉡$= 3$
→ ㉡$=$**1**

14 분자와 분모의 합이 18이 되도록 표를 만들면 다음과 같습니다.

분자	6	7	8	9
분모	12	11	10	9

이 중에서 차가 4인 두 수는 7, 11입니다.
따라서 구하는 진분수는 $\mathbf{\frac{7}{11}}$입니다.

15 (선분 ㄱㄴ)+(선분 ㄱㄷ)$+4=14$,
(선분 ㄱㄴ)+(선분 ㄱㄷ)$=10$에서
(선분 ㄱㄴ)=(선분 ㄱㄷ)=(원의 반지름)이므로
(선분 ㄱㄴ)=(선분 ㄱㄷ)$=5$ cm입니다.
정사각형의 한 변의 길이는 원의 지름과 같으므로
(정사각형의 네 변의 길이의 합)
$= 10 \times 4 =$ **40(cm)**

16

채점 기준		
	❶ 책 3권의 무게 구하기	3점
	❷ 빈 가방의 무게 구하기	2점

17 그림그래프에서 가 과수원의 수확량은 34 kg, 다 과수원의 수확량은 51 kg입니다.
(라 과수원의 수확량)
$= 153 - 34 - 26 - 51 = 42$(kg)

18 일반 문자: $22 \times 16 = 352$(원)
파일 첨부 문자: $110 \times 5 = 550$(원)
→ $352 + 550 =$ **902(원)**

19 $36 \div 9 = 4$, $39 \div 6 = 6 \cdots 3$,
$63 \div 9 = 7$, $69 \div 3 = 23$,
$93 \div 6 = 15 \cdots 3$, $96 \div 3 = 32$
→ 나누어떨어지지 않는 나눗셈식은 모두 **2가지**입니다.

20 1일: 작은 그림 1개는 1장을 나타내므로 큰 그림 3개는 $16-1=15$(장)를 나타냅니다.
(큰 그림 1개의 판매량)$=15\div3=5$(장)
➔ (1일부터 4일까지 판매량의 합)
$=16+7+13+14=$**50(장)**

3회 33~36쪽

1	선분 ㄱㄹ, 선분 ㄴㅂ	**2**	㉡, ㉢
3	$1\frac{3}{5}$시간	**4**	152개

5 예 ❶ (전체 곶감의 수)$=28\times3=84$(개) ▸2점
❷ (곶감을 먹는 날수)$=84\div4=21$(일) ▸3점
/ 21일

6	$\frac{21}{6}$, $4\frac{1}{6}$	**7**	7군데
8	16 m	**9**	32권
10	136권	**11**	4개
12	8개	**13**	배구공
14	5		

15 예 ❶ (두 물통에 들어 있는 물의 양의 합)
$=3$ L 700 mL$+2$ L 300 mL
$=6$ L ▸2점
❷ 6 L$=3$ L$+3$ L이므로 가 물통에서 나 물통으로 옮겨야 하는 물의 양은
3 L 700 mL-3 L$=700$ mL입니다. ▸3점
/ 700 mL

16 예 ❶ 1시간의 $\frac{1}{2}$은 30분이므로 수학을 공부한 시간은 30분이고, 1시간의 $\frac{1}{4}$은 15분이므로 영어를 공부한 시간은 15분입니다. ▸3점
❷ (국어를 공부한 시간)
$=60-30-15=15$(분) ▸2점
/ 15분

17	3개	**18**	24 cm
19	5, 3, 5	**20**	160개

1 원의 중심 ㅇ을 지나고 원 위의 두 점을 이은 선분을 모두 찾으면 **선분 ㄱㄹ, 선분 ㄴㅂ**입니다.

2 ㉡ 하마 1마리의 몸무게는 약 3 t입니다.
㉢ 자동차 1대의 무게는 약 2 t입니다.
➔ 무게가 1 t보다 무거운 것을 모두 찾아 기호를 쓰면 **㉡, ㉢**입니다.

3 $\frac{1}{5}$이 5개이면 $\frac{5}{5}=1$입니다.
$\frac{8}{5}$은 $\frac{1}{5}$이 8개, $8=5+3$이므로
$\frac{8}{5}$시간$=$**$1\frac{3}{5}$시간**입니다.

4 닭 한 마리의 다리 수: 2개
➔ (닭 76마리의 다리 수)$=2\times76=$**152(개)**

5

채점 기준		
	❶ 전체 곶감의 수 구하기	2점
	❷ 곶감을 먹는 날수 구하기	3점

6 대분수를 가분수로 고쳐서 비교하면 $3\frac{2}{6}=\frac{20}{6}$이고, $3\frac{1}{6}=\frac{19}{6}$, $4\frac{1}{6}=\frac{25}{6}$, $4\frac{5}{6}=\frac{29}{6}$입니다.
➔ $3\frac{2}{6}$보다 크고 $\frac{28}{6}$보다 작은 분수는 $\mathbf{\frac{21}{6}}$, $\mathbf{4\frac{1}{6}}$입니다.

7

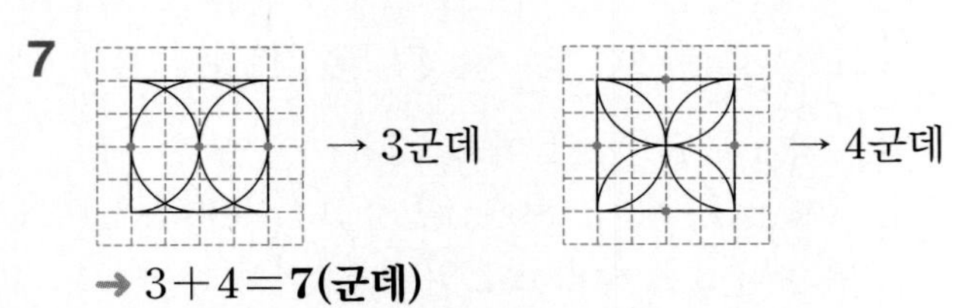

➔ $3+4=$**7(군데)**

8 (막대와 막대 사이의 간격의 수)$=8$군데
➔ (간격 한 군데의 길이)$=128\div8=$**16 (m)**

9 6월에 빌려간 책은 40권입니다.
따라서 40권의 $\frac{4}{5}$는 32권이므로 5월에 빌려간 책은 **32권**입니다.

10 3월: 30권, 4월: 34권, 5월: 32권, 6월: 40권
➔ (3월부터 6월까지 빌려간 책의 수의 합)
$=30+34+32+40$
$=$**136(권)**

11 직사각형 안에 그릴 수 있는 가장 큰 원의 지름은 직사각형의 세로와 같은 8 cm입니다.
$35\div8=4\cdots3$이므로 원을 **4개**까지 그릴 수 있습니다.

12 • 가장 많이 팔린 가게는 다 가게로 32개입니다.
• 가장 적게 팔린 가게는 라 가게로 24개입니다.
➔ (팔린 도넛의 수의 차)$=32-24=$**8(개)**

13 어림한 무게와 직접 잰 무게의 차를 구하면
배구공: $290\,g-260\,g=30\,g$,
축구공: $450\,g-410\,g=40\,g$,
농구공: $545\,g-510\,g=35\,g$
따라서 $30<35<40$이므로 가장 가깝게 어림한 공은 **배구공**입니다.

14 같은 두 수를 곱하여 같은 수가 나오는 한 자리 수는 1, 5, 6입니다.
$111\times1=111$, $555\times5=2775$, $666\times6=3996$
→ □ 안에 공통으로 들어갈 한 자리 수는 **5**입니다.

15

채점 기준		
	❶ 두 물통에 들어 있는 물의 양의 합 구하기	2점
	❷ 가 물통에서 나 물통으로 옮겨야 하는 물의 양 구하기	3점

16

채점 기준		
	❶ 수학과 영어를 공부한 시간 각각 구하기	3점
	❷ 국어를 공부한 시간 구하기	2점

17 $35\times42=1470$
$297\times2=594$, $297\times3=891$, $297\times4=1188$, $297\times5=1485$
→ □ 안에 들어갈 수 있는 수는 2, 3, 4로 모두 **3개**입니다.

18 (가장 작은 원의 지름)$=5\times2=10$(cm)
(중간 크기의 원의 반지름)$=17-10=7$(cm)
(중간 크기의 원의 지름)$=7\times2=14$(cm)
→ (가장 큰 원의 지름)$=14+10=$**24(cm)**

19 자료에서 찢어지지 않은 부분의 과일 수를 세어 표로 나타내면 다음과 같습니다.

과일	수박	딸기	포도	사과	합계
학생 수(명)	3	5	2	4	14

보이지 않는 곳에 수박 2개가 더 있고 합계가 18개이므로 남은 과일 중 2개가 더 있습니다. 딸기와 사과를 좋아하는 학생 수는 같으므로 보이지 않는 곳에 사과 1개, 포도 1개가 있습니다.

20 (정사각형의 한 변에 찍는 빨간 점 사이의 간격 수)
$=60\div3=20$(군데)
(정사각형의 한 변에 찍는 빨간 점의 수)
$=20+1=21$(개)
(정사각형의 각 변에 찍는 빨간 점의 수의 합)
$=21\times4=84$(개) → 이 중에서 4개의 점이 겹쳐집니다.
(정사각형의 네 변에 찍는 빨간 점의 수의 합)
$=84-4=80$(개)
(정사각형의 한 변에 찍는 파란 점의 수)$=20$개
(정사각형의 네 변에 찍는 파란 점의 수의 합)
$=20\times4=80$(개)
→ (전체 점의 수)$=80+80=$**160(개)**

4회 37~40쪽

1 3개, 2개 **2** 5, 9, 10, 6, 30
3 2배 **4** 9 cm
5 예 ❶ (지우개 5개의 값)$=220\times5=1100$(원)
(도화지 14장의 값)$=60\times14=840$(원) ▸ 3점
❷ (인철이가 산 물건의 금액)
$=1100+840=1940$(원) ▸ 2점 / 1940원
6 2개 **7** 2장
8 20 cm **9** 4 kg 900 g
10 42 mm
11 $\frac{5}{2}\to2\frac{1}{2}$ / $\frac{7}{2}\to3\frac{1}{2}$ / $\frac{7}{5}\to1\frac{2}{5}$
12 1 L 998 mL **13** 5 cm
14 동쪽, 525걸음
15 예 ❶ (가로에 붙일 수 있는 타일의 수)
$=96\div6=16$(장)
(세로에 붙일 수 있는 타일의 수)
$=78\div6=13$(장) ▸ 3점
❷ (필요한 타일의 수)$=16\times13=208$(장) ▸ 2점
/ 208장
16 예 ❶ (1일 후 벌레의 높이)$=34-5$
$=29$(cm) ▸ 2점
❷ 2주는 $7\times2=14$(일)이므로
(2주 후 벌레의 높이)$=29\times14=406$(cm) ▸ 3점
/ 406 cm
17 14 g **18** 16묶음
19 9, 3 **20** 1200번

1 • 진분수: $\frac{6}{8}$, $\frac{9}{13}$, $\frac{15}{17}$ → **3개**
• 가분수: $\frac{4}{4}$, $\frac{5}{3}$ → **2개**

3 5×2=10이므로 영어를 좋아하는 학생 수는 국어를 좋아하는 학생 수의 2배입니다.

4 컴퍼스를 원의 반지름인 18÷2=**9 (cm)**가 되도록 벌려야 합니다.

5

채점 기준	❶ 지우개 5개와 도화지 14장의 값 각각 구하기	3점
	❷ 위 ❶의 합 구하기	2점

6 96÷6=16, 76÷4=19
➜ 16<□<19이므로 □ 안에 들어갈 수 있는 두 자리 수는 17, 18로 모두 **2개**입니다.

7 70÷4=17…2이므로 17장씩 나누어 주면 2장이 남습니다.
➜ 색종이는 적어도 4−2=**2(장)** 더 필요합니다.

8 (선분 ㄴㄷ)=4 cm, (선분 ㄱㄹ)=6 cm
➜ (사각형 ㄱㄴㄷㄹ의 네 변의 길이의 합)
=4+4+6+6=**20 (cm)**

9 2500 g=2 kg 500 g
(어머니가 장바구니에 담은 물건의 무게의 합)
=1 kg 600 g+2 kg 500 g+800 g
=4 kg 100 g+800 g
=**4 kg 900 g**

10 (10원짜리 동전의 지름)=9×2=18(mm)
➜ 24>21.6>18이므로
24+18=**42 (mm)**입니다.

11 7>5>2이므로 만들 수 있는 가분수는 $\frac{5}{2}$, $\frac{7}{2}$, $\frac{7}{5}$ 입니다.
➜ $\mathbf{\frac{5}{2}=2\frac{1}{2}, \frac{7}{2}=3\frac{1}{2}, \frac{7}{5}=1\frac{2}{5}}$

12 (1초 동안 받은 물의 양)
=300−78=222(mL)
(9초 동안 받은 물의 양)
=222×9=1998(mL) ➜ **1 L 998 mL**

13 선분 ㄱㄹ의 길이의 $\frac{3}{5}$이 12 cm이므로 선분 ㄱㄹ의 길이의 $\frac{1}{5}$은 12÷3=4(cm)입니다.
(선분 ㄱㄹ)=4×5=20(cm)
➜ (선분 ㄱㄴ)=(선분 ㄱㄹ)−(선분 ㄴㄹ)
=20−15=**5 (cm)**

14 출발점 ① ② ③ ④ 보물

② 25×2=50(걸음)
③ 50×10=500(걸음)
➜ 보물은 출발점에서 **동쪽**으로
25+500=**525(걸음)** 떨어진 곳에 있습니다.

15

채점 기준	❶ 가로와 세로에 각각 붙일 수 있는 타일의 수 구하기	3점
	❷ 필요한 타일의 수 구하기	2점

16

채점 기준	❶ 1일 후 벌레의 높이 구하기	2점
	❷ 2주 후 벌레의 높이 구하기	3점

17 (크레파스 4개의 무게)=(구슬 5개의 무게),
(구슬 10개의 무게)=(수첩 1개의 무게)이므로
(크레파스 8개의 무게)=(구슬 10개의 무게)
=(수첩 1개의 무게)입니다.
따라서 (크레파스 8개의 무게)=112 g이므로 크레파스 1개의 무게는 112÷8=**14 (g)**입니다.

18 가 모둠: 13명, 나 모둠: 8명,
다 모둠: 12명, 라 모둠: 9명
(전체 학생 수)=13+8+12+9=42(명)
(필요한 연필의 수)=42×3=126(자루)
➜ 126÷8=15…6이므로 연필을 적어도 **16묶음** 사야 합니다.

19 ㉠이 될 수 있는 수: 8, 9
㉡이 될 수 있는 수: 2, 3
만들 수 있는 두 자리 수 ㉠㉡: 82, 83, 92, 93
82÷4=20…2, 83÷4=20…3,
92÷4=23, 93÷4=23…1
➜ **㉠=9, ㉡=3**

20 (㉮ 톱니바퀴가 1분 동안 돌아가는 횟수)
=12÷4=3(번)
(㉯ 톱니바퀴가 1분 동안 돌아가는 횟수)
=(㉮ 톱니바퀴가 1분 동안 돌아가는 횟수)×5
=3×5=15(번)
1시간=60분
→ 1시간 20분=60분+20분=80분
(㉯ 톱니바퀴가 1시간 20분 동안 돌아가는 횟수)
=15×80=**1200(번)**

큐브 수학 심화

정답 및 풀이 3·2

개념부터 응용문제 학습까지 딱 1권으로 완료!

닉네임 좋***

개념만 하기에는 너무 쉽거나 부족할 것 같은데 그렇다고 심화를 하기엔 두 권을 풀어 내는 게 역부족이다 싶을 때 정말 딱 괜찮은 책! 개념부터 약간의 응용까지 건드려줘서 아이도 한 권이라 부담이 덜하고 엄마 입장에서도 너무 어렵지 않은 문제를 고루 만날 수 있다는 게 가장 큰 장점이에요. 개념부터 응용까지 폭넓게 다루는 교재는 큐브수학 개념응용밖에 없어요.

다양한 난이도 문제로 수학 자신감 UP!

닉네임 유*

세분화된 개념으로 개념을 꽉 잡을 수 있고, 문제는 간단한 기본문제부터 응용문제까지 난이도와 유형이 다양하게 구성되어 있어 단조롭지 않더라고요. 서술형 문제도 꼼꼼히 살펴보았는데 역시 짧은 서술형 문제부터 좀 더 사고를 요하는 긴 문장의 문제까지 갖춰져 있어서 지루하지 않았어요. **제대로 개념을 이해하면서, 시간이 걸리더라도 다양한 문제를 마주하고 익힐 수 있는 책이에요.**

큐브수학 개념응용

개념응용

서술형 문제 집중 훈련이 필요할 땐! 큐브수학 실력

닉네임 삼**

서술형 코너는 연습→단계→실전의 3단계 학습으로 구성되어 있어요. 저는 이 부분이 가장 좋았어요. '연습'은 풀이 과정을 자연스럽게 익히면서 스스로 풀 수 있을만큼 쉽게 느껴졌고, '단계'는 연습의 복습, '실전'은 혼자 푸는 건데도 두 번의 연습으로 완벽하게 풀 수 있어 **서술형 문제를 내 것으로 만든다는 느낌이 강하게 들었습니다. 답안 쓰기 훈련을 완벽하게 할 수 있어요.**

반복 학습으로 모든 유형을 제대로 익히기!

닉네임 슈****

다양한 유형 문제가 있고, **문제마다 유형-확인-강화 순으로 반복 학습이 가능해요. 유사 유형의 문제를 반복적으로 풀어 볼 수 있으니 실력 향상에 도움이 많이 됩니다.** 또 서술형도 3단계 학습으로 답안 쓰기 훈련이 정말 잘 됩니다. 그리고 해설지도 문제에 따라 약점 포인트, 정답률까지 나와 있어서 참고하기 너무 편하게 되어 있더라고요.

상위권 도전 첫 교재로 강력 추천!

닉네임 블***

개념과 유형 문제집까지 다 끝냈는데 심화를 안 풀고 넘어갈 수는 없잖아요? 심화 문제집도 아이에게 맞는 난이도를 선택하는 것이 무엇보다 중요한데요. **군더더기 없고 깔끔한 문제 구성과 적절하게 나누어진 난이도 덕분에 심화 시작 교재로 강력 추천합니다.**

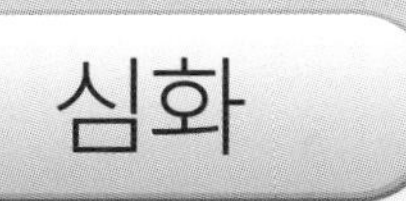

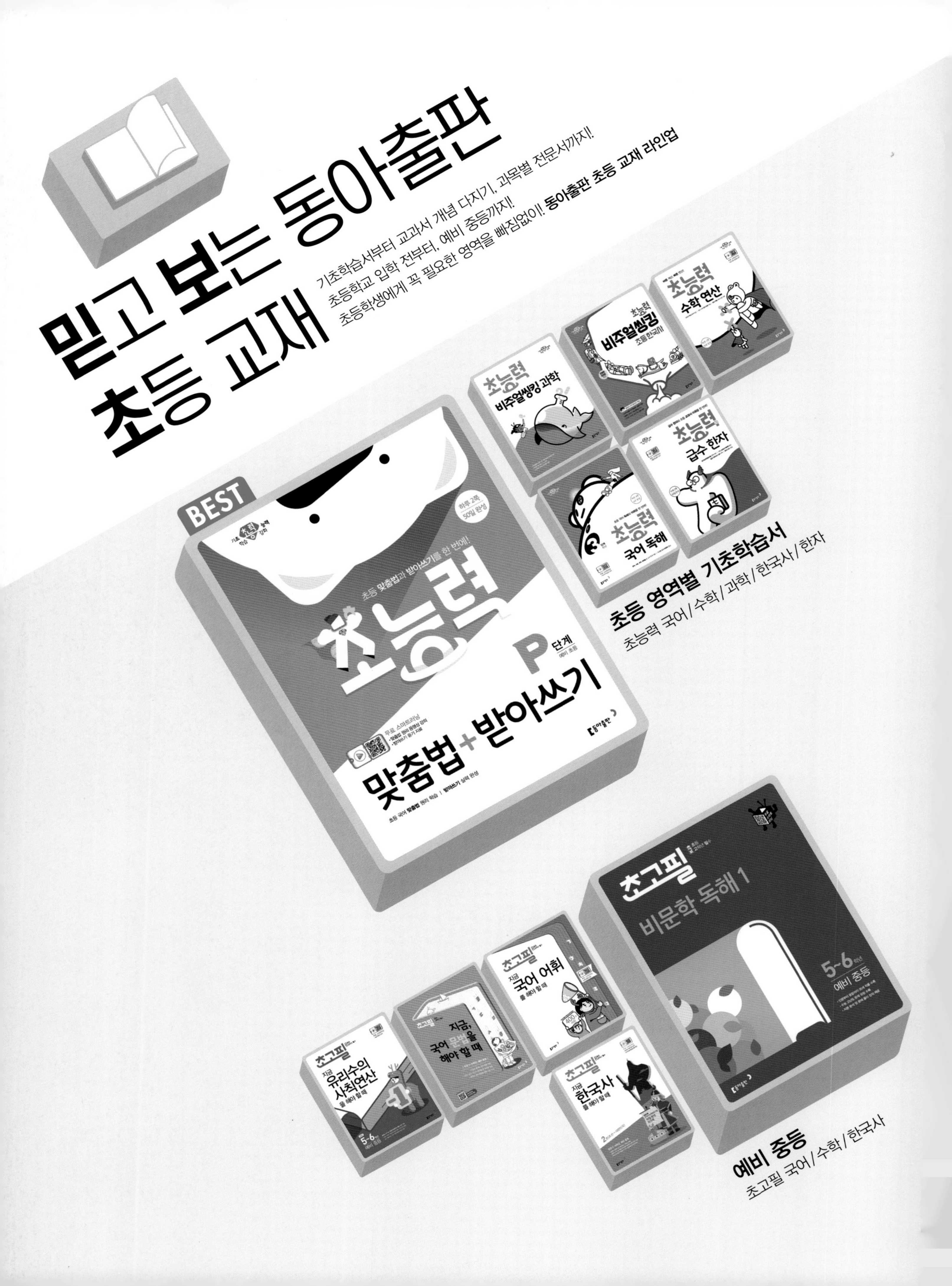

믿고 보는 동아출판
초등 교재
기초학습서부터 교과서 개념 다지기, 과목별 전문서까지!
초등학교 입학 전부터, 예비 중등까지!
초등학생에게 꼭 필요한 영역을 빠짐없이! 동아출판 초등 교재 라인업
BEST
초능력 맞춤법+받아쓰기
P단계
초등 영역별 기초학습서
초능력 국어/수학/과학/한국사/한자
초능력 비주얼씽킹 과학
초능력 비주얼씽킹 초등한국사
초능력 수학 연산
초능력 국어 독해
초능력 급수 한자
초고필 비문학 독해 1
5~6학년 예비 중등
초고필 지금 국어 어휘를 해야 할 때
초고필 지금, 국어 문법을 해야 할 때
초고필 지금 유리수의 사칙연산을 해야 할 때
초고필 지금 한국사를 해야 할 때
예비 중등
초고필 국어/수학/한국사